С. А. ХАВРОНІ

ГОВОРИТЕ ПО-РУССКИ

Second edition revised

ИЗДАТЕЛЬСТВО ПРОГРЕСС   *   PROGRESS PUBLISHERS

МОСКВА   MOSCOW

С. ХАВРОНИНА

ГОВОРИТЕ ПО-РУССКИ

Для лиц, говорящих
На английском языке

FOREWORD

In preparing the present volume it was the author's intention primarily to provide a course in Russian for persons in the English speaking world who are studying the language without a teacher.

It is, however, so devised that it may equally well be used under the guidance of a tutor. It is intended for students who have reached an intermediate level by studying N. Potapova's *Russian*, or some similar text-book.

The book is entirely practical and the material it provides is contemporary and frankly utilitarian. It consists of nineteen lessons, each one of which deals with a particular aspect of everyday life in the Soviet Union today.

Each lesson consists of a passage for reading and a set of dialogues on a specific theme followed by notes and exercises.

The passages are given in order of increasing difficulty as regards both subject matter and language. However, as the grammar and syntax do not vary greatly in difficulty from one lesson to another, this order need not be strictly adhered to.

The notes deal mainly with points of grammar, syntax and vocabulary which present difficulty to foreign students of Russian, but some of them are factual.

Each lesson contains a section entitled "Memorize", in which certain common expressions are given. It is recommended that they should be learnt by heart.

The exercises are intended to stimulate active use of the words, expressions and constructions which occur in the reading passages and dialogues. They include exercises in translation from English into Russian, in renarration of the passage for reading, composition on the topic of the lesson. The Key provided at the end of the book enables the student to check his work. There are also tables of common idiomatic expressions as well as examples of certain syntactical constructions.

A comprehensive Russian-English vocabulary is given at the end of the book.

The author suggests the following method of study.

Read the passage several times, translate it with the aid of the notes and the vocabulary; retell it, following the original passage as closely as possible, not attempting to change the constructions or substitute other words for those given in the passage.

Next the dialogues should be studied; it would be advisable to memorize some of them.

The student should then do the exercises. It is advisable to attempt all the exercises provided, in order to assimilate thoroughly certain difficult items of grammar, syntax and vocabulary.

The last phase consists of the more independent types of work: translation, narration and composition. The student's success here depends on how thoroughly he has assimilated all the preceding matter provided in the lesson.

The author wishes to express her gratitude to Mr. Peter Henry, M. A., Head of the Department of Russian Studies, University of Hull, for his help in preparing both the first and second editions of this book.

The author would be grateful for any comments and suggestions for improving the book in future editions. They should be addressed to the *Progress Publishers, 21, Zubovsky Blvd., Moscow, USSR.*

S. Khavronina

CONTENTS

1

НЕМНОГО О СЕБЕ

Меня́ зову́т Па́вел Андре́евич, моя́ фами́лия Бело́в. (1) Мне три́дцать лет. Я роди́лся в Москве́ и всю жизнь живу́ здесь. (2) Когда́ мне бы́ло семь лет, я пошёл в шко́лу. С де́тства я интересова́лся хи́мией, поэ́тому по́сле оконча́ния шко́лы я поступи́л в университе́т на хими́ческий факульте́т. Пять лет наза́д я око́нчил университе́т и поступи́л рабо́тать на заво́д. Я хи́мик, рабо́таю в лаборато́рии.

В про́шлом году́ я жени́лся. Мою́ жену́ зову́т Мари́на. Она́ моло́же меня́ на четы́ре го́да. (3) Мари́на врач. В про́шлом году́ она́ око́нчила медици́нский институ́т. Тепе́рь она́ рабо́тает в де́тской поликли́нике. Мари́на лю́бит своё де́ло и рабо́тает с интере́сом. Мари́на хорошо́ поёт, у неё краси́вый го́лос. Раз в неде́лю Мари́на хо́дит в Дом культу́ры, где она́ поёт в хо́ре.

Я о́чень люблю́ спорт. Мой люби́мый вид спо́рта — пла́вание. Два ра́за в неде́лю по́сле рабо́ты я хожу́ в бассе́йн, кото́рый нахо́дится недалеко́ от на́шего до́ма.

По суббо́там мы обы́чно навеща́ем мои́х роди́телей (роди́тели Мари́ны живу́т в Оде́ссе). Иногда́ мы хо́дим в го́сти к друзья́м и́ли приглаша́ем их к себе́. Мы лю́бим му́зыку и теа́тр и ча́сто хо́дим в теа́тр и на конце́рты.

NOTES

(1). Меня́ зову́т Па́вел Ан-
дре́евич, моя́ фами́лия
Бело́в.

My name is Pavel Andreye-
vich, my surname is Belov.

Звать (меня́, вас, его́ ... зову́т) is used only when speaking of animate beings and **называ́ться,** of inanimate objects.

— Как его́ зову́т?
— Его́ зову́т Серге́й.

— Как называ́ется э́та ста́нция
    метро́?
— Эта ста́нция называ́ется
    «Арба́тская».

Every Russian has a first name **(Па́вел)**, a patronymic **(Андре́евич)** and a surname **(Бело́в)**:

Алексе́й Ива́нович Га́рин.
Анна Петро́вна Шестако́ва.

The patronymic is derived from the father's first name. We call children and close friends by their first names. The personal pronoun and the verb are in the singular.

Ни́на, *иди́* обе́дать.
Ви́ктор, где *ты был?*
Здра́вствуй, Бори́с.

The usual form of address among adults is the first name and patronymic; the personal pronoun and the verb are in the plural.

Здра́вствуйте, Алексе́й Васи́льевич.
Мари́я Па́вловна, *вы придёте* к нам сего́дня ве́чером?

The official way of addressing people is **това́рищ** ('comrade') + **surname.**

Това́рищ Ро́зов, сде́лайте, пожа́луйста, э́ту рабо́ту сего́дня.

Това́рищ is also used when addressing strangers.

Това́рищ, скажи́те, пожа́луйста, где метро́?
Това́рищ продаве́ц, покажи́те, пожа́луйста, э́ту кни́гу.

(2). Я ... всю жизнь живу́   I've lived here all my life.
    здесь.

To express an action or condition which began in the past and continues in the present, the present tense is used.

Я *учу́* ру́сский язы́к два го́да.   I have been studying Russian for two years.

Мы *ждём* вас це́лый час.   We have been waiting for you (for) a whole hour.

(3). Она́ моло́же меня́ на   She is four years younger than me.
    четы́ре го́да.

Comparison can be expressed by:
    a) The genitive of comparison:
        Он ста́рше *вас.*
    b) The conjunction **чем** + *nominative:*
        Он ста́рше, *чем вы.*

Used in a comparison **на** + *accusative* expresses the difference between the objects being compared.

        Он ста́рше вас *на́ пять лет.*
        Она́ моло́же меня́ *на́ три го́да.*

DIALOGUES

I

— Серге́й, э́то ты! Здра́вствуй!

— Кака́я встре́ча! Здра́вствуй, Па́вел! Ско́лько лет не ви́делись! Как живёшь?

— Хорошо́, спаси́бо. А ты?

— Я то́же хорошо́. (1) Где ты рабо́таешь?

— На заво́де, в лаборато́рии. А ты?

— Я рабо́таю на фа́брике. Я тепе́рь гла́вный инжене́р фа́брики.

— Ну, а как семья́?

— Отли́чно. Де́ти расту́т. Ста́рший сын, И́горь, хо́дит в шко́лу. Мла́дший, Ви́ктор, — в де́тский сад. Зо́я, моя́ жена́, — ты по́мнишь её? — рабо́тает в шко́ле. Она́ учи́тельница. А ты жени́лся и́ли всё ещё холосто́й?

— Жени́лся. Ещё в про́шлом году́. (2)

— А кто твоя́ жена́?

— Моя жена́ врач. Она́ рабо́тает в де́тской поликли́нике. Приезжа́йте к нам в го́сти. Я познако́млю вас со свое́й жено́й.

— Спаси́бо. Мы с Зо́ей обяза́тельно прие́дем.

— До свида́ния. Переда́й приве́т Зо́е и де́тям.

— Всего́ хоро́шего. (3)

II

— Скажи́те, кто э́тот челове́к?

— Это мой знако́мый. Неда́вно он поступи́л рабо́тать к нам на заво́д (4).

— Как его́ зову́т?

— Его́ зову́т Никола́й Андре́евич.

— А как его́ фами́лия?

— Его́ фами́лия Соколо́в.

— Он ещё совсе́м молодо́й.

— Да, ему́ то́лько два́дцать четы́ре го́да. Ещё год наза́д он был студе́нтом, а тепе́рь он рабо́тает инжене́ром у нас на заво́де (5).

N O T E S

(1). Я то́же хорошо́. I'm all right too.

In conversational speech some words are omitted in both questions and replies:

— Где ты рабо́таешь?

— На заво́де, в лаборато́рии. (instead of Я *рабо́таю* на заво́де, в лаборато́рии.)

— Ну, а как семья́? (instead of Ну, а как *живёт* семья́?)

(2). Ещё в про́шлом году́ я жени́лся. I married (already, as long ago as) last year.

The main meanings of **ещё** are:
a) 'another', 'more', 'else'

Да́йте, пожа́луйста, *ещё* ча́шку ко́фе. Give me another cup of coffee, please.

Есть *ещё* вопро́сы? Are there any more questions?

Повтори́те, пожа́луйста, *ещё* раз. Repeat it once more, please.

Кто *ещё* придёт? Who else will come?

b) 'as early as'

Ещё вчера́ я слы́шал об э́том.	I already heard about it yesterday.
Ещё в де́тстве я люби́л хи́мию.	I liked chemistry even (already) as a child.

c) **всё ещё** 'still'

Он *всё ещё* рабо́тает здесь.	He is still working here.

d) **ещё не, ещё нет** 'not yet'

Он *ещё не* пришёл.	He hasn't come yet.
Вы *ещё не* зна́ете об э́том?	Don't you know about this yet?
Я *ещё не* ко́нчил рабо́ту.	I've not finished my work yet.
(3). Всего́ хоро́шего.	All the best.

(4,5). к нам на заво́д = на на́ш заво́д
у на́с на заво́де = на на́шем заво́де

MEMORIZE:

— Как вас зову́т?	— What is your (first) name?
— Меня́ зову́т Никола́й.	— My name is Nikolai.
Его́, её, тебя́, вас зову́т ...	His, her, your name is ...
— Ско́лько вам лет?	— How old are you?
— Мне два́дцать четы́ре го́да.	— I am twenty-four years old.
ходи́ть в го́сти к друзья́м	to go and visit friends
быть в гостя́х у друзе́й	to be visiting friends (to be on a visit with friends)
приглаша́ть друзе́й к себе́ в го́сти (приглаша́ть госте́й)	to invite friends home (to invite guests)
Приходи́те к нам в го́сти.	Do come and visit us.
Переда́йте приве́т жене́ (семье́, роди́телям, бра́ту, сестре́ ...)	Remember me to your wife (your family, parents, brother, sister...)
по суббо́там = ка́ждую суббо́ту	on Saturdays

по воскресéньям = кáждое воскресéнье	on Sundays
по утрáм, по вечерáм, по ночáм (but use кáждый день or днём	in the mornings, in the evenings, at nights for in the afternoons)
Как (вáши) делá?	How are things?
Как здорóвье?	How are you?
Как семья?	How is your family?

EXERCISES

I. Answer the following questions.

A.
1. Как зовýт Белóва?
2. Скóлько емý лет?
3. Где он родúлся?
4. Где он учúлся?
5. Кто он по специáльности?
6. Где он рабóтает?
7. Женáт ли Белóв?
8. Кто егó женá?
9. Как её зовýт?
10. Скóлько ей лет?
11. Где онá учúлась?
12. Какóй инститýт онá окóнчила?
13. Где онá рабóтает?
14. У Белóвых есть дéти?
15. Что дéлают Белóвы по суббóтам?

B.
1. Как вас зовýт?
2. Где вы живёте?
3. Где вы родилúсь?
4. Скóлько вам лет?
5. Вы женáты? (Вы зáмужем?)
6. У вáс есть дéти?
7. Как зовýт вáшего сы́на? (Вáшу дочь?)
8. Кто вы по специáльности?
9. Где вы учúлись?
10. Вы лю́бите свою́ рабóту?
11. Что вы дéлаете пóсле рабóты?
12. Что вы дéлаете по воскресéньям?
13. Вы лю́бите мýзыку?
14. Вы чáсто хóдите в теáтр?

II. Answer the following questions.

1. Сколько лет вашему брату?
2. Сколько лет вашей сестре?
3. Сколько лет вашему отцу?
4. Сколько вам лет?
5. Сколько лет вашей дочери?
6. Как вы думаете, сколько лет этому человеку?
7. Вы не знаете, сколько лет этой девушке?

III. Use the correct form of the words in brackets.

Model: (Я) двадцать лет. — Мне двадцать лет.

1. — Сколько (вы) лет? — (Я) тридцать лет. 2. — Сколько (он) лет? — (Он) двадцать семь лет. 3. — Сколько (она) лет? — (Она) семнадцать лет. 4. — Сколько лет (ваша сестра)? — (Моя сестра) двадцать один год. 5. — Сколько лет (ваш брат)? — (Мой брат) сорок лет. 6. — Сколько лет (ваша дочь)? — (Моя дочь) скоро будет пять лет.

IV. Fill in the blanks with the appropriate forms of the word *год:* *год, года, лет.*

1. Я учился в институте пять ... . 2. Он окончил институт два ... назад. 3. Эта семья живёт в Москве десять ... . 4. Мой друг работал в Лидсе три ... . 5. Его отец работал в школе двадцать один ... . 6. Нашему сыну скоро будет четыре ... . 7. Сколько вам ... ? 8. Мне тридцать три ... .

V. Answer the following questions using the words given in brackets.

Model: Где он учится? (школа) — Он учится *в школе.*
Куда он идёт? (школа) — Он идёт *в школу.*

1. Где работает Павел? (завод). 2. Куда он поступил работать после института? (завод). 3. Где живут Беловы? (Москва). 4. Куда вы хотите поехать летом? (Москва). 5. Где училась Марина? (институт). 6. Где работает Марина? (детская больница). 7. Куда ходит Павел после работы? (бассейн). 8. Куда часто ходят Беловы? (театр, кино, концерты). 9. Где живут родители Марины? (Одесса). 10. Куда поедут летом Беловы? (Одесса). 11. Где вы живёте? (Лондон). 12. Где учится ваш сын? (школа). 13. Куда он ходит каждый день? (школа).

VI. Rearrange the following sentences according to the model.

Model: Он старше, *чем я.* — Он старше *меня.*

1. Мой брат выше, чем я. 2. Ваша сестра моложе, чем вы? 3. Сестра красивее, чем брат. 4. Ваш дом больше, чем наш дом. 5. Мой сын моложе, чем ваш. 6. Я всегда думал, что я старше, чем вы. 7. Говорят, что Ленинград красивее, чем Москва. 8. Москва древнее, чем Ленинград.

VII. Rephrase the following sentences by using *который* in the required form instead of the conjunction *где*.

Model: Это дом, *где* мы жи́ли ра́ньше. — Это дом, *в кото́ром* мы жи́ли ра́ньше.

1. Это заво́д, где рабо́тает Па́вел. 2. Бассе́йн, где пла́вает Па́вел, нахо́дится ря́дом. 3. Я ѕна́ю институ́т, где учи́лась Мари́на. 4. Го́род, где мы жи́ли ра́ньше, называ́ется Влади́мир. 5. Вы бы́ли в шко́ле, где у́чится ваш сын? 6. Ле́том мы пое́дем в дере́вню, где живу́т мои́ роди́тели. 7. Вчера́ был конце́рт хо́ра, где поёт Мари́на.

VIII. Join the following pairs of simple sentences to make complex sentences. Use the conjunctions *и, потому́ что, поэ́тому, где, кото́рый*.

1. Па́вел око́нчил институ́т. Тепе́рь он рабо́тает на заво́де. 2. Мари́на — де́тский врач. Она́ рабо́тает в де́тской больни́це. 3. Они́ ча́сто хо́дят на конце́рты. Они́ лю́бят му́зыку. 4. Я был на заво́де. Там рабо́тает Па́вел. 5. Мы хо́дим в бассе́йн. Он нахо́дится недалеко́ от на́шего до́ма.

IX. Replace the words in italics by synonyms according to the model.

Model: *Ка́ждый вто́рник* я хожу́ в институ́т. — *По вто́рникам* я хожу́ в институ́т.

1. *Ка́ждую суббо́ту* мы хо́дим к роди́телям. 2. *Ка́ждую сре́ду* Мари́на поёт в хо́ре. 3. *Ка́ждый ве́чер* мы смо́трим телеви́зор. 4. *Ка́ждое воскресе́нье* они́ хо́дят в клуб. 5. *Ка́ждое у́тро* де́ти гуля́ют в па́рке. 6. *Ка́ждый четве́рг* я занима́юсь ру́сским языко́м по ра́дио.

X. a) Conjugate the verbs:

поступи́ть, люби́ть; ходи́ть; жить, петь.

b) Make up sentences with them.

XI. Make up questions to which the following sentences would be the answers.

Model: — ......?   — Как зову́т ва́шего бра́та?
— Моего́ бра́та зову́т   — Моего́ бра́та зову́т Влади́мир.
Влади́мир.

1. — ...... ?
— Мою́ жену́ зову́т А́нна.
2. — ...... ?
— Она́ рабо́тает в шко́ле.
3. — ...... ?
— Она́ око́нчила институ́т два го́да наза́д.

4. — ......?
— Этого человека зовут Сергей Иванович.
5. — ......?
— Он работает на нашем заводе.
6. — ......?
— Он инженер.
7. — ......?
— Он работает на нашем заводе три года.
8. — ......?
— По субботам мы ходим в гости.
9. — ......?
— Мы ходим в театр почти каждую неделю.

XII. Translate into Russian.

1. My name is Irina. What's yours? 2. Jim has graduated from the Institute and is now working in a factory. Where do you work? 3. My sister is three years older than me. My mother is five years younger than my father. 4. "How old is this man?" "I think he is forty." 5. They often go and visit their friends. Yesterday they visited their parents. 6. On Saturdays we go to the theatre, the cinema or a concert. 7. Do come and see us. 8. Give my regards to your parents.

XIII. Talk about yourself and your family using the following words and expressions:

родиться, жить, работать, поступить, окончить, учиться, любить, интересоваться, жениться (выйти замуж), мне (ему, ей...) ... лет, меня (его, её) зовут ...

XIV. Make up a dialogue entitled «Встреча с другом через пять лет», drawing on material from the whole lesson.

XV. Read out the following and renarrate:

— Сколько тебе лет, девочка?
— Когда я гуляю с папой, мне одиннадцать лет, а когда с мамой — только девять.

* * *

— Мама, где вы с папой родились?
— Я родилась в Москве, а папа — в Киеве.
— А где я родилась?
— А ты в Ленинграде.
— А как же мы все трое познакомились?

2

НАША СЕМЬЯ

Я хочу́ познако́мить вас с на́шей семьёй. Это мой оте́ц. Его́ зову́т Андре́й Петро́вич. Ему́ шестьдеся́т два го́да. Мою́ мать зову́т Анна Никола́евна. Ей пятьдеся́т семь лет. В мо́лодости мои́ роди́тели жи́ли в небольшо́м городке́ недалеко́ от Москвы́. Там они́ познако́мились и пожени́лись. Пото́м они́ перее́хали в Москву́. Мой оте́ц рабо́тал учи́телем в шко́ле. Он преподава́л исто́рию, ма́ма рабо́тала в шко́льной библиоте́ке. Сейча́с они́ не рабо́тают. И оте́ц и мать получа́ют пе́нсию.

У мои́х роди́телей тро́е дете́й (1) — моя́ сестра́, я и мой брат. Мою́ сестру́ зову́т Та́ня. Она́ ста́рше меня́ на́ три го́да. Та́ня ко́нчила институ́т иностра́нных языко́в и те-

перь преподаёт английский язык в школе. Десять лет назад Таня вышла замуж (2). У неё двое детей — сын и дочь. Наша Таня очень красивая, высокая и стройная женщина. У неё серые глаза и светлые волосы. Таня похожа на маму (3).

Моего брата зовут Коля. Он моложе меня на пять лет. Он учится в университете на физическом факультете. Он мечтает стать радиофизиком. Коля очень живой, весёлый, энергичный человек. Он прекрасно учится, хорошо знает литературу, любит музыку, занимается спортом. С ним всегда интересно поговорить. У Коли много друзей и подруг.

Наша семья очень дружная. Мы часто звоним друг другу, а по субботам собираемся у родителей.

NOTES

(1). У моих родителей трое детей.   My parents have three children.

'I have, he has', etc. is expressed in Russian by **у меня есть, у него, у неё, у нас, у вас, у них есть** + *nominative:*

У меня есть эта книга.   I've got this book.
У него есть сестра.   He has a sister.

The verb. **есть** is used to emphasize the existence or possession of someone or something. The opposite statement contains **нет.**

У меня есть учебник.   У меня нет учебника.

| *У меня́ нет э́той кни́ги.* | I haven't got this book. |
| *У него́ нет* сестры́. | He hasn't got a sister. |

The verb **есть** is omitted when the statement does not assert existence or possession, but expresses quantity or describes the object.

У неё се́рые глаза́ и све́т- лые во́лосы.	She has grey eyes and light hair.
У Мари́ны краси́вый го́лос.	Marina has a beautiful voice.
У Ко́ли мно́го друзе́й.	Kolya has many friends.

The opposite statement will not contain **нет,** as it is not a simple negation but it will give, or imply, a different or opposite description.

У неё не се́рые глаза́ (а голубы́е).
У Мари́ны некраси́вый го́лос.
У Ко́ли ма́ло друзе́й.

Compare:

У него́ *есть* брат.	У него́ *нет* бра́та.
У него́ *краси́вый* брат.	У него́ *некраси́вый* брат.
У меня́ *есть* но́вый учёб- ник.	У меня́ *нет* но́вого учебни- ка.
У меня́ *но́вый* учёбник.	У меня́ *ста́рый* учёбник.

In the past and in the future the forms of the verb **быть** (**был, была́, бы́ло, бы́ли; бу́дет, бу́дут**) are never omitted.

У меня́ но́вый учёбник.

У меня́ ста́рый учёбник.

Сего́дня у на́с *была́* ле́кция.
За́втра у на́с *бу́дет* ле́кция.

У ма́льчика краси́вый го́лос.
У ма́льчика *был* краси́вый го́лос.
У ма́льчика *бу́дет* краси́вый го́лос.

The negation **нет, не́ было, не бу́дет** is always followed by the genitive.

У него́ нет *телефо́на.*
У на́с нет *э́той кни́ги.*
У ни́х нет *дете́й.*

(2). Та́ня вы́шла за́муж.

Russian has two verbs corresponding 'to marry':

1. a) **жени́ться на** + *prepos.* (*на ко́м?*) when the subject is a man:

Па́вел *жени́лся на Мари́не.*	Pavel married Marina.
Мой брат *же́нится.*	My brother is going to marry.

In this case **жени́ться** may be of the perfective or the imperfective aspect.

b) **жени́ться** (imperfective) / **пожени́ться** (perfective) without any object when speaking of both partners.

Па́вел и Мари́на *пожени́лись,* когда́ Мари́на ко́нчила институ́т.	Pavel and Marina got married when Marina left college.

2. **выходи́ть / вы́йти за́муж за** + *acc.* (*за кого́?*) when the subject is a woman:

Мари́на вы́шла за́муж за Па́вла.	Marina married Pavel.

Similarly, the Russian for 'to be married' is **быть жена́тым, быть за́мужем.**

Па́вел жена́т.	Pavel is married.
Его́ брат Никола́й ещё не жена́т.	His brother Nikolai is not yet married.
Мари́на за́мужем неда́вно.	Marina has not been long married.
Та́ня давно́ за́мужем.	Tanya has been married for a long time.

2*

(3). (Она́) похо́жа на ма́му.	She looks like (takes after) our mother.

похо́ж, похо́жа, похо́жи на + *асс. (на кого́?)*

Ма́льчик похо́ж *на отца́.*	The boy looks like (takes after) his father.
Ваш брат совсе́м не похо́ж *на вас.*	There is not the slightest resemblance between you and your brother.
На кого́ похо́жа ва́ша дочь — *на вас* и́ли *на ва́шу жену́?*	Whom does your daughter take after—yourself or your wife?

DIALOGUES

I

— Хоти́те, я покажу́ вам наш семе́йный альбо́м? Это на́ша семья́. Это оте́ц. Это на́ша ма́ма. Это брат. Это сестра́. А э́то я.

— Ва́ши роди́тели совсе́м молоды́е. Давно́ вы фотографи́ровались?

— В про́шлом году́.

— Вы здесь о́чень похо́жи на отца́.

— Да, все так говоря́т.

— А ваш мла́дший брат и ва́ша сестра́ похо́жи на мать. Ско́лько лет ва́шей сестре́?

— Три́дцать три.

— Здесь ей мо́жно дать два́дцать три. (1)

— Я переда́м ей ваш комплиме́нт.

— А э́то кто?

— А э́то моя́ сестра́ с му́жем и детьми́.

— У неё уже́ дво́е дете́й?

— Да, как ви́дите, сын и дочь. Моему́ племя́ннику во́семь лет, а племя́ннице — три го́да. Воло́дя уже́ хо́дит в шко́лу, а Ле́ночка — в де́тский сад.

II

— А у вас больша́я семья́?

— Нет, нас тро́е — жена́, я и дочь.

— Ско́лько лет ва́шей до́чери?

— Семнáдцать.

— О! Я не дýмал, что у вáс такáя большáя дочь. Скóро у вáс бýдут внýки.

— Ну, чтó вы, не дáй бог! (2) Покá Нúна не дýмает выходúть зáмуж; не знáю, что бýдет дáльше.

— Онá ýчится?

— Да, в э́том годý Нúна кончáет шкóлу и хóчет поступáть в инститýт инострáнных языкóв. Онá мечтáет стать перевóдчицей.

— Неплóхо. А какóй язы́к онá изучáет?

— Англúйский.

NOTES

(1). Ей мóжно дать двáдцать три.	I'd say she was twenty-three.
(2). Ну, чтó вы, не дáй бог!	Oh no, heaven forbid!

MEMORIZE:

— Где вы рабóтаете?	— Where do you work?
— Я рабóтаю в шкóле	— I work in a school.
— Я не рабóтаю, я на пéнсии.	— I don't work, I am retired.
— Кем вы рабóтаете?	— What are you?
— Я рабóтаю учúтелем фúзики (хúмии, литератýры).	— I am a physics (chemistry) teacher (a teacher of literature).
— Что вы преподаёте?	— What do you teach?
— Я преподаю́ фúзику (хúмию, литератýру, рýсский язы́к).	— I teach physics (chemistry, literature, Russian).

EXERCISES

I. Answer the following questions.

A. 1. О чём рассказáл нам Пáвел?

2. Как зовýт отцá Пáвла?

3. Скóлько емý лет?

4. Скóлько лет мáтери Пáвла?

5. Как её зову́т?
6. Кем рабо́тали роди́тели Па́вла?
7. Где они́ живу́т сейча́с?
8. У Па́вла есть бра́тья и сёстры?
9. Ско́лько у него́ бра́тьев и сестёр?
10. Как зову́т его́ сестру́?
11. На кого́ она́ похо́жа?
12. Как зову́т его́ бра́та?
13. Никола́й рабо́тает и́ли у́чится?
14. Что де́лает сестра́ Па́вла — Татья́на?
15. У неё есть де́ти?
16. Ско́лько у неё дете́й?

В. 1. Где живёт ва́ша семья́?
2. Ско́лько челове́к в ва́шей семье́?
3. У ва́с есть роди́тели?
4. Где они́ живу́т?
5. Вы жена́ты? (Вы за́мужем?)
6. Когда́ вы жени́лись? (Когда́ вы вы́шли за́муж?)
7. У ва́с есть де́ти?
8. Ско́лько у ва́с дете́й?
9. Как их зову́т?
10. Ско́лько им лет?
'1. На кого́ похо́ж ваш сын?
،2. На кого́ похо́жа ва́ша дочь?
13. Ва́ши де́ти уже́ у́чатся?

II. Answer these questions in the affirmative. Special attention should be paid to the use of есть.

1. У ва́с *есть* роди́тели? У ва́с *ста́рые* роди́тели? 2. У ва́с *есть* де́ти? У ва́с *ма́ленькие* де́ти? 3. У ва́с *есть* друзья́? У ва́с *мно́го* друзе́й? 4. У ва́ших роди́телей *есть* дом? *Како́й* у ни́х дом? 5. У ва́шего дру́га *есть* маши́на? У него́ *но́вая* маши́на? 6. У ва́с *есть* кни́ги на ру́сском языке́? У ва́с *мно́го* книг на ру́сском языке́?

III. Fill in the blanks with the word есть, where it is required.

1. — У ва́шей сестры́ ... де́ти? — Да, у неё ... де́ти. У неё уже́ ... взро́слые де́ти. 2. — У ва́с ... маши́на? — Да, у меня́ ... маши́на. — Кака́я у ва́с ... краси́вая маши́на! 3. — У ва́шего дру́га ... роди́тели? — У него́ ... совсе́м молоды́е роди́тели. 4. У моего́ сы́на ... библиоте́ка. У него́ ... мно́го книг. 5. У на́шей до́чери ... тёмные глаза́ и све́тлые во́лосы. 6. У Па́вла ... о́чень краси́вая жена́.

IV. Answer the following questions using the words given on the right.

1. У кого́ есть э́тот уче́бник? я, он, она́, мы, мой друг, моя́ се-
стра́, наш преподава́тель

2. У кого́ есть а́нгло-ру́сский э́тот студе́нт, мой сосе́д, э́та де́-
слова́рь? вушка

3. У кого́ мно́го друзе́й в Моск- мой мла́дший брат, одна́ на́ша
ве́? студе́нтка, наш профе́ссор

V. Answer the following questions.

a) 1. Ваш брат жена́т? Он давно́ жена́т? Когда́ он жени́лся?
На ко́м он жени́лся? 2. Ва́ша сестра́ за́мужем? Она́ давно́ за́мужем?
Когда́ она́ вы́шла за́муж? За кого́ она́ вы́шла за́муж? Ско́лько ей бы́ло
лет, когда́ она́ вы́шла за́муж? 3. Вы жена́ты? (Вы за́мужем?) Ско́лько
лет вы жена́ты (за́мужем)? Когда́ вы жени́лись (вы́шли за́муж)?

b) А э́то Джон Пи́терс и его́ жена́ Мэ́ри. Кто из них жени́лся?
Кто из них вы́шел за́муж? На ко́м жени́лся Джон? За кого́ вы́шла
за́муж Мэ́ри? Джон жена́т и́ли хо́лост? Мэ́ри за́мужем и́ли нет?

VI. Put the words in brackets in the appropriate form.

1. Говоря́т, что я похо́ж на (ста́рший брат). 2. Моя́ мла́дшая се-
стра́ похо́жа на (я). 3. Вы о́чень похо́жи на (мой друг). 4. Ва́ша
сестра́ совсе́м не похо́жа на (вы). 5. Мой ста́рший брат похо́ж на
(оте́ц).

VII. Answer these questions in the negative.

a) 1. У вас есть семья́? 2. У него́ есть роди́тели? 3. У них есть
де́ти? 4. У них есть маши́на? 5. У неё есть уче́бник? 6. У ва́шего
сосе́да есть сын? 7. В э́том го́роде есть теа́тр? 8. На э́той у́лице есть
магази́ны? 9. В э́той библиоте́ке есть кни́ги на ру́сском языке́?
10. В кио́ске есть газе́ты?

b) 11. Вчера́ был уро́к? 12. За́втра бу́дет ле́кция? 13. В суббо́ту
был экза́мен? 14. В воскресе́нье бу́дет экску́рсия? 15. Сего́дня у́тром
был дождь?

VIII. Answer the following questions using the words given on the right.

Model: — Почему́ вы не пи́шете? | ру́чка
— Я не пишу́, потому́ что *у меня́ нет ру́чки.*

1. Почему́ вы не чита́ли э́ту статью́? — журна́л
2. Почему́ вы не посмотре́ли слова́ в словаре́? — слова́рь
3. Почему́ ва́ши друзья́ не́ были вчера́ в теа́тре? — биле́ты
4. Почему́ студе́нты в коридо́ре, а не в кла́ссе? — ле́кция
5. Почему́ э́тот молодо́й челове́к всегда́ оди́н? — друзья́
6. Почему́ вы не купи́ли э́ту вещь? — де́ньги
7. Почему́ вы не хоти́те идти́ в кино́? — вре́мя

IX. **Make up questions to which the following sentences would be the answers.**

1. — ...... ?
— У меня́ есть сестра́ и два бра́та.
2. — ...... ?
— Они́ живу́т в Москве́.
3. — ...... ?
— Бра́тья у́чатся, а сестра́ рабо́тает.
4. — ...... ?
— Её зову́т Ле́на.
5. — ...... ?
— Она́ рабо́тает дире́ктором шко́лы.
6. — ...... ?
— Да, она́ за́мужем.
7. — ...... ?
— У неё дво́е дете́й.
8. — ...... ?
— Ле́на вы́шла за́муж семь лет наза́д.

X. **Make up dialogues about your parents, your brothers and sisters.**

XI. **Translate into Russian.**

1. My parents live in a small town not far from London. My father used to be a head master. He does not work now. He has retired. (*lit.* He gets a pension). 2. I have a sister. She is called Ann. Ann is four years younger than me. She works in a library. Ann is learning Russian. She wants to ‚be a Russian teacher. (She wants to teach Russian in a school). 3. This is my friend Jim. He got married not long ago. Jim has a very pretty wife. Her name is Mary. She has dark hair and grey eyes.

4. — Have you any children?
— Yes (I have).
— Are they very young (*lit.* small)?
— No, not very. My son is ten and my daughter seven.
— Who does your son take after?

— They say he takes after my wife.
— And who does your daughter take after?
— My daughter takes after me.

XII. Describe your family and your children drawing on material from the lessons.

XIII. Read the following and renarrate:

— Ива́н Ива́ныч! Кака́я встре́ча! Я не ви́дел тебя́ сто лет. Ты си́льно измени́лся: и во́лосы у тебя́ седы́е, и глаза́ совсе́м други́е ...
— Прости́те, но меня́ зову́т Никола́й Никола́евич.
— Как? Ты и и́мя измени́л?

* * *

Одна́жды во вре́мя собра́ния, кото́рое продолжа́лось три часа́, подняла́сь одна́ же́нщина и пошла́ к две́ри.
— Куда́ вы, Анна Ива́новна? Собра́ние ещё не ко́нчилось.
— У меня́ до́ма де́ти.
Че́рез полчаса́ подняла́сь втора́я же́нщина.
— А вы куда́, Ле́на, ведь у ва́с нет дете́й?
— Если я так до́лго бу́ду сиде́ть на собра́ниях, у меня́ их никогда́ не бу́дет.

3

ДОМ И КВАРТИРА

Как я уже́ сказа́л, мои́ роди́тели живу́т в Москве́ и
ка́ждую суббо́ту мы е́здим к ним в го́сти. Ра́ньше они́
жи́ли в небольшо́м двухэта́жном до́ме (1) в це́нтре Москв-
вы́. Не́сколько лет наза́д у́лицу, где стоя́л их дом, рас-
ши́рили и все ста́рые дома́ слома́ли (2). Роди́тели получи́ли
кварти́ру в большо́м но́вом до́ме в Юго-За́падном райо́не
Москвы́. Дом, в кото́ром они́ тепе́рь живу́т, нахо́дится
недалеко́ от ста́нции метро́. В их до́ме пять этаже́й. Кварти-
ти́ра роди́телей на тре́тьем этаже́. Она́ состои́т из трёх

ко́мнат: столо́вой, спа́льни роди́телей и ко́мнаты моего́
бра́та Никола́я.

Две́ри всех трёх ко́мнат выхо́дят в большу́ю квадра́т-
ную пере́днюю (3); небольшо́й коридо́р ведёт из пере́дней
в ку́хню (4), ва́нную и туале́т. Кварти́ра о́чень ую́тная,
тёплая, све́тлая, со все́ми удо́бствами. Окна двух ко́мнат
выхо́дят на юг, тре́тьей ко́мнаты — на за́пад.

Са́мая больша́я ко́мната в кварти́ре — столо́вая. Здесь
посреди́не ко́мнаты стои́т стол (5) и не́сколько сту́льев.
Сле́ва от две́ри у стены́ стои́т серва́нт, спра́ва — дива́н,
телеви́зор и два кре́сла. На полу́ лежи́т большо́й то́лстый
ковёр (6). Напро́тив две́ри — большо́е окно́ и дверь на
балко́н. Всё ле́то у них на балко́не цвету́т цветы́.

NOTES

(1). Они́ жи́ли в двухэта́ж-
    ном до́ме.

They lived in a two-storyed
house.

    Кварти́ра нахо́дится на
    тре́тьем этаже́.

The flat is on the second
floor.

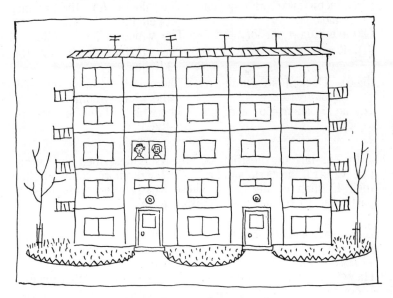

Мы живём на тре́тьем этаже́.

There is a difference between the English and Russian ways of numbering storeys. The Russian **пе́рвый эта́ж** means 'ground floor'.

(2). Улицу расши́рили и дома́ слома́ли.

The street was widened and the houses were pulled down. (They widened... and pulled down ...)

There is no subject in this sentence. It is understood (рабо́чие, стро́йтели), but there is no need for it to be expressed since it is unimportant who performed the action. This sort of sentence is very common in Russian.

Этот дом *постро́или* год наза́д.

This house was built a year ago.

На на́шей у́лице *откры́ли* но́вый магази́н.

A new shop was opened in our street. (They opened ...).

Мне *сказа́ли* об э́том вчера́.

They told me (I was told) about it yesterday.

(3). Две́ри выхо́дят в пере́днюю.

The doors (of the rooms) open into the hall.

Окна выхо́дят на юг.

The windows face south.

(4). Коридо́р ведёт в ку́хню.

The corridor leads to the kitchen.

(5, 6). Посреди́не ко́мнаты стои́т стол.

There is a table in the middle of the room.

На полу́ лежи́т большо́й ковёр.

There is a large carpet on the floor.

In Russian the position of objects is described by verbs like **стоя́ть, лежа́ть, висе́ть,** which are more common than their English counterparts. These Russian verbs are used in particular to render the English 'to be'.

В ко́мнате *стои́т* стол.

There is a table in the room.

На столе́ *стои́т* ла́мпа и *лежа́т* кни́ги.

There is a lamp and some books on the table.

На столе́ *стоя́т* таре́лки, бока́лы, *лежа́т* ло́жки, ви́лки и ножи́.

There are some plates, glasses, spoons, forks and knives on the table.

На стене́ *виси́т* портре́т ма́- тери.

На стена́х *вися́т* карти́ны.

There is a portrait of my mother on the wall.

There are pictures on the walls.

В ко́мнате виси́т ла́мпа.

На столе́ стои́т ла́мпа.

The verbs **стоя́ть, лежа́ть, висе́ть** are intransitive. The nouns indicating position answer the question *где?* and are put in the prepositional case preceded by **в** or **на**.

На столе́ лежа́т кни́ги.

На по́лке стоя́т кни́ги. Три кни́ги лежа́т на по́лке. ·

DIALOGUES

I

— Здра́вствуй, Андре́й! Говоря́т, ты получи́л но́вую кварти́ру?

— Да, мы уже́ перее́хали в но́вый дом. Приезжа́йте к нам в суббо́ту на новосе́лье.

— Спаси́бо. С удово́льствием. Кварти́ра больша́я?

— Нет, не о́чень: три ко́мнаты, ну, и, коне́чно, ку́хня, ва́нная, убо́рная и пере́дняя.

— А каки́е удо́бства?

— Все: электри́чество, газ, водопрово́д, горя́чая вода́, телефо́н.

— А како́й эта́ж?

— Четвёртый.

— Лифт есть?

— Есть. Обяза́тельно приезжа́йте с Мари́ной в суббо́ту.

— Спаси́бо, прие́дем.

II

— Па́вел, сего́дня звони́ла Ле́на, жена́ Андре́я, приглаша́ла нас на новосе́лье. Они́ получи́ли но́вую кварти́ру.

— Я зна́ю. Сего́дня Андре́й говори́л мне об э́том.

— Зна́ешь, каку́ю ме́бель они́ купи́ли для но́вой кварти́ры? В ко́мнате Андре́я они́ поста́вили большо́й кни́жный шкаф (1), пи́сьменный стол, дива́н и кре́сло. Пиани́но и телеви́зор стоя́т в большо́й ко́мнате. А в ку́хню они́ купи́ли буфе́т, стол и не́сколько по́лок.

— Андре́й сказа́л, что ку́хня у ни́х больша́я.

— Да, на ку́хне они́ обы́чно за́втракают, а иногда́ и обе́дают.

NOTES

(1). Они́ поста́вили кни́жный шкаф.	They have put the bookcase.
На́ пол они́ положи́ли ковёр.	They have put a carpet on the floor.

As distinct from the intransitive verbs **стоя́ть**, **лежа́ть**, **висе́ть** verbs like **ста́вить / поста́вить**, **класть / положи́ть**, **ве́шать / пове́сить** are transitive indicating actions.

Compare:

Я *ста́влю* ла́мпу на стол.
I'm putting the lamp on the table.

Ла́мпа *стои́т* на столе́.
The lamp is on the table.

Я *положи́л* кни́гу на по́лку.
I put the book on the shelf.

Кни́га *лежи́т* на по́лке.
The book is on the shelf.

Я *пове́сил* карти́ну на сте́ну.
I hung the picture on the wall.

Карти́на *виси́т* на сте́не.
The picture is on the wall.

Verbs like **ста́вить**, **класть**, **ве́шать** normally require the question *куда́?* Words answering this question are in the accusative after the preposition **в** or **на**.

Compare:

Где?	Куда́?
стоя́ть на полу́, на столе́, в шкафу́	ста́вить ⎫ на́ пол, на сто́л, поста́вить ⎭ в шкаф
лежа́ть на полу́, на столе́, в портфе́ле, в карма́не	класть ⎫ на́ пол, на сто́л, положи́ть ⎭ в портфе́ль, в карма́н
висе́ть на стене́, в шкафу́	ве́шать ⎫ на сте́ну, в шкаф пове́сить ⎭

MEMORIZE:

Каки́е удо́бства есть в ва́шем до́ме?
What conveniences are there in your house?

Кварти́ра со все́ми удо́бствами.
A flat with all modern conveniences.

устра́ивать ⎫ новосе́лье устро́ить ⎭
to have a housewarming party

приглаша́ть ⎫ на новосе́лье пригласи́ть ⎭
to invite someone to a housewarming party

EXERCISES

I. Answer the following questions.

A.
1. Где живу́т роди́тели Па́вла?
2. В како́м до́ме они́ жи́ли ра́ньше?
3. В како́м до́ме они́ живу́т тепе́рь?
4. На како́м этаже́ их кварти́ра?
5. Ско́лько этаже́й в их до́ме?
6. Ско́лько ко́мнат в их кварти́ре?
7. Куда́ выхо́дят о́кна их ко́мнат?
8. Каки́е удо́бства есть в их до́ме?
9. Кака́я ко́мната в их кварти́ре са́мая больша́я?
10. Кака́я ме́бель стои́т у ни́х в столо́вой?

B.
1. Где вы живёте?
2. Ско́лько этаже́й в ва́шем до́ме?
3. Ско́лько ко́мнат в ва́шем до́ме?
4. Кака́я ме́бель стои́т у ва́с в столо́вой?
5. Кака́я ме́бель стои́т в ва́шей ко́мнате?
6. Куда́ выхо́дят о́кна ва́шей ко́мнаты?
7. Каки́е удо́бства есть в ва́шем до́ме?
8. Где стои́т ваш пи́сьменный стол?
9. Где стои́т кни́жный шкаф?
10. Куда́ вы кладёте кни́ги и журна́лы?
11. Куда́ вы ста́вите кни́ги?

II. Complete the following sentences using the words given on the right.

1. В суббо́ту мы бы́ли (где?) ...	теа́тр, парк, клуб, музе́й, университе́т, шко́ла, библиоте́ка, рестора́н; конце́рт, ле́кция, уро́к
2. В суббо́ту мы ходи́ли (куда́?) ...	
3. Ра́ньше я жил (где?) ...	дере́вня, друго́й го́род, Лидс, Эдинбург, Ливерпу́ль, Ки́ев, Ленингра́д, Сове́тский Сою́з, Англия, По́льша, Фра́нция; ро́дина, юг
4. Неда́вно я е́здил (куда́?) ...	
5. Мои́ друзья́ рабо́тают (где?) ...	заво́д, фа́брика, вокза́л, ста́нция; банк, институ́т, университе́т, библиоте́ка, лаборато́рия, шко́ла
6. Мои́ друзья́ поступи́ли рабо́тать (куда́?) ...	

III. Answer the following questions using the words given on the right.

1. Где вы живёте?	большой старый дом, третий этаж, самый центр города, улица Дружбы
2. Где живёт ваш друг?	другой район, площадь Пушкина, маленький дом, второй этаж
3. Где вы работаете?	большой автомобильный завод, лаборатория
4. Где учится ваш младший брат?	университет, исторический факультет, второй курс
5. Где вы обычно отдыхаете?	большой старый парк, одна маленькая деревня, берег реки
6. Где вы были вчера?	оперный театр, симфонический концерт

IV. Fill in the blanks with the verbs *стоять, лежать, висеть* in the required form.

a) 1. В моей комнате ... шкаф, стол и два стула. 2. На столе ... настольная лампа. 3. У окна ... столик для газет. 4. Телевизор ... в большой комнате. 5. В классе ... столы и стулья. 6. Кресло ... в углу.

b) 7. На письменном столе ... книги, журналы, тетради. 8. На полу ... ковёр. 9. Мои тетради ... в портфеле. 10. Письмо ... в книге. 11. Деньги ... в кармане.

c) 12. На стене ... картина. 13. Где ... ваши костюмы? Костюмы ... в шкафу. 14. В моей комнате ... фотографии отца и матери. 15. Над столом ... календарь. 16. Ваше пальто ... в передней.

V. Fill in the blanks with the verbs *стоять, лежать, висеть.*

Это моя комната. У окна ... письменный стол. На нём ... мои книги, журналы, бумаги. На столе ... настольная лампа. Справа от стола ... диван. Над диваном ... картина. Рядом с диваном ... два кресла и маленький столик для газет. На нём ... газеты и журналы. Слева от стола ... книжный шкаф.

VI. Fill in the blanks with the verbs *жить, выходить, получать, купить, переехать, состоять, пригласить.*

Раньше наши друзья ... в самом центре Москвы, а теперь они ... в другом районе. Недавно они ... квартиру в новом доме. Месяц назад они ... туда. Их квартира ... из четырёх комнат. Окна детской ... в парк. Для столовой они ... новую мебель. Друзья ... нас на новоселье.

VII. Fill in the blanks with the adjectives given on the right.

1. Они живут ... доме.	большой новый пятиэтажный
2. Книги стоят ... шкафу.	большой старый книжный
3. Обычно мы завтракаем ... кухне.	наша маленькая, тёплая и уютная
4. Вечером отец любит сидеть ... кресле.	его (своё) старое любимое удобное
5. Телевизор стоит ... комнате.	наша самая большая

VIII. Conjugate the verbs, in the present if they are imperfective and in the future if they are perfective.

1. класть/положить; 2. ставить/поставить; 3. вешать/повесить

IX. Compare the use of the verbs:

стоять — ставить/поставить
лежать — класть /положить
висеть — вешать /повесить

1. — Где *стоит* лампа?
   — Лампа *стоит* **на окне.**

2. — Где *лежат* книги?
   — Книги *лежат* **на столе.**

3. — Где *висит* пальто?
   Пальто *висит* **в шкафу.**

1. — Куда вы обычно *ставите* лампу?
   — Обычно я *ставлю* лампу **на окно.**
   — Куда вы *поставили* лампу?
   — Я *поставил* лампу **на окно.**

2. — Куда вы обычно *кладёте* книги?
   — Обычно я *кладу* книги **на стол.**
   — Куда вы *положили* книги?
   — Я *положил* книги **на стол.**

3. — Куда вы *вешаете* пальто?
   — Обычно я *вешаю* пальто **в шкаф.**
   — Куда вы *повесили* пальто?
   — Я *повесил* пальто **в шкаф.**

X. Fill in the blanks with the verbs *стоять, лежать, висеть; класть/положить, ставить/поставить, вешать/повесить.*

а) 1. Ваза ... на окне. Кто ... вазу на окно? 2. Это кресло всегда ... около дивана. Почему вы ... его у двери? 3. Раньше телевизор ... у окна, а теперь мы ... его здесь. 4. Пожалуйста, ... стулья на место. 5. Надо ... цветы в воду.

b) 6. Я вошёл в ко́мнату и ... портфе́ль на сту́л. Портфе́ль ... на сту́ле. 7. Де́вушка ... кни́гу на сто́л и вы́шла из ко́мнаты. Где кни́га, о кото́рой вы говори́ли? Она́ ... на столе́ в ва́шей ко́мнате. 8. Я всегда́ ... де́ньги в карма́н. Де́ньги ... в карма́не. Сего́дня у́тром я ... в карма́н три рубля́. 9. Вы мо́жете ... свой портфе́ль на э́тот стул. 10. Пожа́луйста, ... э́то письмо́ на то́т стол.

c) 11. Где ... моё пальто́? Ва́ше пальто́ ... в пере́дней. 12. Куда́ вы ... моё пальто́? 13. Пла́тья и костю́мы ... в шкафу́. Жена́ ... свои́ пла́тья и костю́мы в шкаф. 14. Чей портре́т ... в ва́шей ко́мнате? 15. Вы мо́жете ... ваш плащ сюда́. 16. ..., пожа́луйста, пальто́ в шкаф.

XI. Answer the following questions according to the model.

Model: Где у́чится Анна? — *Я не зна́ю,* где у́чится Анна.

1. Где живёт Джим? 2. Где он рабо́тает? 3. Куда́ они́ пое́дут ле́том? 4. Где нахо́дится их дом? 5. Куда́ он положи́л газе́ты? 6. Где мо́жно купи́ть э́тот уче́бник? 7. Куда́ вы пойдёте в суббо́ту ве́чером? 8. Где ваш преподава́тель? 9. Где мой портфе́ль?

XII. Use the correct form of the words in brackets.

1. В ко́мнате шесть (стул) и два (кре́сло). 2. В кварти́ре четы́ре (ко́мната). 3. На столе́ лежи́т не́сколько (газе́ты и журна́лы). 4. Я купи́л две (кни́га). 5. В кла́ссе двена́дцать (стол) и два́дцать четы́ре (стул). 6. В столо́вой три (окно́). 7. В на́шем до́ме де́вять (эта́ж). 8. На э́той у́лице два́дцать оди́н (дом). 9. В ва́шей ко́мнате мно́го (карти́на). 10. У него́ ма́ло (кни́га). 11. У ни́х мно́го (де́ти). 12. Сего́дня ве́чером у на́с бу́дет мно́го (го́сти). 13. В мое́й ко́мнате ма́ло (ве́щи). 14. В на́шей семье́ три (челове́к).

XIII. Describe your room or your classroom using:

verbs стоя́ть, лежа́ть, висе́ть;

prepositions (+ *gen.*) посреди́не, сле́ва от, напро́тив, спра́ва от, о́коло, у.

XIV. Make up questions to which the following sentences would be the answers.

1. — ...... ?
   — Наш дом нахо́дится в це́нтре го́рода.
2. — ...... ?
   — На́ша кварти́ра на второ́м этаже́.
3. — ...... ?
   — Пиани́но стои́т в са́мой большо́й ко́мнате.

4. — ...... ?

— В мое́й ко́мнате стои́т пи́сьменный стол, дива́н, кни́жный шкаф и кре́сло.

5. — ...... ?

— Кни́ги стоя́т в кни́жном шкафу́.

6. — ...... ?

— Я кладу́ свои́ бума́ги в пи́сьменный стол.

7. — ...... ?

— В на́шем до́ме три этажа́.

8. — ...... ?

— В э́той кварти́ре три ко́мнаты.

XV. Translate into Russian.

1. We live in a small house in Oxford. It has five rooms, a kitchen, bathroom and lavatory. The kitchen, dining-room and sitting-room are downstairs and the bedrooms are upstairs. 2. My brother lives in a new five-storeyed house. The new houses all have electricity, gas, hot water and a telephone. What conveniences are laid on in your house? 3. "What (furniture) is there in your room?" "In my room there is a table, a bookcase, a settee, two chairs and an armchair. There are photographs on the walls. There is a large grey carpet on the floor." 4. I put my books in the bookcase. I put newspapers and magazines on the table. 5. Where can I put my brief-case? Where can I hang my coat?

XVI. Make up a dialogue between two friends one of whom has recently moved into a new house or flat. Use the words and expressions from the lesson.

4

МОЙ ДЕНЬ

По специа́льности я инжене́р-хи́мик. Я рабо́таю на одно́м из крупне́йших заво́дов Москвы́. Он нахо́дится на окра́ине го́рода.

Мой рабо́чий день начина́ется в во́семь часо́в утра́. (1) Я встаю́ в полови́не седьмо́го, де́лаю у́треннюю заря́дку, чи́щу зу́бы, принима́ю холо́дный душ (2). В э́то вре́мя Мари́на, моя́ жена́, гото́вит за́втрак. По́сле за́втрака, че́тверть восьмо́го, я одева́юсь, выхожу́ из до́ма и иду́ на авто́бусную остано́вку. Че́рез полчаса́, то́ есть без че́тверти во́семь, я уже́ на заво́де (3). Обы́чно я прихожу́ в лаборато́рию без десяти́ мину́т во́семь, то́ есть за де́сять мину́т до нача́ла рабо́ты (4).

Во вре́мя обе́денного переры́ва, с двена́дцати до ча́су (5), я успева́ю пообе́дать в столо́вой и немно́го отдохну́ть (6).

В четы́ре часа́ мы конча́ем рабо́тать. Домо́й я иногда́ хожу́ пешко́м. По доро́ге я захожу́ в кни́жный магази́н посмотре́ть но́вые кни́ги. О́коло пяти́ часо́в я уже́ до́ма.

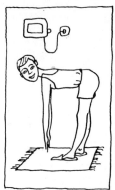

Я переодеваюсь и помогаю жене по хозяйству (7). В семь часов мы ужинаем. После ужина я читаю журналы и просматриваю газеты. Если по телевизору идёт что-нибудь интересное (8), мы смотрим передачу. Мы часто ходим в кино, в театры, на концерты. Иногда вечером к нам приходят друзья.

По вторникам и четвергам я прихожу домой позже, часов в семь (9): в эти дни я хожу в бассейн.

В одиннадцать—в половине двенадцатого я ложусь спать.

NOTES

(1). Мой рабочий день на- | I start work at eight o'clock
    чинается *в восемь часов* | in the morning. (*lit.* My
    утра. | work day begins...)

Я встаю *в половине седьмого.* | I get up at half past six.
    без четверти восемь | a quarter to eight

(2). (Я) принимаю холодный | I take a cold shower.
    душ.

(3). Я уже на заводе. | I am already at the plant.

In the present tense the verb **быть (есть)** is omitted.

> — Где ваш муж?
> — Мой муж сейчас на работе.

In the past and future it must be used.

> — Где вы *были* вчера?
> — Мы *были* в театре.
> — Завтра вечером я *буду* дома.

(4). за десять минут до на- | ten minutes before work
    чала работы | starts
(5). с двенадцати до часу | from twelve to one
(6). Я успеваю пообедать и | I have time to have lunch
    отдохнуть. | and take a little rest.

Успевать / успеть has the meaning 'to manage to do smth. within the allowed time'.

Я успел поговорить с ин- | I managed to have a word
    женером до начала ра- | with the engineer before
    боты. | we started work.
Мы успели закончить ра- | We managed to finish the
    боту до обеда. | work before dinner.

The verb **успе́ть** (perfective) is always followed by a perfective verb: успе́л *посмотре́ть*, успе́ли *сде́лать*, успе́л *ко́нчить*, успе́ла *сказа́ть*.

(7). Я помога́ю жене́ по хо-   I help my wife with the
зя́йству.   housework.
(8). Е́сли по телеви́зору идёт If there is something interest-
что́-нибудь интере́сное...   ing on TV...

The preposition **по** + *dative* is used with the words **ра́-дио, телефо́н, телеви́зор, по́чта.**

сообща́ть по ра́дио   to announce by the radio
говори́ть по телефо́ну   to speak on the phone
посыла́ть по по́чте   to send by post
пока́зывать по телеви́зору   to show on TV

Идти́ is used in the meaning 'to be on' when one is talking about the theatre, cinema or television:

Что идёт сего́дня в Боль-   What's on at the Bolshoi
шо́м теа́тре?   Theatre today?
Како́й фильм идёт сего́дня   What film is on at the
в кинотеа́тре «Прогре́сс»?   "Progress" cinema today?
Что идёт сейча́с по телеви́- What is on the TV now?
зору?

Other expressions concerning the TV programme are:

Что сего́дня по телеви́зору?
Что пока́зывают по телеви́зору?

(9). Я прихожу́ домо́й часо́в   I come home at about sev-
в семь.   en.

When the numeral is placed after the noun, it signifies an approximation.

Compare:

Он пришёл *в три часа́*.   Он пришёл *часа́ в три*.
He came at three o'clock.   He came about three o'clock.
Ему́ *два́дцать лет*.   Ему́ *лет два́дцать*.
He is twenty years old.   He is about twenty.
В кни́ге *сто страни́ц*.   В кни́ге *страни́ц сто*.
There are a hundred pages   There are about a hundred
in the book.   pages in the book.

This applies to all combinations of numerals and nouns. (The phrases о́коло трёх часо́в, приблизи́тельно два́дцать лет, почти́ сто страни́ц are also possible).

TELLING THE TIME (IN RUSSIAN)

I. Кото́рый час?   What time is it?

1. Кото́рый час?

Сейча́с час.   Сейча́с четы́ре часа́.   Сейча́с семь часо́в.

2. Кото́рый час?

Сейча́с де́сять мину́т пе́рвого.   Сейча́с че́тверть (пятна́дцать мину́т) четвёртого.   Сейча́с полови́на восьмо́го.

3. Кото́рый час?

Сейча́с без пяти́ (мину́т) четы́ре.   Сейча́с без че́тверти (без пятна́дцати мину́т) четы́ре.   Сейча́с без двадцати́ пяти́ (мину́т) во́семь.

In some cases, e.g. on the radio, on trains, etc., the time is given in an official, non-conversational way, using the 24-hour clock:

13.05 — тринадцать часов пять минут
7.35 — семь часов тридцать пять минут

Speaking of the times of films we say:

Дайте два билета на девятнадцать десять.
Мы идём в кино на (сеанс) восемнадцать двадцать.

Evening performances:

17.30 (семнадцать тридцать)
19.15 (девятнадцать пятнадцать)
21.45 (двадцать один сорок пять)

II. Когда? В котором часу? At what time?

A. 1. Павел обедает *в* час.
   Он приходит домой *в* четыре часа.

   Pavel has dinner at one.
   He comes home at four.

   Мы ужинаем *в* семь часов.

   We have supper at seven.

   2. Сегодня он пришёл домой четверть пятого.

   Today he came home at a quarter past four.

   Они ужинают *в* половине восьмого.

   They have supper at half past seven.

   3. Павел пошёл обедать *без* пяти час.

   Pavel went to dinner at five to one.

   Он пришёл домой *без* четверти четыре.

   He came home at a quarter to four.

   Сегодня мы сели ужинать *без* двадцати пяти восемь.

   We sat down to supper at twenty-five to eight.

B. Sometimes the time of the day is added:

Это было в три часа *ночи*.
Он приехал в шесть часов *вечера*.

In this sense **утро, день, вечер, ночь** are roughly used as follows:

5 — 11 — у́тро (5 часо́в утра́ — 11 часо́в утра́) morning
12 — 16 — день (12 часо́в дня — 4 часа́ дня) afternoon
17 — 23 — ве́чер (5 часо́в ве́чера — 11 часо́в ве́чера) evening
24 — 4 — ночь (12 часо́в но́чи — 4 часа́ но́чи) night

C. 1. *Около* двух часо́в. (*gen.*)   At about two o'clock.

Он бу́дет здесь о́коло двух часо́в.

2. *По́сле* двух часо́в. (*gen.*)   After two o'clock.

Па́вел придёт по́сле двух часо́в.

3. *Чѐрез* два́ часа́. (*acc.*)   In two hours (time).

Чѐрез два́ часа́ я пойду́ на рабо́ту.

4. *К* двум часа́м. (*dat.*)   By two o'clock.

Он придёт к двум часа́м.

5. *За́* два часа́ (*acc.*) до   Two hours before
(+ *gen.*)

Мы пришли́ за пять мину́т до нача́ла конце́рта.

III. Как до́лго? Ско́лько вре́мени? How long?

1. Два часа́.   (For) two hours.

По́сле обе́да он отдыха́л два часа́.

2. С двух до трёх.   From two to three (o'clock).

По́сле обе́да он отдыха́л с двух до трёх часо́в.

DIALOGUES

I

— Когда́ вы встаёте?

— Обы́чно я встаю́ в полови́не седьмо́го, а в воскре-
се́нье — в полови́не восьмо́го, в во́семь.

— В кото́ром часу́ начина́ют рабо́тать на ва́шем заво́де?

— В во́семь часо́в.

— Ско́лько часо́в в день вы рабо́таете?

— Семь часо́в: с восьми́ до двена́дцати и пото́м с ча́су
до трёх.

— А что вы де́лаете с двена́дцати до ча́су?

— С двена́дцати до ча́су обе́денный переры́в, в э́то
вре́мя мы обе́даем и отдыха́ем.

II

— Марина, я слышала, что вы занимаетесь (1) в консерватории? Как вы успеваете и работать и учиться...

— Я работаю утром, с девяти до трёх, а в консерватории занимаюсь вечером, с семи до десяти.

— Каждый день?

— Нет, конечно. Я хожу в консерваторию через день — по понедельникам, средам и пятницам. Конечно, работать приходится много.

— А домашние дела? Вы всё успеваете делать дома?

— Домашними делами я занимаюсь в субботу. В этот день я не работаю. А кроме того, мне помогает по хозяйству муж.

III

— Скажите, пожалуйста, который час?

— Сейчас четверть пятого.

— Спасибо. А ваши часы не спешат?

— Нет, мои часы идут точно. Я проверял их по радио в двенадцать часов.

— Значит, мои отстают. На них только десять минут пятого. Надо будет показать их мастеру.

NOTES

(1). ... вы занимаетесь в консер-   ... you study at the
ватории?   Conservatoire?

Заниматься is used very frequently in Russian. Its main meanings are:

1. **Заниматься** + *instr.* (*чем?*)

— спортом	to go in for sport
— литературой	to study literature,
— русским языком	Russian
— домашними делами, хозяйством	to do the housework

2. **Заниматься** with the meaning 'to study, to work, to do something'.

Мне нужно заниматься.	I've got to work.
Он занимается с утра до поздней ночи.	He works from morning till late at night.

пять мину́т пе́рвого
че́тверть пя́того
два́дцать мину́т двена́д-
   цатого

till 30 minutes
past the hour

без пяти́ час
без че́тверти пять
без двадцати́ двена́дцать

after 30 minutes
to the next hour

Часы́ иду́т то́чно.

My watch is right (keeps
   good time).

Часы́ спеша́т, отстаю́т.

My watch is fast, slow.

На мои́х (часа́х) три.

It's three by my watch.

проверя́ть ⎱
прове́рить ⎰ часы́

to check a watch

ста́вить ⎱
поста́вить ⎰ часы́

to set a watch (clock)

EXERCISES

I. Answer the following questions.

1. Где вы рабо́таете?
2. Кто вы по специа́льности?
3. Где нахо́дится ваш заво́д, институ́т, банк?

4. Какой это завод, институт?
5. Когда вы встаёте?
6. Вы делаете утреннюю зарядку (гимнастику)?
7. Когда вы завтракаете?
8. Когда вы выходите из дома?
9. Вы ходите на работу пешком или ездите?
10. Когда вы начинаете работать?
11. Где и когда вы обычно обедаете?
12. Когда вы кончаете работать?
13. Когда вы приходите домой?
14. Что вы делаете по вечерам?
15. Когда вы ложитесь спать?

II. Write in figures:

десять минут пятого, двадцать пять минут первого, пять минут первого, четверть третьего, без четверти три, без двадцати два, половина десятого, без десяти час, двадцать минут четвёртого, без пяти пять, четверть двенадцатого, половина первого.

III. Read the following times in Russian:

1.05; 5.20; 9.10; 11.25; 3.17; 12.10; 12.30; 2.15; 2.45; 4.30; 4.40; 4.45; 9.40; 9.35; 9.50; 8.55; 10.10; 10.15; 10.30; 10.45; 10.55.

IV. Answer the following questions using the figures given in brackets.

1. Когда вы встаёте? (6.45)
2. Когда вы завтракаете? (7.15)
3. Когда вы начинаете работать? (8.30)
4. Когда вы обедаете? (12.30)
5. Когда вы приходите домой? (4.30)
6. Когда вы ложитесь спать? (11.15)

V. Answer the following questions using the words given on the right. Use the preposition в where it is required.

1. Когда вы встаёте? Сколько времени вы сегодня спали?	семь часов
2. Когда обедают рабочие? Сколько времени продолжается обеденный перерыв?	час

3. Ско́лько часо́в вы рабо́тали сего́дня? Когда́ вы пришли́ домо́й?	четы́ре часа́
4. Когда́ ваш сын прихо́дит из шко́лы? Ско́лько вре́мени он гото́вит уро́ки?	два часа́

VI. Complete the sentences using the figures given in brackets.

Model: Я рабо́таю ... (10—4) — Я рабо́таю с десяти́ часо́в (утра́) до четырёх часо́в (дня).

Note. — When the period of time in question is relatively short or when it is clear which part of the day is meant, the word denoting it is not mentioned at all. Such cases are marked *.

1. Магази́н откры́т ... (8—6). 2. Мы обе́даем ... (1—2)*. 3. Ле́кции продолжа́ются ... (9—3). 4. Мы смо́трим телеви́зор ... (7—9)*. 5. Врач принима́ет ... (2—8). 6. Я ждал вас ... (5—6)*. 7. Столо́вая рабо́тает ... (12—7). 8. По́сле обе́да, ..., де́ти спят (2—4)*. 9. По́сле о́тдыха, ..., они́ гуля́ют (4—6)*. 10. Метро́ рабо́тает ... (6—1).

VII. Fill in the blanks with the preposition *че́рез* or *по́сле*.

Model: Мы пойдём в кино́ ... (два часа́). — Мы пойдём в кино́ че́рез два часа́.

1. Я приду́ ... три часа́. 2. Он зашёл к нам ... рабо́ты. 3. ... ме́сяц у меня́ бу́дут экза́мены. 4. ... экза́менов студе́нты отдыха́ют. 5. ... ле́кции мы пойдём обе́дать. 6. Мы пойдём обе́дать ... час. 7. Я дам вам э́ту кни́гу ... три дня. 8. Я позвоню́ вам ... пра́здников. 9. ... обе́да зайди́те ко мне́. 10. Я ко́нчу университе́т ... год.

VIII. Read out the passage below giving the expressions of time according to the 12-hour clock. Insert prepositions where necessary.

День шко́льника

Наш сын у́чится в шко́ле. Обы́чно он встаёт ... (7). Снача́ла Юра де́лает заря́дку, пото́м умыва́ется, одева́ется, убира́ет посте́ль. ... (7.45) он сади́тся за́втракать. ... (8.10) он выхо́дит из до́ма. Шко́ла, в кото́рой у́чится Юра, нахо́дится недалеко́ от на́шего до́ма. ... (8.20) он прихо́дит в шко́лу. Пе́рвый уро́к начина́ется ... (8.30). По́сле тре́тьего уро́ка, ... (11.15), де́ти за́втракают в шко́льном буфе́те. ... (13.40) уро́ки конча́ются и Юра идёт домо́й. ... (2) он обе́дает. По́сле обе́да он гуля́ет. ... (4.30) Юра начина́ет де́лать уро́ки. Обы́чно он занима́ется ... (2). ... (7) мы у́жинаем. По́сле у́жина Юра занима́ется свои́ми дела́ми: чита́ет, рису́ет, смо́трит телеви́зор и́ли идёт к това́рищу, кото́рый живёт в сосе́днем до́ме. ... (10.30) Юра ложи́тся спать.

IX. Answer the following questions using the words given on the right.

1. Чем занимается ваш сын?	работает, учится в школе, в университете
2. Чем занимается этот учёный?	литература, история, английский язык, философия
3. Вы давно занимаетесь русским языком?	недавно, несколько лет, год, полгода
4. Вы занимаетесь спортом?	теннис, футбол
5. Где вы обычно занимаетесь?	дома, читальный зал, университетская библиотека

X. Read out the sentences below. Compare the meaning and use of verbs with and without the particle -ся.

Профессор *кончил* лекцию, и студенты вышли из зала.	Лекция *кончилась*, и студенты вышли из зала.
Жизнь *изменила* этого человека.	Этот человек очень *изменился*.

XI. Fill in the blanks with the verbs given in brackets, with or without the particle -ся.

A. 1. Мы ... работать в восемь часов утра и ... в четыре часа дня. Лекции в институте ... в девять утра и ... в три часа дня. (начинать — начинаться, кончать — кончаться) 2. Дверь ..., и вошёл преподаватель. Преподаватель ... дверь и вошёл в класс. (открыть — открыться) 3. Работа в лаборатории ... . Работники лаборатории ... свою работу. (продолжать — продолжаться) 4. Шофёр ... машину на углу улицы. Машина ... на углу улицы. (остановить — остановиться) 5. Магазин ... в девять часов утра и ... в семь часов вечера. Когда мы уходим из дома, мы ... окна. (открывать — открываться, закрывать — закрываться)

B. 1. Мать ... маленького сына. Сын ... сам. (мыть — мыться) 2. Каждое утро я ... . Я сижу, а парикмахер ... меня. (брить — бриться) 3. Марина ... и вышла на улицу. Мать ... дочку и вышла с ней на улицу. (одеть — одеться)

XII. Read the sentences below. Compare the meaning of the perfective and imperfective verbs.

Марина *готовила* ужин.	Марина *приготовила* ужин.
Обычно я *ложусь* (*ложился*) спать поздно.	Вчера я *лёг* поздно спать.

XIII. Insert the appropriate form of the verbs given in brackets.

1. — Что вы де́лали вчера́ ве́чером? — Я ... кни́гу. — Вы уже́ ... её? — Да, ... (чита́ть — прочита́ть) 2. — Что де́лает ваш сын? — Он ... уро́ки. — Воло́дя, ты уже́ ... уро́ки? — Да, я уже́ всё ... . (гото́вить — пригото́вить) 3. Я сиде́л мо́лча, а Серге́й ... мне о себе́, о свое́й жи́зни. (расска́зывать — рассказа́ть) 4. Па́вел ... газе́ты и стал чита́ть кни́гу. (просма́тривать — просмотре́ть) 5. — Почему́ вы ... так ра́но? — Я всегда́ ... ра́но. Да́же ле́том, когда́ я жил на да́че, я ... в шесть часо́в утра́. (встава́ть — встать) 6. — Когда́ вы ... спать? — Обы́чно я ... спать по́здно. Вчера́ я о́чень уста́л и ... спать ра́но, в полови́не деся́того. (ложи́ться — лечь) 7. Когда́ мы сиде́ли за сто-ло́м и ..., Мари́на вдруг сказа́ла мне: «Пойдём сего́дня в кино́». Мы ..., бы́стро оде́лись и пошли́ в кино́. (у́жинать — поу́жинать)

XIV. Make up questions to which the following sentences would be the answers.

1. — ...... ?
   — Я встаю́ в полови́не седьмо́го.
2. — ...... ?
   — Я выхожу́ из до́ма в полови́не восьмо́го.
3. — ...... ?
   — Я е́зжу на рабо́ту на авто́бусе.
4. — ...... ?
   — Наш заво́д нахо́дится на окра́ине го́рода.
5. — ...... ?
   — Мы обе́даем в столо́вой.
6. — ...... ?
   — Мы конча́ем рабо́тать в четы́ре часа́.
7. — ...... ?
   — Ве́чером, по́сле у́жина, мы смо́трим телеви́зор.
8. — ...... ?
   — По вто́рникам я хожу́ в бассе́йн.
9. — ...... ?
   — Бассе́йн нахо́дится недалеко́ от на́шего до́ма.

XV. Fill in the blanks with the appropriate verb.

A. идти́ — ходи́ть

1. — Куда́ вы сейча́с ...? — Я ... в магази́н. 2. — Вы ... домо́й? — Нет, я ... на по́чту. 3. Ка́ждый день я ... на рабо́ту. 4. Обы́чно я ... пешко́м. 5. — Вы не зна́ете, куда́ ... э́ти де́ти? — Я ду́маю, они́ ... в парк. 6. Вы лю́бите ... пешко́м?

B. éхать — éздить

1. Обы́чно я ... на рабо́ту на метро́. 2. Вы то́же ... на метро́?
3. Сего́дня я до́лжен ... на метро́, что́бы не опозда́ть в университе́т.
4. — Вы ... в Ки́ев? — Да, сейча́с я ... в Ки́ев, а из Ки́ева я пое́ду
в Оде́ссу. 5. Ка́ждое ле́то на́ша семья́ ... на Во́лгу. 6. — Почему́ мы
так ме́дленно ...? — Мы ... ме́дленно, потому́ что впереди́ мно́го маши́н.

XVI. Translate into Russian.

1. I usually get up at seven o'clock in the morning. I do some
physical exercises and have a shower. 2. Work begins at eight o'clock.
I leave my house at half past seven. 3. I work seven hours a day, and
Marina six. 4. We have a dinner break from one to two. 5. Petrov
leaves his house at half past eight and arrives at the factory ten minutes before work begins. 6. Do you go to work by bus (tram, train) or
walk? 7. On Saturdays our friends come and visit us. 8. We watch
television in the evenings. 9. I ll come and see you by seven o'clock.
10. "What's your brother doing?" "He is at the university. He is
reading (*lit.* studying) history."

**XVII. a) Describe a typical day in your life using the vocabulary and
idioms. given in this lesson.**

**b) Ask your colleague, another student or friend how he spends
his day.**

c) Describe how your son (or daughter) spends his (or her) day.

5

МАРИНА ЕДЕТ НА РАБОТУ

— Детская поликлиника, в которой я работаю, — рассказывает Марина, — находится в центре города. А живём мы в районе Измайловского парка, на окраине Москвы.

От дома до моей работы нет прямого сообщения. Мне приходится пользоваться двумя видами транспорта. (1) Сначала я еду на автобусе, (2) потом на метро и, кроме того, десять-двенадцать минут иду пешком (3).

Обычно я выхожу из дома двадцать минут девятого. Сначала я иду к автобусной остановке. Остановка находится как раз напротив нашего дома (4). Автобусы в это время ходят часто, и мне не приходится долго ждать.

Подхо́дит авто́бус. На нём на́дпись: «Авто́бус рабо́тает без конду́ктора». Я вхожу́, опуска́ю пять копе́ек в специа́льную ка́ссу и отрыва́ю биле́т. Обы́чно в э́ти часы́ в авто́бусе (5) мно́го наро́ду.

Че́рез три остано́вки, у метро́, мне на́до выходи́ть. Я выхожу́ из авто́буса и иду́ к метро́. Я вхожу́ в вестибю́ль, опуска́ю пять копе́ек в автома́т и прохожу́ ми́мо контролёра-автома́та. Зате́м по эскала́тору спуска́юсь вниз. Подхо́дит по́езд. Я вхожу́ в ваго́н и сажу́сь, е́сли есть свобо́дное ме́сто.

На остано́вке «Пло́щадь Револю́ции» я выхожу́ из метро́ на у́лицу. Отсю́да до рабо́ты де́сять мину́т ходьбы́. Это расстоя́ние — две остано́вки — мо́жно прое́хать на тролле́йбусе. Обы́чно от метро́ до поликли́ники я иду́ пешко́м, но иногда́ е́ду на тролле́йбусе.

Е́сли я выхожу́ из до́ма поздне́е обы́чного, мне прихо́дится брать такси́ (6), что́бы прие́хать на рабо́ту во́время.

NOTES

(1). Мне прихо́дится по́льзоваться двумя́ ви́дами тра́нспорта.

I have to use two types of transport.

The verb **приходи́ться** is impersonal and is used only in the following forms:

прихо́дится (present)
приходи́лось (past)

The corresponding perfective verb is **прийти́сь** and has the following forms:

придётся (future)
пришло́сь (past)

Both verbs are used with the dative.

Иногда́ *мне* прихо́дится е́хать с переса́дкой.

I sometimes have to change (buses).

Нам придётся идти́ пешко́м.

We'll have to go on foot.

Вчера́ *Мари́не* пришло́сь взять такси́.

Yesterday Marina had to take a taxi.

(2,5). Снача́ла я е́ду *на* авто́бусе ...

First I take (go by) a bus.

В э́ти часы́ *в* авто́бусе мно́го наро́ду.

At this time there are many people in the bus.

Note the use of **в** and **на**.

a) When we wish to emphasize the type of transport the preposition **на** (+ *prepos.*) is used.

éхать
- на автóбусе
- на трамвáе
- на троллéйбусе
- на машúне
- на метрó
- на таксú
- на пóезде
- на велосипéде

плыть
- на парохóде
- на лóдке

летéть на самолёте

These constructions answer the question *Как? Какúм вúдом трáнспорта?* (How? By what means of transport?)

— Как вы поéдете?
— Мы поéдем на трамвáе.

The following form is also possible:

éхать автóбусом, трамвáем, пóездом; летéть самолётом.

b) When the place is meant the preposition **в** is used.

быть, находúться, сидéть, увúдеть, встрéтить когó-нибудь и т. д.
- в автóбусе
- в трамвáе
- в троллéйбусе
- в пóезде
- в машúне
- в таксú
- в самолёте
- в лóдке
- (*but* на парохóде)

В машúне сидéл какóй-то человéк.
Вчерá *в трамвáе* я встрéтил своегó друга.

(3). Сначáла я éду на автóбусе, ... потóм ... идý пешкóм.
First I go by bus ..., then on foot.

To indicate habitual and repeated action, the verbs **ходить** and **ездить** are used.

> Ка́ждый день я *хожу́* на рабо́ту.
> Мой сосе́д *е́здит* на рабо́ту на велосипе́де.

But when the action, while being repeated, is performed in one direction only, the verbs **идти́, е́хать** are used.

> Утром я *иду́* к авто́бусной остано́вке. Я *е́ду* пять остано́вок и выхожу́. Пото́м я *е́ду* на метро́.

(4). Остано́вка *как ра́з* на- The bus stop is *just* opposite
про́тив на́шего до́ма.   our house.

(5). See 2 (b).

(6). Мне прихо́дится брать I have to take a taxi.
такси́.

As distinct from the English 'take' the Russian verbs **брать / взять** are only used in the expressions **брать такси́, брать маши́ну**. With all other nouns indicating means of transport **сади́ться / сесть** are used:

> Мы пойдём пешко́м и́ли *ся́дем* на трамва́й?
> Вам на́до *сесть* на пя́тый авто́бус, он идёт в центр.

DIALOGUES

I

— Скажи́те, пожа́луйста, как пройти́ к Большо́му теа́тру?
— Большо́й теа́тр недалеко́ отсю́да. Иди́те пря́мо, пото́м нале́во.

II

— Скажи́те, как мне дое́хать до па́рка «Соко́льники»?
— Извини́те, я не москви́ч. Спроси́те милиционе́ра, он вам объясни́т.
— Това́рищ милиционе́р, как мне попа́сть (1) в парк «Соко́льники»?
— Лу́чше всего́ на метро́. Отсю́да до па́рка то́лько три остано́вки. Мо́жно е́хать и на тролле́йбусе. Дое́дете до

остановки метро «Сокольники», а там спросите, как пройти к парку.

— Спасибо.

III

— Скажите, как отсюда доехать до университета на Ленинских горах?

— До университета можно доехать на автобусе и на троллейбусе.

— А на метро?

— На метро вам придётся ехать с пересадкой (2).

IV

— Такси свободно?

— Свободно. Садитесь. Вам куда?

— Мне к Большому театру.

— Через пятнадцать минут будем там.

— Сколько с меня?

— Рубль.

— Пожалуйста. До свидания.

NOTES

(1). Как мне попасть в парк «Сокольники»?   How can I get to Sokolniki Park?

Попасть is often used colloquially with the meaning 'to get (somewhere)'.

Как вы сюда *попали?*
Мы *попали* в театр вовремя.

(2). Вам придётся ехать с пересадкой.   You will have to change.

пересадка	change
делать пересадку ⎱ ехать с пересадкой ⎰	to change
ехать без пересадки	to go straight through (without changing)

54

A. Скажи́те, пожа́луйста, как пройти́ к Большо́му теа́тру?

Please tell me how to get to the Bolshoi Theatre?

Скажи́те, пожа́луйста, как попа́сть на Ле́нинские го́ры?

Please tell me how to get to Lenin Hills?

Не ска́жете ли вы, как дое́хать до гости́ницы «Украи́на»?

Can you tell me how to get to the hotel "Ukraina"?

Не ска́жете ли вы, куда́ идёт э́тот авто́бус?

Can you tell me where this bus goes?

Этот авто́бус идёт в центр?

Does this bus go to the city centre?

Скажи́те, пожа́луйста, где остана́вливается 3-й (тре́тий) авто́бус?

Please tell me where the No. 3 bus stops?

Скажи́те, пожа́луйста, где ближа́йшая ста́нция метро́ (остано́вка авто́буса, стоя́нка такси́)?

Please tell me where the nearest Metro station (bus stop, taxi rank) is?

B. Скажи́те, пожа́луйста, где мне выходи́ть? Мне ну́жен музе́й Че́хова.

Please tell me where I should get off? I want to get to the Chekhov Museum.

Скажи́те, пожа́луйста, где мне сде́лать переса́дку?

Please tell me where I change.

Кака́я э́то остано́вка?

What stop is this?

Кака́я сле́дующая остано́вка?

What is the next stop?

— Вы схо́дите на сле́дующей (остано́вке)?

— Are you getting off at the next stop?

— Да, схожу́.

— Yes, I am.

— Нет, не схожу́.

— No, I'm not.

Разреши́те пройти́.

Will you let me pass, please?

EXERCISES

I. Answer the following questions.

1. Далеко́ ли от ва́шего до́ма до рабо́ты (до университе́та)?
2. Вы е́здите на рабо́ту и́ли хо́дите пешко́м?
3. Когда́ вы выхо́дите из до́ма?
4. Как вы е́здите на рабо́ту?
5. Есть ли прямо́е сообще́ние от ва́шего до́ма до рабо́ты?
6. Вам прихо́дится де́лать переса́дку?
7. Где вы де́лаете переса́дку?
8. Ско́лько вре́мени занима́ет у ва́с доро́га от до́ма до рабо́ты?
9. Како́й тра́нспорт хо́дит по ва́шей у́лице?
10. Како́й вид тра́нспорта вы предпочита́ете?
11. Вам ча́сто прихо́дится е́здить на авто́бусе (на трамва́е)?
12. Ско́лько сто́ит биле́т в авто́бусе?
13. В ва́шем го́роде есть метро́?
14. Вы ча́сто е́здите на метро́?
15. Где ближа́йшая стоя́нка такси́?

II. Put the verbs in the past.

1. Маши́на идёт бы́стро. 2. Куда́ он идёт? 3. Он е́здит на рабо́ту на авто́бусе. 4. Ма́льчики иду́т в шко́лу. 5. Ле́том я хожу́ на рабо́ту пешко́м. 6. Ка́ждый год мы е́здим на юг. 7. Же́нщина идёт ме́дленно. 8. Мои́ друзья́ хорошо́ хо́дят на лы́жах.

III. Fill in the blanks with the appropriate forms of the verb *пойти́* or *пое́хать*.

1. Сего́дня ве́чером мы ... в теа́тр. Мы ... туда́ на такси́. 2. Ско́ро я ... в Ленингра́д. 3. Че́рез два́ часа́ он ко́нчит рабо́ту и ... домо́й. 4. Что́бы купи́ть слова́рь, на́до ... в кни́жный магази́н. Магази́н ря́дом. 5. Вы не хоти́те ... сего́дня ве́чером в кино́? 6. Куда́ вы собира́етесь ... ле́том?

IV Fill in the blanks with the appropriate forms of the verbs of motion.

A. идти — ходи́ть

1. Сейча́с я ... на уро́к ру́сского языка́. 2. — Куда́ вы сейча́с ...? — Мы ... в го́сти к свои́м друзья́м. 3. — Вы ча́сто ... в го́сти? — Нет, о́чень ре́дко. 4. — Куда́ вы так спеши́те? — Мы ... в теа́тр и, ка́жется, опа́здываем. 5. — Вы ча́сто ... в теа́тр? — Мы ... в теа́тр два-три ра́за в ме́сяц. 6. Я смотрю́ в окно́: вот ... же́нщина. Ря́дом с ней ... ма́льчик. Наве́рное, они́ ... в парк. 7. Она́ рабо́тает недалеко́ от до́ма и всегда́ ... на рабо́ту пешко́м.

B. éхать — éздить

1. Обы́чно он ... на рабо́ту на трамва́е, иногда́ ... на авто́бусе.
2. Я ви́жу, как по у́лице ... велосипеди́сты. 3. У него́ така́я рабо́та, что он ча́сто ... в други́е города́. 4. — Куда́ ... э́ти тури́сты? — Они́ ... на заво́д. 5. — Куда́ вы ... по воскресе́ньям? — Обы́чно в воскре́сенье мы ... на да́чу.

V. Use the verb *быть* in the past instead of the verbs of motion.

Model: Вчера́ мы *ходи́ли в теа́тр.* — Вчера́ мы *бы́ли в теа́тре.*
Неда́вно я *éздил в Пари́ж.* — Неда́вно я *был в Пари́же.*

1. В воскресе́нье мы ходи́ли на конце́рт. 2. Вчера́ Мари́на не ходи́ла на рабо́ту. 3. Днём Па́вел ходи́л в столо́вую. 4. Он никогда́ не éздил в Ленингра́д. 5. В суббо́ту мы ходи́ли в Большо́й теа́тр. 6. В про́шлом году́ мой оте́ц éздил в Ита́лию. 7. Сего́дня она́ éздила в университе́т.

VI. Answer the following questions replacing *быть* by *ходи́ть* or *éздить*.

1. Где вы бы́ли ле́том? 2. Где вы бы́ли вчера́? 3. Вы бы́ли у́тром в библиоте́ке? 4. Вы бы́ли вчера́ на ве́чере? 5. Вы бы́ли в Москве́? 6. Когда́ вы бы́ли в Сове́тском Сою́зе? 7. Вы бы́ли ле́том на ю́ге?

VII. Fill in the blanks with the preposition *в* or *на*.

1. Мы пое́дем ... авто́бусе? В э́то вре́мя ... авто́бусе ма́ло наро́ду. 2. Я сиде́л ... такси́ и ждал шофёра. Когда́ я опа́здываю, я éзжу ... такси́. 3. Вчера́ ... трамва́е я встре́тил ста́рого знако́мого. Туда́ придётся éхать ... трамва́е. 4. Вы пое́дете ... по́езде и́ли полети́те ... самолёте? ... самолёте се́мьдесят мест. 5. Вам на́до éхать ... метро́. Я ча́сто встреча́ю э́того челове́ка ... метро́.

VIII. Make up questions to which the following sentences would be the answers.

1. — ...... ?
   — Э́тот авто́бус идёт в центр.
2. — ...... ?
   — Тре́тий авто́бус остана́вливается у метро́.
3. — ...... ?
   — Мы éдем на Ки́евский вокза́л.
4. — ...... ?
   — Сле́дующая остано́вка — пло́щадь Пу́шкина.
5. — ...... ?
   — Мари́на éздит на рабо́ту на метро́.

6. — ...... ?
— Вам на́до сде́лать переса́дку в це́нтре.
7. — ...... ?
— Да, такси́ свобо́дно.

IX. Put the following verbs into the imperative according to the model.

Model: переда́ть биле́т — Переда́йте, пожа́луйста, биле́т.

1. останови́ть такси́; 2. сади́ться в такси́; 3. спроси́ть у милиционе́ра; 4. показа́ть, где ста́нция метро́; 5. сказа́ть, где остано́вка авто́буса.

X. Fill in the blanks with the appropriate words from those given below.

Скажи́те, пожа́луйста,
- ... идёт э́тот авто́бус?
- ... остано́вка трамва́я?
- ... дое́хать до Большо́го теа́тра?
- ... мне де́лать переса́дку?
- ... авто́бус идёт в центр?
- ... нам сходи́ть?
- ... э́то остано́вка?

(где, куда́, как, како́й, кака́я)

XI. Join the following pairs of simple sentences using the conjunctions *та́к как, потому́ что, е́сли, когда́*.

1. Обы́чно я хожу́ в институ́т пешко́м. От до́ма до институ́та де́сять мину́т ходьбы́. 2. Мне прихо́дится де́лать переса́дку. От до́ма до рабо́ты нет прямо́го сообще́ния. 3. Я опа́здываю на рабо́ту. Иногда́ я беру́ такси́. 4. Я сам беру́ биле́т. В авто́бусе нет конду́ктора. 5. Я хожу́ на рабо́ту пешко́м. Я выхожу́ из до́ма во́время. 6. Я сажу́сь на авто́бус. Я выхожу́ из до́ма по́здно.

XII. Give the opposites of the following sentences.

Model: Она́ вошла́ в ко́мнату. — Она́ вы́шла из ко́мнаты.
Анна прие́хала в Москву́. — Анна уе́хала из Москвы́.

1. Он вошёл в зал. 2. Мы вошли́ в дом. 3. Я вошёл в магази́н. 4. Мы вы́шли из теа́тра. 5. Она́ вы́шла из метро́. 6. Па́вел пришёл на рабо́ту. 7. Он прие́хал в Москву́. 8. Семья́ уе́хала в дере́вню. 9. Он ушёл на рабо́ту ра́но.

XIII. Translate into Russian.

1. — Do you go to work by some means of transport or on foot?
— I usually go by bus. I go home on foot because at that time the buses are crowded.

2. — Can you tell me whether the "Moskva" hotel is far from here?
— No, it's not far. It's three bus stops from here.
— How do I get to the hotel?
— You take the No. 3 bus.
— Where does it stop?
— Can you see those people on the other side of the street? That's the No. 3 bus stop.
— Thank you.

3. — Can you tell me when to get off? I want to get to the Bolshoi Theatre.
— The Bolshoi is the fourth stop from here. I'll tell you when to get off.

4. — Which is the next stop?
— The Chekhov Museum.

5. — Do you know where the No. 2 trolleybus stops?
— Sorry, I don't live here (*lit.* I'm not a Moscovite). You'd better ask a policeman (*lit.* militiaman).

6. — Where do I get off for Red Square?
— You've got to get off at Revolution Square.

7. — I've got to catch the No. 6 bus.
— The No. 6 does not come this way. It stops by the Metro.

8. How much does a ticket cost?

9. Would you give me two tickets, please?

10. — Is this taxi free?
— Yes, it is. Get in. Where do you want to go?
— I'm going to the city centre.

11. — Where is the nearest bus or trolleybus stop?

XIV. a) Describe your journey to work using the words and expressions from the lesson.

   b) Make up some dialogues between a local resident and a visitor on «Как проехать от... до...?», «Как попасть в...?», «Какой транспорт идёт в...?»

XV. Read and retell the following:

Одна пожилая дама собиралась взять такси.
— Мне на вокзал, — сказала она шофёру.

— Пожа́луйста, — отве́тил шофёр.

— То́лько прошу́ вас е́хать ме́дленно и осторо́жно.

— Хорошо́, — отве́тил шофёр.

— Прошу́ не е́хать на кра́сный свет.

— Хорошо́.

— Прошу́ не де́лать круты́х поворо́тов. Сего́дня был дождь, и доро́га мо́края.

— Прекра́сно, — сказа́л шофёр. — Вы не сказа́ли одного́: в каку́ю больни́цу отвезти́ вас, е́сли бу́дет несча́стный слу́чай.

не е́хать на кра́сный свет	to stop when the lights are at red
круто́й поворо́т	a sharp turn
несча́стный слу́чай	an accident

6

ПРОГУЛКА ЗА ГОРОД

Ле́том в хоро́шую пого́ду мы с друзья́ми прово́дим воскресе́нье за́ городом (1). Обы́чно нас быва́ет челове́к шесть-во́семь. (2) Это на́ши знако́мые и мои́ това́рищи по рабо́те. (3). Мы встреча́емся на вокза́ле в де́вять часо́в утра́, берём биле́ты и сади́мся в по́езд. В ваго́не мно́го молодёжи, и поэ́тому там шу́мно и ве́село. Ско́ро по́езд отхо́дит.

Мину́т че́рез три́дцать мы выхо́дим на небольшо́й ста́нции и идём пешко́м три-четы́ре киломе́тра.

Доро́га идёт снача́ла чѐрез дере́вню, пото́м лу́гом и лѐсом. (4) Мы идём не спеша́, но в хоро́шем и бо́дром тѐмпе. По доро́ге шу́тим, поём, фотографи́руем, собира́ем я́годы. Наконе́ц мы у це́ли. Мы остана́вливаемся на берегу́ реки́, киломе́трах в трёх-четырёх от ста́нции.

Одни́ начина́ют гото́вить площа́дку для волейбо́ла, други́е разжига́ют костёр, де́вушки гото́вят за́втрак. Здесь мы прово́дим весь день — купа́емся, ло́вим ры́бу, игра́ем в волейбо́л, бро́дим по́ лесу. Ка́ждый нахо́дит себе́ заня́тие по душе́ (5). На во́здухе, осо́бенно по́сле волейбо́ла и купа́ния, аппети́т у всех прекра́сный. Всё, что пригото́вили де́вушки, ка́жется о́чень вку́сным.

Часо́в в пять мы отправля́емся в обра́тный путь. Чѐрез ча́с-полтора́ мы уже́ на ста́нции, а ещё чѐрез полчаса́ — в Москве́. На вокза́ле мы проща́емся и догова́риваемся о сле́дующей прогу́лке. У нас есть не́сколько излю́бленных маршру́тов, и мы выбира́ем оди́н из них. Иногда́ мы хо́дим пешко́м, иногда́ е́здим на маши́не и́ли на велосипе́дах, иногда́ соверша́ем прогу́лку на парохо́де.

NOTES

(1). Мы с друзья́ми прово́дим воскресе́нье за́ го́родом.	Our friends and we spend Sunday in the country.

a) мы с друзья́ми — my (our) friends and I (we)

мы с жено́й — my wife and I

(«я с жено́й» or «я и жена́» are also possible.)

b) **За́ городом, за́ город** is the equivalent of 'in the country, to the country'.

За́ городом answers the question *где?*; **за́ город,** *куда́?*

— *Где* вы бы́ли в воскресе́нье?
— *За́ городом.*
— *Куда́* вы е́здили в воскресе́нье?
— *За́ город.*

Мы с жено́й.

(2). Обы́чно нас быва́ет челове́к шесть-во́семь. — There are usually about six or eight of us.

Note that the pronoun in the genitive corresponding to the English 'of us', 'of them', etc. is placed before the predicate.

Их дво́е — брат и сестра́. — There are two of them, a brother and a sister.

В семье́ *нас* бы́ло че́тверо. — There were four of us in our family.

Ско́лько *вас* бы́ло вчера́ на уро́ке? — How many of you were at the lesson yesterday?

(3). това́рищи по рабо́те (*dat.*) — colleagues, workmates

Also:

знако́мый по институ́ту — an institute acquaintance

подру́га по шко́ле — a school friend

(4). Доро́га идёт... лу́гом и ле́сом. — The road goes... through the meadow and the forest.

(5). заня́тие по душе́ (*dat.*) — an occupation to one's liking

Note that almost all the verbs in this passage («Прогу́лка за́ город») are imperfective. They indicate recurring actions:

Мы *прово́дим* воскресе́нье за́ городом.

Мы *остана́вливаемся* на берегу́ реки́,

... *отправля́емся* в обра́тный путь.

DIALOGUES

I

— Как вы обычно проводите воскресенье?
— Если стоит хорошая погода, мы ездим за город.
— На машине или на поезде?
— Иногда на машине, в том случае, когда нас трое-четверо (1). Если нас собирается человек восемь, мы сначала едем на поезде, а потом идём пешком несколько километров.
— А где вы делаете привал?
— В лесу или на берегу реки.
— Вы ездите в одно место или в разные места?
— В разные. Под Москвой много красивых мест и выбрать интересный маршрут нетрудно.

II

— Нина, ты не хочешь поехать в воскресенье за город?
— С удовольствием. А кто ещё поедет?
— Мои товарищи по работе. Нас будет человек пять-семь.
— А куда вы едете?
— В Усово, на Москву-реку. Там прекрасные места, можно купаться, кататься на лодке.
— Где и когда мы встретимся?
— Мы собираемся у касс Белорусского вокзала в восемь тридцать. Будем ждать тебя. Ты обязательно поедешь?
— Думаю, что поеду. Если я не поеду, я позвоню тебе накануне. Хорошо?
— Хорошо. Договорились.

NOTES

(1). Когда нас трое-четверо ...   When there are (only) three or four of us ...

Дво́е мужчи́н.   Две же́нщины.

Collectives — дво́е, тро́е, че́тверо, пя́теро, ше́стеро, се́меро — are used with nouns indicating male persons.

тро́е мужчи́н, *but* три же́нщины
пя́теро ма́льчиков, *but* пять де́вочек

Collectives can be used with nouns indicating groups of males and females.

Дете́й в семье́ бы́ло *тро́е* — оди́н ма́льчик и две де́вочки.

MEMORIZE:

Как вы прово́дите свобо́дное вре́мя?	How do you spend your spare time?
Где вы провели́ после́днее воскресе́нье?	Where did you spend last Sunday?
мы с дру́гом = я и друг	
мы с сы́ном = я и сын	

EXERCISES

I. **Answer the following questions.**

1. Где вы обы́чно прово́дите воскресе́нье?
2. Вы е́здите за́ город?
3. Куда́ вы обы́чно е́здите в воскресе́нье?
4. Как вы е́здите — на маши́не и́ли на по́езде?
5. Вы лю́бите ходи́ть пешко́м?

6. Како́е ме́сто вы выбира́ете для о́тдыха?

7. Где вы де́лаете прива́л?

8. Что вы де́лаете во вре́мя прогу́лки?

9. Когда́ вы возвраща́етесь домо́й?

10. Вы ча́сто соверша́ете прогу́лки за́ город?

II. Answer the following questions using the words given in brackets.

Model: С кем вы е́здите за́ город? (мой друзья́). — Я е́зжу за́ город *со свои́ми друзья́ми*.

1. С кем вы встре́тились вчера́? (мой ста́рый знако́мый). 2. С кем
вы договори́лись о встре́че? (на́ши друзья́ и знако́мые). 3. С кем вы
отдыха́ли ле́том на ю́ге? (жена́ и де́ти). 4. С кем вы разгова́ривали
сейча́с? (рабо́чие и инжене́р на́шей лаборато́рии). 5. С кем вы зани-
ма́етесь ру́сским языко́м? (ста́рый о́пытный преподава́тель). 6. С кем
вы сове́туетесь? (мой роди́тели, моя́ жена́, мой друзья́). 7. С кем вы
говори́те по-ру́сски? (сове́тские тури́сты).

III. Answer the following questions using the words given in brackets.

1. Чем вы занима́етесь в свобо́дное вре́мя? (ру́сский язы́к и ру́сская
литерату́ра). 2. Чем она́ интересу́ется? (литерату́ра, му́зыка и теа́тр).
3. Чем вы по́льзуетесь, когда́ перево́дите те́ксты? (ру́сско-англи́йский
слова́рь, уче́бник и други́е кни́ги). 4. Чем увлека́ется э́тот молодо́й
челове́к? (спорт и та́нцы).

IV. Fill in the blanks with verbs from those given in brackets.

1. Ка́ждое воскресе́нье мы ... (встреча́ем — встреча́емся) с друзья́ми
на вокза́ле. Я ча́сто ... (встреча́ю — встреча́юсь) э́того челове́ка на ав-
то́бусной остано́вке. 2. Мы ре́дко ... (ви́дим — ви́димся) со свои́ми
друзья́ми. Он не ... (ви́дел — ви́делся) свои́х роди́телей три го́да. 3. Я
... (собра́л — собра́лся) свои́ ве́щи и сложи́л их в чемода́н. Около
касс вокза́ла ... (собра́ли — собрали́сь) тури́сты. 4. По́езд ... (останови́л — останови́лся), и мы вы́шли из ваго́на. Милиционе́р ... (останови́л — останови́лся) маши́ну. 5. Мы отдыха́ем, игра́ем в волейбо́л, ...
(купа́ем — купа́емся). Ка́ждый ве́чер мать ... (купа́ет — купа́ется)
дете́й.

**V. Replace the imperfective by perfective verbs and explain how
their use depends upon the meaning expressed.**

Model: Ле́том мы *проводи́ли* Мы *провели́ после́днее воскресе́нье*
     ка́ждое воскресе́нье за́ городом.
     за́ городом.

     Мы *встреча́лись* на Мы *встре́тились* на вокза́ле.
     вокза́ле.

1. Мы брáли билéты. 2. Мы садѝлись в пóезд. 3. Мы выходѝли на э́той стáнции. 4. Турѝсты останáвливались на берегу́ рекѝ. 5. Здесь онѝ купáлись. 6. Дéвушки готóвили зáвтрак. 7. В пять часóв нáша гру́ппа отправля́лась обрáтно. 8. На вокзáле мы прощáлись. 9. Мы договáривались о слéдующей прогу́лке.

VI. Insert the appropriate preposition *в* or *на*.

1. Я éзжу в университéт ... автóбусе. Сегóдня ... автóбусе бы́ло мнóго нарóду. 2. Студéнты éздили в колхóз ... пóезде. ... пóезде бы́ло мнóго молодёжи. 3. Из Москвы́ в Кѝев турѝсты éхали ... пóезде, обрáтно онѝ летéли ... самолёте. 4. Сегóдня у́тром я встрéтил ... метрó нáшего профéссора. 5. Вы всегдá éздите на рабóту ... метрó? 6. В воскресéнье мы éздили зá город. Тудá мы éхали ... пóезде, обрáтно — ... парохóде. 7. Недáвно мой отéц éздил в Ленингрáд. Тудá он летéл ... самолёте, обрáтно он éхал ... пóезде. ... самолёте он встрéтил знакóмого.

VII. Read out the sentences. Compare the meaning of the verbs *приезжáть, уезжáть* (imperfective) and *приéхать, уéхать* (perfective) in the past tense.

1. В прóшлом году́ ко мнé *приезжáла* сестрá. (Онá жилá у нáс две недéли.)

В прóшлом году́ ко мнé *приéхала* сестрá. (Тепéрь мы живём вмéсте.)

2. В áвгусте нас нé было в Москвé — мы *уезжáли* в дерéвню.

Вѝктора сейчáс нет в Москвé — он *уéхал* в дерéвню.

VIII. Insert the appropriate form of the verbs.

А. приходѝть — прийтѝ, приезжáть — приéхать

1. Лéтом к нам в университéт ... студéнты из Кéмбриджа. Недáвно к нам в университéт ... студéнты из Оксфóрда. Онѝ пробу́дут здесь две недéли. 2. Бы́ло ужé часóв дéвять, когдá ко мнé ... мой товáрищ. Вчерá ко мнé ... мой товáрищ, но меня́, к сожалéнию, нé было дóма. 3. Утром к вам ... э́тот человéк, но вас нé было дóма. Вчерá я ... домóй пóздно. 4. Кáждый вéчер ко мнé ... мой сосéд и мы игрáем с ним в шáхматы. Он сказáл, что сегóдня он ... позднéе, чем обы́чно. 5. Зáвтра я ... часóв в дéвять. Обы́чно я ... с рабóты в семь часóв. 6. Мы ... на завóд к восьмѝ часáм утрá. Зáвтра мы должны́ ... немнóго рáньше.

В. уходѝть — уйтѝ, уезжáть — уéхать

1. Вчерá у нáс бы́ли друзья́. Онѝ ... от нáс пóздно. Когдá онѝ ..., онѝ приглáсили нас к себé. 2. Когдá Марѝна ... на рабóту, я

сказа́л ей, что ве́чером у на́с бу́дут друзья́. Когда́ она́ ..., я уви́дел, что она́ забы́ла взять свой плащ. 3. Ле́том мы ... из до́ма ра́но у́тром и проводи́ли весь день на берегу́ реки́. Сего́дня я ... из до́ма в во́семь часо́в. 4. Мой това́рищ занима́ется в библиоте́ке. Обы́чно он ... отту́да по́здно. Вчера́ мы ... из библиоте́ки о́чень по́здно.

IX. Use collective numerals wherever possible instead of the numerals given below.

Model: три студе́нта — тро́е студе́нтов;
три студе́нтки

четы́ре мужчи́ны, две же́нщины, три дру́га, три това́рища, четы́ре солда́та, два ма́льчика, три сестры́, три бра́та, пять ученико́в, пять учени́ц, четы́ре ребёнка, шесть рабо́чих.

X. Answer the following questions using the numerals given in brackets.

1. Ско́лько челове́к собрало́сь на вокза́ле? (11). 2. Ско́лько челове́к рабо́тает вме́сте с ва́ми? (21). 3. Ско́лько челове́к в ва́шей семье́? (4). 4. Ско́лько дете́й в э́той семье́? (3). 5. Ско́лько челове́к стои́т на остано́вке? (8).

XI. Answer the following questions giving both the exact and approximate times by altering the word order.

Model: Когда́ вы у́жинаете? (7) — Мы у́жинаем *в семь часо́в.*
Мы у́жинаем *часо́в в семь.*

1. Когда́ вы встаёте? (6). 2. Когда́ де́ти ухо́дят в шко́лу? (8). 3. Когда́ вы прихо́дите домо́й? (5). 4. Когда́ вы пойдёте обе́дать? (2). 5. Ско́лько лет вы живёте в э́том го́роде? (15). 6. Ско́лько лет живу́т здесь ва́ши роди́тели? (22). 7. Ско́лько дней вы бы́ли в Москве́? (18). 8. Ско́лько раз вы бы́ли в Сове́тском Сою́зе? (4). 9. Ско́лько мину́т стои́т по́езд на э́той ста́нции? (5). 10. Ско́лько сто́ит э́та кни́га? (40 копе́ек).

XII. Supply the appropriate verbs from the list below.

В про́шлое воскресе́нье мы ... за́ город. Мы ... из до́ма в во́семь часо́в утра́. Около до́ма нас ждал това́рищ со свое́й маши́ной. Мы се́ли в маши́ну и ... . Снача́ла мы ... по го́роду, пото́м ... в по́ле. Мы ... киломе́тров три́дцать. Около реки́ това́рищ останови́л маши́ну. Бы́ло жа́рко. Мы ... из маши́ны и ... к реке́. Здесь мы провели́ весь день. В пять часо́в ве́чера мы ... обра́тно. Домо́й мы ... в шесть часо́в.

(е́хали, е́здили, пое́хали, вы́ехали, прие́хали, прое́хали, вы́шли, побежа́ли)

68

XIII. Replace the clauses in italics by synonymous phrases according to the model.

Model: Это мой товáрищ, *с котóрым я учúлся в шкóле.* — Это мой товáрищ *по шкóле.*

1. Вчерá я получúла письмó от подрýги, *с котóрой учúлась в университéте.* 2. В теáтре мы встрéтили знакóмых, *котóрые рабóтают в нáшем институ́те.* 3. Эту кнúгу мне подарúли товáрищи, *с котóрыми я рабóтаю.* 4. К сы́ну чáсто прихóдят егó товáрищи, *с котóрыми он у́чится в шкóле.*

XIV. Make up questions to which the following sentences would be the answers.

1. — ...... ?
— В воскресéнье мы отдыхáем зá городом.
2. — ...... ?
— В суббóту мы éздили зá город.
3. — ...... ?
— На вокзáле мы встрéтились со свóими друзья́ми.
4. — ...... ?
— Нас бы́ло пя́теро.
5. — ...... ?
— До стáнции «Отдых» пóезд идёт сóрок минýт.
6. — ...... ?
— Пóезд стоúт на э́той стáнции три минýты.
7. — ...... ?
— Мы остановúлись на берегý рекú.
8. — ...... ?
— Дéти побежáли к рекé.
9. — ...... ?
— В лесý мы гуля́ли, собирáли цветы́ и я́годы.

XV. Translate into Russian.

1. — What do you do on Sundays?
— My friends and I often spend Sunday in the country, in a wood or by a river. We usually go to the country by train or by car.
2. — Misha, do you want to go to the country on Sunday?
— By car?
— No, we want to go on our bikes.

— Who else is coming with us? How many will be going?

— There will be five of us.

— Where shall we meet?

— We usually meet near the Kievskaya Metro station.

3. The train takes 30 or 35 minutes from Moscow to "Lesnaya" station. It's about three or four kilometres from the station to the wood.

4. From the station we walked to the wood. Do you like walking?

5. We usually get back to Moscow at about six.

XVI. a) Describe how you spend your Sundays in the country.

b) Describe your last Sunday in the country.

7

В ПРОДОВОЛЬСТВЕННОМ МАГАЗИНЕ

На пе́рвом этаже́ на́шего до́ма нахо́дится большо́й продово́льственный магази́н «Гастроно́м». В нём мно́го ра́зных отде́лов: хле́бный, конди́терский, моло́чный, мясно́й, ры́бный, фрукто́вый. Здесь мо́жно купи́ть все проду́кты, кро́ме овоще́й. Овощи продаю́тся в специа́льных магази́нах и на ры́нках.

В на́шем магази́не есть отде́л полуфабрика́тов. В э́том отде́ле продаю́тся котле́ты, бифште́ксы, варёные ку́ры и у́тки, сала́т, гото́вый пу́динг, пироги́.

Я вхожу́ в магази́н, обхожу́ все отде́лы (1) и выбира́ю то, что мне ну́жно купи́ть, а зате́м иду́ в ка́ссу плати́ть де́ньги.

Наш магази́н рабо́тает с восьми́ часо́в утра́ до оди́ннадцати ве́чера. Днём, с ча́су до двух, магази́н закры́т на обе́денный переры́в.

Обы́чно я хожу́ в магази́н по́сле рабо́ты, часо́в в семь-во́семь ве́чера, когда́ там ма́ло покупа́телей. Иногда́ мы зака́зываем ну́жные нам проду́кты по телефо́ну (2) и ве́чером получа́ем их в отде́ле зака́зов.

Сего́дня ве́чером у нас бу́дут го́сти, поэ́тому у́тром я пошла́ в магази́н, что́бы зара́нее купи́ть всё, что ну́жно для у́жина.

Снача́ла я пошла́ в отде́л «Мя́со, пти́ца». Здесь я купи́ла большу́ю у́тку. В отде́ле «Молоко́, ма́сло» я взяла́ полкило́ ма́сла, три́ста грамм сы́ру (3) и деся́ток яи́ц. Пото́м я купи́ла четы́реста грамм ры́бы, две ба́нки ры́бных консе́рвов (4) и две́сти грамм икры́. По́сле э́того я пошла́ в конди́терский отде́л, где купи́ла коро́бку конфе́т, торт и па́чку ча́я. Тепе́рь мне оста́лось купи́ть то́лько хлеб и о́вощи.

Вино́, фру́кты и папиро́сы до́лжен купи́ть Па́вел.

N O T E S

(1). Я обхожу́ все отде́лы.   I go round every department.

The prefix о- (об-, обо-) indicates that the whole of the object is covered by the action. Therefore the pronoun **весь (все)** is commonly used with these verbs.

Я *обошёл* все кни́жные магази́ны.	I went round all the book-shops.
Мы *осмотре́ли* витри́ны магази́на.	We looked at (all) the display-counters in the shop.

(2). зака́зывать ⎫ по   to order by telephone
     заказа́ть ⎰ телефо́ну

     отде́л зака́зов   the order counter

(3). три́ста грамм сы́ру

In conversational speech the form **грамм** is possible in place of the literary **гра́ммов**.

(4). Две ба́нки консе́рвов.   Two tins.

Note the words describing containers:

ба́нка джéма, майонéза   a jar of jam, mayonnaise
буты́лка вина́, молока́, ма́сла   a bottle of wine, milk, oil

| коробка конфе́т, спи́чек | a box of sweets, a box of matches |
| па́чка са́хара, со́ли, ко́фе, пече́нья, сигаре́т | a packet of sugar, salt, coffee, biscuits, cigarettes |

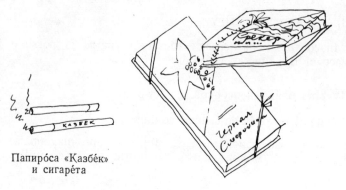

Папиро́са «Казбе́к» и сигаре́та

DIALOGUES

I

— Скажи́те, пожа́луйста, бу́лочки све́жие?
— То́лько что привезли́. (1)
— Да́йте, пожа́луйста, три бу́лочки и полкило́ чёрного (2).

II

— Ско́лько сто́ит э́та коро́бка конфе́т?
— Оди́н рубль.
— Бу́дьте до́бры, да́йте мне коро́бку конфе́т, па́чку ко́фе и торт. Ско́лько всё э́то сто́ит?
— Три рубля́ девяно́сто копе́ек.

III

— У ва́с есть моско́вская колбаса́?
— Да, есть.
— Да́йте, пожа́луйста, три́ста грамм колбасы́, деся́ток яи́ц и две́сти грамм ма́сла.
— Пожа́луйста. Плати́те в ка́ссу два рубля́ во́семьдесят две копе́йки.

IV

— Скажи́те, пожа́луйста, в како́м отде́ле продаю́т сыр?
— В моло́чном.
— Спаси́бо.

V

— Како́е сухо́е вино́ есть у ва́с сего́дня?
— Посмотри́те вот здесь: э́то грузи́нские ви́на — не́сколько ма́рок, э́то молда́вские, а там высо́кая буты́лка — э́то румы́нский ри́слинг.
— Да́йте, пожа́луйста, буты́лку «Мукуза́ни» и буты́лку ри́слинга.

VI

У ка́ссы

— Два рубля́ во́семьдесят копе́ек.
— В како́й отде́л?
— В моло́чный.
— Возьми́те чек и сда́чу — два́дцать копе́ек.

NOTES

(1).	То́лько что привезли́.	They've just been delivered.
(2).	полкило́ чёрного	a pound of brown bread
	бе́лый хлеб	white bread
	чёрный хлеб	brown bread

MEMORIZE:

Ско́лько сто́ит буты́лка вина́ (ры́ба, ма́сло)?	How much is a bottle of wine (the fish, the butter)?
Ско́лько сто́ят сигаре́ты (конфе́ты, я́блоки)?	How much are the cigarettes (the sweets, the apples)?
Скажи́те, пожа́луйста, есть конфе́ты «Весна́»?	Have you any "Vesna" sweets?

Кака́я ры́ба есть сего́дня?	What fish have you got today?
Да́йте, пожа́луйста, пол-кило́ са́хару и па́чку ко́фе.	Will you please give me half a kilo of sugar and a packet of coffee?
Бу́дьте до́бры, да́йте кило́ я́блок и два лимо́на.	Will you give me a kilogramme of apples and two lemons?
Поре́жьте, пожа́луйста, сыр.	Slice the cheese, please.
Ско́лько плати́ть за всё?	How much is it altogether?

EXERCISES

I. Answer the following questions.

1. Что вы покупа́ете в магази́не?
2. Что вы покупа́ете на ры́нке?
3. В како́м магази́не вы покупа́ете проду́кты?
4. Где нахо́дится э́тот магази́н?
5. Далеко́ ли магази́н от ва́шего до́ма?
6. Далеко́ ли от ва́шего до́ма ры́нок?
7. Где вы покупа́ете хлеб?
8. Где вы покупа́ете мя́со, ры́бу, о́вощи?
9. Вы ча́сто хо́дите в магази́н?
10. Вы ча́сто хо́дите на ры́нок?
11. Когда́ вы хо́дите в магази́н — у́тром, днём и́ли ве́чером?
12. Ско́лько сто́ит са́хар?
13. Ско́лько сто́ит литр молока́?
14. Ско́лько сто́ит килогра́мм мя́са?
15. Что продаю́т в моло́чном отде́ле?
16. Что продаю́т в конди́терском магази́не?
17. В како́м отде́ле продаётся ры́ба?
18. В како́м отде́ле продаётся мя́со?
19. Где мо́жно купи́ть сигаре́ты и спи́чки?

II. Complete the sentences using the nouns given on the right.

1. Вчера́ я купи́л килогра́мм	хлеб, сыр, са́хар, ма́сло, мя́со, ры́ба, конфе́ты, я́блоки, виногра́д

2. Да́йте, пожа́луйста, буты́л- | вино́, молоко́, ма́сло, пи́во
ку ... .
3. На витри́не лежа́т па́чки ... . | соль, чай, ко́фе, са́хар, сигаре́ты

III. Answer the following questions using the words given on the right in the required form.

1. Где вы покупа́ете молоко́?	магази́н «Молоко́» и́ли моло́чный отде́л «Гастроно́ма»
2. Где я могу́ купи́ть о́вощи?	овощно́й магази́н и ры́нок
3. Где продаю́т мя́со?	мясно́й отде́л магази́на
4. Где мо́жно купи́ть ры́бу?	ры́бный отде́л и́ли ры́бный магази́н
5. Где продаю́т конфе́ты, пече́нье, то́рты?	конди́терские магази́ны
6. Где вы покупа́ете хлеб?	бу́лочная

IV. Give the Russian equivalents of:

1. Магази́н, в кото́ром продаю́т молоко́. 2. Магази́н, в кото́ром продаю́т хлеб. 3. Магази́н, в кото́ром продаю́т о́вощи. 4. Магази́н, в кото́ром продаю́т мя́со. 5. Магази́н, в кото́ром продаю́т ры́бу.

V. Fill in the blanks with the appropriate form of the verbs given below.

Вчера́ по доро́ге домо́й я ... в магази́н. Я ... все отде́лы и ... то, что мне на́до купи́ть. Снача́ла я ... в отде́л, где ... сыр, ма́сло, молоко́. Како́й сыр мне взять? Я ... голла́ндский. Пото́м я ... в отде́л, где ... фру́кты. Там я ... килогра́мм виногра́да и два лимо́на. За всё я ... два рубля́ три́дцать копе́ек.

(пойти́, зайти́, вы́брать, купи́ть, заплати́ть, продава́ть, обойти́)

VI. Insert the appropriate form of the verbs given in brackets.

1. Обы́чно мы ... все проду́кты в сосе́днем магази́не. Когда́ я ... сигаре́ты, к кио́ску подошёл челове́к и спроси́л, есть ли спи́чки. Я ... две па́чки сигаре́т и пошёл домо́й. (покупа́ть — купи́ть) 2. За ко́фе и са́хар я ... рубль. Де́ньги на́до ... в ка́ссу. Ско́лько вы ... за все проду́кты? Когда́ я ... де́ньги, касси́рша переспроси́ла: «2 рубля́ за конфе́ты?» (плати́ть — заплати́ть) 3. Я до́лго ... вино́ и наконе́ц ... конья́к. (выбира́ть — вы́брать) 4. Ка́ждое у́тро нам ... молоко́. За́втра нам ... молоко́ ра́ньше, чем обы́чно. (приноси́ть — принести́)

VII. Insert the appropriate form of the verbs.

A. идти́ (пойти́) — ходи́ть

1. Обы́чно я ... в магази́н у́тром   Сейча́с я ... в магази́н. Из магази́на я ... на ры́нок. 2. Куда́ вы сейча́с ...? Я ... на ры́нок. Обы́чно я ... на ры́нок ра́но у́тром, но сего́дня у меня́ бы́ли дела́.

B. приноси́ть — принести́

3. Утром она́ хо́дит на ры́нок и ... отту́да молоко́, ма́сло, я́йца. Вы пришли́ из магази́на? Что вы ...? 4. Утром моло́чница ... нам молоко́ и оставля́ет его́ на окне́. Сего́дня она́ ... молоко́ поздне́е, чем обы́чно. 5. — Здра́вствуйте! Я ... вам письмо́. — Спаси́бо. Обы́чно нам ... пи́сьма друго́й почтальо́н.

VIII. Fill in the blanks with the words from the list below.

1. Да́йте, пожа́луйста, ... са́хара, ... конфе́т, ... варе́нья. 2. Сходи́ в магази́н и купи́ ... майоне́за, ... со́ли и пять ... спи́чек. 3. Сего́дня я купи́ла ... ко́фе, ... вина́ и ... сарди́н. 4. Получи́те де́ньги за две́ ... молока́.

(ба́нка, буты́лка, па́чка, коро́бка)

IX. Answer the following questions using the figures given in brackets.

1. Ско́лько сто́ит ко́фе? (45 коп.)[1] 2. Ско́лько сто́ят э́ти конфе́ты? (33 коп.) 3. Ско́лько сто́ит коро́бка спи́чек? (1 коп.) 4. Ско́лько сто́ит торт? (1 руб. 22 коп.) 5. Ско́лько сто́ит са́хар? (94 коп.) 6. Ско́лько плати́ть за всё? (3 руб. 56 коп.) 7. Ско́лько вы заплати́ли за вино́? (6 руб. 20 коп.) 8. Ско́лько вы заплати́ли за фру́кты? (2 руб. 15 коп.)

X. Use the conjunctions *где, куда́, кому́, ско́лько, что* in the following sentences.

1. Скажи́те, пожа́луйста, ... вы купи́ли э́тот торт? 2. Скажи́те, пожа́луйста, ... плати́ть де́ньги, вам и́ли в ка́ссу? 3. Скажи́те, пожа́луйста, ... продаю́т в э́том магази́не? 4. Скажи́те, пожа́луйста, ... сто́ит кило́ я́блок? 5. Скажи́те, пожа́луйста, ... мо́жно купи́ть све́жую ры́бу?

XI. Make up questions to which the following sentences would be the answers.

A. 1. — ...... ?

— Я хожу́ в магази́н у́тром.

---

[1] *abbr.* коп. = копе́йка
руб. = рубль

2. — ...... ?

— Магазин находится недалеко от нашего дома.

3. — ...... ?

— Обычно мы покупаем продукты в этом магазине.

4. — ...... ?

— В этом магазине можно купить мясо, молоко, рыбу, птицу.

5. — ...... ?

— Яблоки продают в магазине «Овощи — фрукты».

6. — ...... ?

— Этот магазин работает с восьми часов утра до десяти часов вечера.

B. 7. — ...... ?

— Килограмм белого хлеба стоит двадцать восемь копеек.

8. — ...... ?

— Двести грамм кофе стоят девяносто копеек.

9. — ...... ?

— За всё вы должны заплатить два рубля сорок четыре копейки.

XII. Translate into Russian.

A. There is a large food store near our house. You can get anything there—meat, fish, butter, milk, tea, coffee, sugar and other groceries. The shop is open from eight o'clock in the morning till nine o'clock at night. Next door to it there is a fruit and vegetable shop, where we (can) buy potatoes, cabbage, onions, carrots, apples, oranges and plums.

B. 1. — Do you want to come to the shop with me? May be you need something?

— Yes. I've got to buy some cigarettes and matches.

2. — Will you give me (can I have) some "Novost" cigarettes and some matches, please?

— Here you are. Nineteen copecks.

3. — Where can I get some Georgian wine?

— In any "Gastronom" shop or wine shop.

4. — How much are these sweets?

— Three roubles sixty copecks a kilogramme.

5. — Can you tell me how much Ceylon tea costs?

— Thirty-eight copecks a packet.

6. — Can you tell me whether the bread is fresh?

— Yes, they've only just brought it.

— Will you give me three buns and half a kilo of brown bread, please?

— Here you are. That's twenty-eight copecks.

7. Will you please give me three hundred grammes of butter and a bottle of milk?

8. — What kind of sausage have you got today?

— We've got several kinds of sausage.

9. — How much is the meat?

— One rouble fifty a kilogramme.

— Will you please show me that piece?

XIII. Read the following and renarrate replacing direct speech by indirect.

Однáжды в бýлочную вошлá мáленькая дéвочка и спросúла продавцá:

— У вáс есть печéнье?

— Есть. Какóе печéнье нýжно тебé?

— Слúвочное. Скóлько онó стóит?

— Пятнáдцать копéек пáчка.

— Дáйте, пожáлуйста, мне однý пáчку.

— К сожалéнию, дéвочка, сейчáс нет слúвочного печéнья.

— Но я хочý купúть пáчку слúвочного.

— Слúвочное всё прóдано, дéвочка.

— Мáма сказáла, что в э́той бýлочной есть слúвочное печéнье.

— Да, прáвильно. Но сейчáс егó нет, мы всё прóдали.

— А мáма сказáла, что éсли я дам вам пятнáдцать копéек, вы дадúте мне пáчку слúвочного печéнья.

— Я тáк бы и сдéлал, éсли бы онó бы́ло.

— Что «онó»?

— Слúвочное печéнье.

— Это то, что мне нáдо, — слúвочное печéнье.

— Но сейчáс егó нет. Есть молóчное, фруктóвое, лимóнное.

— А скóлько стóит слúвочное?

— Пятнáдцать копéек.

— У меня́ в рукé пятнáдцать копéек.

— Но у меня́ нет слúвочного печéнья. Всё прóдали. Ты понимáешь э́то?

— Вчерá мáма покупáла у вáс слúвочное печéнье по пятнáдцать копéек пáчка.

— Прáвильно. И вчерá и сегóдня ýтром у нáс бы́ло слúвочное печéнье, а сейчáс нет.

— Скажúте, пожáлуйста, э́то бýлочная, да?

— Да, де́вочка.

— Здесь продаю́т хлеб, бу́лки, пече́нье?

— Да, де́вочка.

— Тогда́ да́йте мне, пожа́луйста, па́чку сли́вочного пече́нья.

— Зна́ешь, де́вочка, иди́ домо́й. В на́шей бу́лочной никогда́ не́ бы́ло и не бу́дет сли́вочного пече́нья.

XIV. Read the following and renarrate.

Не́сколько лет наза́д, когда́ я жил в ма́леньком ю́жном городке́, ка́ждый день по пути́ на рабо́ту я покупа́л па́ру апельси́нов у же́нщины, кото́рая сиде́ла с корзи́ной апельси́нов на углу́ у́лицы.

Одна́жды я пригласи́л к себе́ на ве́чер друзе́й В э́тот день я реши́л купи́ть у же́нщины всю корзи́ну, в кото́рой бы́ло о́коло двух деся́тков апельси́нов.

Услы́шав э́то, она́ серди́то посмотре́ла на меня́:

— Вот ва́ши два апельси́на!

— Но я хочу́ купи́ть всё, — сказа́л я.

— Я не могу́ прода́ть вам всё.

— Почему́?

— А что я бу́ду де́лать це́лый день без апельси́нов?

8

В УНИВЕРМАГЕ

Вчера́ за у́жином (1) Мари́на напо́мнила мне:

— Ско́ро Но́вый год. До пра́здника оста́лось всего́ две неде́ли. (2) Пора́ поду́мать о пода́рках. Если мы хоти́м купи́ть ве́щи по вку́су, сле́дует сде́лать э́то сейча́с, за́ две неде́ли до пра́здника, потому́ что пе́ред са́мым Но́вым го́дом (3) у на́с бу́дет мно́го дел.

«Она́, как всегда́, права́», — поду́мал я и отве́тил:

— Успе́ем, у на́с ещё мно́го вре́мени, до Но́вого го́да це́лых две неде́ли (4).

Но всё же сего́дня по́сле рабо́ты я отпра́вился в универма́г. Пре́жде всего́ мне на́до купи́ть пода́рок жене́. Но

что? Сумку уже дарил, кофточку — тоже, духи — не один раз ... Что же мне купить ей? Хотелось бы подарить (5) что-нибудь особенное.

В универмаге в галантерейном отделе я увидел большие мягкие шерстяные шарфы. Это я куплю маме. Я выбрал бежевый шарф. Одна покупка есть! Отцу на днях (6) Марина купила тёплые кожаные перчатки. Николаю, младшему брату, я решил подарить лыжи: я знаю, что он собирался купить себе хорошие финские лыжи. За лыжами надо идти в спортивный магазин. Это я сделаю завтра.

Да, так что же купить жене? Я обошёл все отделы первого этажа: «Парфюмерия», «Галантерея», «Ювелирные изделия», «Фототовары», «Электроприборы», «Посуда» — и ничего не смог выбрать. Потом я поднялся на второй этаж, где продают платье, обувь, меха, ткани.

Такие вещи покупать без жены я не рискую. Я снова спустился вниз и ещё раз более внимательно осмотрел витрины. Может быть, купить скатерть?.. А вдруг она Марине не понравится? (7) Или красивые бусы, например из янтаря? Марина очень любит янтарь. (8) Нет, такие у неё, кажется, есть ... Какая красивая кухонная посуда! Может быть, купить набор кастрюль, вот таких, белых?.. Обидится ещё... В прошлом году я подарил ей в день рождения стиральную машину, а потом она неделю почти не разговаривала со мной. «Не мог придумать ничего будничней!» (9) Пожалуй, лучше посоветоваться с мамой о том, что подарить жене. Всё-таки (10) надо признаться, что покупать что-нибудь одному, без жены, — нелёгкое дело.

КОММЕНТАРИИ. NOTES

(1). Вчера за ужином...   During supper yesterday...

за завтраком = во время завтрака
за обедом = во время обеда
за ужином = во время ужина

(2, 4). До праздника осталось всего две недели.   There are only two weeks left till the holiday.

The adverb **всего** means 'only'. Only this form is used.

До праздника осталось целых две недели.   There are two weeks left till the holiday.

Це́лый, on the other hand, means 'whole', 'as many as'.

Сравните. Compare:

У меня́ *всего́ час* свобо́д-
ного вре́мени.

I have *only an hour* to
spare.

У меня́ *це́лый час* свобо́д-
ного вре́мени.

I have *a whole hour* to
spare.

(3). Пѐред са́мым Но́вым го́-
дом.

Just before the New Year.

Са́мый is used:

a) to form the superlative.

Покажи́те, пожа́луйста, *са́-
мые ма́ленькие* часы́.

Will you please show me the
smallest watch (you've got).

Э́то был *са́мый интере́сный*
фильм в э́том году́.

This was the most interesting film this year.

b) to specify the exact place or time.

Магази́н нахо́дится *в са́мом
це́нтре* Москвы́.

The shop is in the very
centre of Moscow.

Он прие́хал *в са́мом нача́-
ле* апре́ля.

He arrived at the very beginning of April.

c) to express identity, with the words **то́т же, та́ же, те́
же.**

Я купи́л *те́ же са́мые*
ве́щи.

I've bought the same things.

(5). Хоте́лось бы подари́ть
ей (что́-нибудь).

I should like to give her
(something) for a present.

The combination of a reflexive impersonal verb + a noun
(or pronoun) in the dative is widely used in Russian. The
difference between the personal **Я хочу́ ...** and the impersonal **Мне хо́чется ...** is that the latter is less categorical
than the former. Compare the English 'I want ...' and 'I feel
like ...'

Я хочу́ сде́лать ей пода́рок.
Мне хо́чется сде́лать ей по-
да́рок.

I want to give her a present.
I feel like giving her a
present.

Она́ не хоте́ла рабо́тать.
Ей не хоте́лось рабо́тать.

She did not want to work.
She did not feel like working.

In the subjunctive (past tense + **бы**) the statement is less categorical.

Я хотéл бы сдéлать ей подáрок. ⎫ I would like to make her
Мне хотéлось бы сдéлать ей ⎬ a present.
подáрок. ⎭

For a more detailed explanation see p. 97.

(6). на дня́х	in a few days
на э́тих днях	one of these days
на другóй день	the next day, the following day
в нáши дни	in our time, nowadays
(7,8). А вдруг онá Марúне не понрáвится?	What if Marina doesn't like it?
Марúна óчень лю́бит янтáрь.	Marina is very fond of amber.

Люби́ть and **нра́виться** correspond to the English 'to like', 'to be fond of'.

Сравните. Compare:

Марúна лю́бит э́ту му́зыку. ⎫ Marina likes (is fond of)
Марúне нрáвится э́та му́зыка. ⎭ this music.

In the sentence with the verb «**люби́ть**» **Марúна** is the grammatical and logical subject. In the second sentence with the verb «**нрáвиться**», **мýзыка** is the grammatical subject and the logical subject — **Марúна** — is in the dative.

Сравните. Compare:

Я люблю́ красúвые вéщи.	*Мне нрáвятся* красúвые вéщи.
Вы лю́бите Москвý?	*Вам нрáвится* Москвá?

Люби́ть 'to love, to be fond of, to like' expresses feelings which are often, though not necessarily, profound and lasting. **Нра́виться** expresse a less profound feeling. These verbs are sometimes interchangeable.

But when describing the initial impression made by a person or objects, only **нрáвиться / понрáвиться** can be used.

Сравните. Comparé:

Вы лю́бите пье́сы Че́хова? ⎫
Вам нра́вятся пье́сы Че́хова? ⎬ (in general, usually)
and

Вам понра́вилась пье́са Че́хова «Вишнёвый сад»?

(You have only just read it or you have seen it at the theatre).

(9). Не мо́г приду́мать ниче́го бу́дничней!

You could not think of anything more prosaic.

(10). всё-таки

nevertheless

ДИАЛОГИ. DIALOGUES

I

— Скажи́те, пожа́луйста, где я могу́ купи́ть чемода́н?
— Чемода́н? В отде́ле кожгалантере́и. Этот отде́л нахо́дится здесь же, на пе́рвом этаже́.
— Спаси́бо.
— Бу́дьте добры́, покажи́те чемода́н.
— Како́й? Большо́й и́ли ма́ленький?
— Мне ну́жен не о́чень большо́й лёгкий чемода́н.
— Посмотри́те вот э́ти. Мо́жет быть, что́-нибудь вам подойдёт. (1)
— Да, э́тот чемода́н мне нра́вится. Я возьму́ его́.

II

— Де́вушка! Бу́дьте добры́, помоги́те мне вы́брать пода́рок.
— Для кого́? Для мужчи́ны и́ли же́нщины?
— Для мужчи́ны.
— Молодо́го и́ли пожило́го?
— Сре́дних лет. (2) Это о́чень тру́дное де́ло — купи́ть пода́рок для мужчи́ны.
— Сейча́с посмо́трим. Мо́жете купи́ть ему́ хоро́ший портсига́р и́ли тру́бку.
— Это не подхо́дит. Он не ку́рит. (3)
— Есть ша́хматы из ко́сти, о́чень то́нкой рабо́ты.
— По-мо́ему, у него́ есть хоро́шие ша́хматы.

— Посмотри́те изде́лия из ко́жи. У на́с есть хоро́шие па́пки и бума́жники.

— О, во́т что я куплю́. Я подарю́ ему́ па́пку. Покажи́те, пожа́луйста, вот э́ту, тёмную.

III

— Това́рищ продаве́ц, покажи́те, пожа́луйста, шерстяно́й костю́м для де́вочки.

— Како́й разме́р вас интересу́ет?

— Я не зна́ю то́чно, ду́маю, три́дцать четвёртый.

— На ско́лько лет?

— На пять-шесть лет. (4)

— Пожа́луйста. В костю́ме четы́ре ве́щи: ко́фточка, брю́ки, ша́пка и шарф.

— У ва́с таки́е костю́мы то́лько си́него цве́та?

— Нет, есть и други́е — кра́сные, зелёные, се́рые, бе́жевые, голубы́е.

— Мо́жно посмотре́ть зелёный?

IV

— Покажи́те, пожа́луйста, чёрные ту́фли.

— Вам како́й разме́р?

— Три́дцать шесто́й.

— Пожа́луйста.

— Спаси́бо. Мо́жно приме́рить?

— Коне́чно. Проходи́те сюда́.

— Они́ мне немно́го свобо́дны (велики́). (5) Да́йте мне, пожа́луйста, три́дцать пя́тый разме́р.

— Вот, пожа́луйста.

— Спаси́бо. Эти, ка́жется, мне хоро́ши. Я их возьму́.

V

— Ско́лько сто́ит э́та шерсть?

— Де́сять рубле́й метр.

— Скажи́те, ско́лько ме́тров мне ну́жно на костю́м?

— Я ду́маю, вам на́до взять два ме́тра.

— Спаси́бо. Я возьму́ два ме́тра.

— Плати́те в ка́ссу два́дцать рубле́й.

(1,3). Что-нибудь вам подойдёт. — (We'll find) something to suit you.

Это не подходит. Он не курит. — That doesn't suit, he doesn't smoke.

(2). (мужчина) средних лет — a middle-aged man

Such constructions containing the genitive (and answering the question *какой?*) are quite commonly used.

Человек *среднего роста*. (Какой человек?)
Костюм *синего цвета*. (Какой костюм?)

(4). на пять-шесть лет — for a boy/girl of five or six

(5). Они (туфли) мне немного свободны (велики). — These shoes are a little large for me.

Short form adjectives like мал, мала, мало, малы; велик, велика, велико, велики; узок, узка, узко, узки; широк, широка, широко, широки; свободен, свободна, свободно, свободны used with nouns describing clothes and shoes indicate that they are too small, too large, etc.

На ней широкая юбка.   Юбка широка ей в поясе.

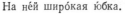

Туфли мне *малы*.
Костюм вам *велик*.
Эти брюки ему *широки*.
Это пальто вам немного *свободно*.

Сравните. Compare:

Я купил красивые *узкие* брюки.

I have bought nice tight-fitting trousers.

Эти брюки мне *узки.*

These trousers are too tight for me.

Какая *широкая* юбка!

What a wide skirt!

Боюсь, эта юбка будет мне *широка* в поясе.

I'm afraid this skirt will be too wide in the waist for me.

ЗАПОМНИТЕ. MEMORIZE:

— **Вам нравится этот костюм?**

— Do you like this suit?

— **Да, он мне нравится.**

— Yes, I do.

— **Вам понравилась эта книга?**

— Did you like this book?

— **Нет, мне она не понравилась.**

— No, I did not.

Вам идёт голубой цвет.
Ей не идёт эта шляпа.

Blue suits you.
This hat does not suit her.

Это платье мне мало (узко).

This dress is too small (too tight) for me.

Этот костюм вам велик (широк, свободен).

This suit is too large (too wide) for you.

УПРАЖНЕНИЯ. EXERCISES

I. **Ответьте на вопросы.** Answer the following questions.

1. Где можно купить платье, бельё, туфли?
2. Как называется магазин, где можно купить разные вещи: пальто, портфель, галстук, авторучку?
3. В каком отделе продаются духи?
4. В каком отделе продаются часы?
5. Где вы покупаете рубашки и галстуки?
6. Что вы говорите продавцу, если хотите посмотреть какую-нибудь вещь?
7. Как (в какие часы) работают магазины в вашем городе?

8. Работают ли магазины по воскресеньям?
9. Сколько стоит портфель?
10. Сколько стоят эти часы?
11. Сколько вы заплатили за ваше пальто?
12. В каком магазине вы покупаете вещи для своих детей?

II. Закончите предложения, употребляя слова, стоящие справа. Complete the sentences using the words given on the right.

1. В магазине я купил несколько	книга, тетрадь, ручка, карандаш
2. В этом магазине всегда большой выбор	пальто, платья, костюмы, плащи, блузки
3. Мне надо купить	сумка и чемодан
4. Я должен купить	рубашка и галстук

III. Вместо точек вставьте глагол *стоить* в единственном или множественном числе. Слова *рубль, копейка* поставьте в нужной форме. Fill in the blanks with the singular or plural form of the verb *стоить*. Put the words *рубль, копейка* in the appropriate form.

1. Пальто	сорок пять	
	пятьдесят четыре	рубль
	девяносто один	
2. Перчатки ...	два	
	пять	рубль
	один	
3. Костюм ...	пятьдесят один	
	шестьдесят три	рубль
	девяносто семь	
4. Брюки ...	тринадцать	
	двадцать два	рубль
	девятнадцать	
5. Ручка ...	три рубля пятьдесят	
	рубль пятьдесят пять	копейка
	два рубля двадцать три	
6. Носки ...	рубль двадцать две	
	девяносто три	копейка
	рубль пятнадцать	
7. Мыло ...	тридцать	
	двадцать одна	копейка
	сорок четыре	

IV. Поста́вьте слова́ из ско́бок в ну́жном падеже́. Put the words in brackets in the aprropriate case.

1. В магази́н вошёл мужчи́на (сре́дний рост). 2. Здесь продаю́т оде́жду для дете́й (шко́льный во́зраст). 3. Я люблю́ ве́щи (я́ркие цвета́). 4. Наш учи́тель — челове́к (больши́е зна́ния). 5. Мне ну́жно купи́ть су́мку (си́ний и́ли голубо́й цвет).

V. Отве́тьте на вопро́сы, поста́вив слова́ из ско́бок в ну́жном падеже́. Answer the following questions using the words in brackets in the appropriate case.

1. Чья э́то ко́мната? (мой роди́тели)
2. Чьи э́то ве́щи? (мой ста́рший брат)
3. Чьё письмо́ лежи́т в кни́ге? (моя́ мла́дшая сестра́)
4. Чьи де́ти гуля́ют в саду́? (на́ши сосе́ди)
5. Чей слова́рь лежи́т на столе́? (наш преподава́тель)
6. Чьи э́то слова́? (оди́н изве́стный англи́йский писа́тель)

VI. Отве́тьте на вопро́сы, поста́вив в ну́жной фо́рме слова́, стоя́щие спра́ва. По́мните об употребле́нии местоиме́ния свой. Answer the following questions using the words given on the right in the appropriate form. Remember to use свой where necessary.

1. Кому́ вы да́ли свой уче́бник?	наш но́вый студе́нт
2. Кому́ вы купи́ли цветы́?	одна́ знако́мая де́вушка
3. Кому́ вы подари́ли велосипе́д?	мой мла́дший сын
4. Кому́ он обеща́л э́ту кни́гу?	его́ друг
5. Кому́ они́ пока́зывали фотогра́фии?	их го́сти
6. Кому́ она́ рассказа́ла э́ту исто́рию?	её това́рищи по рабо́те

VII. Прочита́йте предложе́ния. Обрати́те внима́ние на ра́зницу в употребле́нии глаго́лов люби́ть и нра́виться. Read the following sentences. Note the difference between the use of the verbs люби́ть and нра́виться.

Вы лю́бите таку́ю *му́зыку?*　　　*Вам нра́вится* така́я *му́зыка?*
Я не люблю́ кни́ги э́того писа́-　　*Мне не нра́вятся кни́ги* э́того пи-
теля.　　　　　　　　　　　　са́теля.

VIII. Отве́тьте на вопро́сы, употреби́в вме́сто глаго́ла люби́ть глаго́л нра́виться. Answer the following questions replacing the verb люби́ть by нра́виться.

Образец. Model: — *Вы лю́бите* стихи́ э́того поэ́та?
　　　　　　　　— Да, *мне нра́вятся* стихи́ э́того поэ́та.
　　　　　　　　— Нет, *мне не нра́вятся* стихи́ э́того поэ́та.

1. Вы лю́бите таки́е фи́льмы?
2. Вы лю́бите ру́сскую му́зыку?
3. Вы лю́бите рома́ны э́того писа́теля?
4. Вы лю́бите таку́ю пого́ду?
5. Вы лю́бите гуля́ть по у́лицам го́рода?
6. Вы лю́бите отдыха́ть в гора́х?

IX. Зако́нчите предложе́ния, употреби́в глаго́лы *(по)нра́виться* и *люби́ть*. Complete the sentences using the verbs *люби́ть* and *(по)нра́виться*.

А. 1. Ле́том мы бы́ли в Москве́. Москва́ ... . 2. Я прочита́л рома́н Льва Толсто́го. Кни́га ... . 3. Вчера́ мы бы́ли на конце́рте. Конце́рт ... . 4. После́дняя ле́кция на́шего профе́ссора была́ о́чень интере́сной. Всем студе́нтам ... . 5. Жена́ купи́ла мне га́лстук, но он ... .

В. 1. Я о́чень ... мо́ре. 2. Студе́нты ... своего́ профе́ссора. 3. Я ча́сто хожу́ в Большо́й теа́тр, потому́ что я о́чень ... э́тот теа́тр. 4. Ива́н — еди́нственный сын у свои́х роди́телей. Они́ о́чень ... его́. 5. Мы ... свой го́род. 6. Вы ... кни́ги э́того писа́теля?

X. Прочита́йте предложе́ния. Сравни́те употребле́ние ли́чных и безли́чных глаго́лов. Read the sentences. Compare the use of the personal and impersonal verbs.

Она́ хо́чет купи́ть э́ту ла́мпу.   *Ей хо́чется* купи́ть э́ту ла́мпу.
Я ду́маю, что э́то пра́вильно.   *Мне ду́мается*, что э́то пра́вильно.

XI. Замени́те безли́чные предложе́ния ли́чными. Replace the impersonal constructions by personal ones.

1. Мне по́мнится, что я брал э́ту кни́гу у своего́ бра́та. 2. Бра́ту давно́ хо́чется купи́ть фи́нские лы́жи. 3. Мне не ве́рится, что он придёт. 4. Мне не хоте́лось говори́ть об э́том. 5. Сего́дня мне пло́хо рабо́талось. 6. Вам не хо́чется пойти́ пообе́дать? 7. Ему́ всегда́ жило́сь легко́ и про́сто.

XII. Вме́сто то́чек вста́вьте оди́н из глаго́лов, да́нных в ско́бках, в ну́жной фо́рме. Insert the appropriate form of the verbs given in brackets.

1. Что вы де́лали вчера́? Вчера́ я ... кни́гу. Вы ... кни́гу? Нет, я ещё не ... её. (чита́ть — прочита́ть) 2. Это моё но́вое пальто́. Я ... его́ в Ло́ндоне. Моя́ сестра́ помога́ла мне, когда́ я ... пальто́. Она́ сказа́ла, что пальто́ идёт мне, поэ́тому я ... его́. (покупа́ть — купи́ть) 3. Сего́дня у́тром я ... пи́сьма. Я ... три письма́. (писа́ть — написа́ть) 4. Мы смотре́ли сове́тский фильм «Серёжа». Фильм нам о́чень

... . Вам ... фильмы о детях? (нравиться — понравиться) 5. Обычно накануне Нового года мы что́-нибудь ... друг дру́гу. В про́шлом году́ жена́ ... мне портсига́р. (дари́ть — подари́ть) 6. В магази́не я до́лго ..., что купи́ть жене́. Я уви́дел на витри́не бу́сы и ...: «На́до купи́ть ей таки́е бу́сы». (ду́мать — поду́мать) 7. Я ... подари́ть бра́ту лы́жи. Мы до́лго ..., что́ подари́ть отцу́. (реша́ть — реши́ть)

XIII. Переведи́те на англи́йский язы́к. Translate into English.

1. Ша́пка мне мала́. 2. Э́ти ту́фли мне велики́. 3. Костю́м тебе́ вели́к. 4. Пла́тье ей широко́. 5. Пальто́ тебе́ мало́. 6. Руба́шка вам широка́. 7. Брю́ки узки́.

XIV. Переведи́те на англи́йский язы́к. Translate into English.

1. У неё зелёные глаза́. Ей идёт зелёный цвет. 2. Ему́ идёт э́тот костю́м. 3. Вам идёт э́та шля́па. 4. Мне не идёт голубо́й цвет. 5. Вам не идёт э́то пла́тье. 6. Ей не идёт э́тот цвет.

XV. Соста́вьте вопро́сы, на кото́рые отвеча́ли бы сле́дующие предложе́ния. Make up questions to which the following sentences would be the answers.

1. — ...... ?
 — Су́мки и чемода́ны продаю́т на пе́рвом этаже́.
2. — ...... ?
 — Вы мо́жете купи́ть часы́ в э́том магази́не.
3. — ...... ?
 — Этот костю́м сто́ит два́дцать семь рубле́й.
4. — ...... ?
 — Перча́тки сто́ят три рубля́.
5. — ...... ?
 — Я хочу́ купи́ть све́тлые ту́фли.
6. — ...... ?
 — Я купи́ла э́ту су́мку сестре́.
7. — ...... ?
 — Па́вел подари́л Никола́ю портсига́р.
8. — ...... ?
 — Да, мне нра́вится э́то пла́тье.

XVI. Напиши́те анто́нимы к да́нным сочета́ниям. Give the opposites of the following:

Образец. Model: у́зкие брю́ки — широ́кие брю́ки

тёмный костю́м, бе́лые ту́фли, лёгкий чемода́н, краси́вая вещь, дорого́е пла́тье, то́нкая рабо́та, пожило́й челове́к, зи́мнее пальто́, мя́гкая ткань

XVII. Переведи́те на ру́сский язы́к. Translate into Russian.

1. When do the shops open? I want to call at a department store. I need to buy a few things. 2. Can you tell me on what floor they sell boys' suits? 3. Can you tell me where I can buy a winter cap?

4. — How much is this tie?
   — Two roubles twenty copecks.

5. I like this dress. How much is it?

6. — Do you like this bag?
   — I like it very much.

7. I like this coat but it is too big for me. 8. Will you show me some ladies' gloves, please. What size are these?

9. — Can I try on some white shoes?
   — What's your size?
   — Thirty-five.
   — Here you are.

10. These shoes are too small. Will you give me another pair, please?

11. Will you give me three metres of wool, please?

XVIII. Соста́вьте расска́з, озагла́вленный «Посеще́ние универма́га», испо́льзуя сле́дующие выраже́ния. Make up a story entitled "Посеще́ние универма́га" using the following expressions:

мне на́до купи́ть; что вы́брать; я хоте́л бы подари́ть; покажи́те, пожа́луйста; мне нра́вится ...; ско́лько сто́ит ...; у меня́ всего́ ... рубле́й; вам идёт ...; пальто́ мне мало́ (велико́, широко́) ...

9

В РЕСТОРАНЕ

Мы вошли́ в зал и осмотре́лись. Все места́ бы́ли за́няты, и то́лько из-за одного́ сто́лика в углу́ поднима́лись (1) дво́е.

— Нам, ка́жется, повезло́, (2) — сказа́ла Мари́на. И мы напра́вились туда́.

— Э́ти места́ свобо́дны? — спроси́ли мы официа́нта.

— Да, свобо́дны, — отве́тил он.

Мы се́ли за стол. (3) Официа́нт принёс меню́ и чи́стые прибо́ры. Мари́на приняла́сь изуча́ть дли́нный спи́сок (4) вин и заку́сок, а я тем вре́менем осмотре́л зал. Недалеко́ от нас я заме́тил знако́мых. Мы поздоро́вались. В друго́м конце́ за́ла игра́л орке́стр, не́сколько пар танцева́ли.

К нам подошёл официа́нт:

— Что вы хоти́те заказа́ть?

— Что мы зака́жем? — спроси́л я Мари́ну.

— Я бы вы́пила немно́го сухо́го вина́, (5) вро́де «Цинанда́ли».

— «Цинанда́ли» у на́с есть, — сказа́л официа́нт.

— А что ещё мы возьмём?

— Сала́т «весе́нний» и сыр.

— И что́-нибудь горя́чее? — подсказа́л официа́нт.

— Я бы с удово́льствием съел котле́ту по-ки́евски. А ты? — спроси́л я Мари́ну.

— Нет, я не хочу́ есть.

— Ита́к, — обрати́лся я к официа́нту, — принеси́те, пожа́луйста, вино́, сала́т «весе́нний», котле́ту по-ки́евски, ма́сло и сыр.

Чѐрез не́сколько мину́т официа́нт принёс и поста́вил на сто́л вино́ и холо́дные заку́ски.

Я на́лил вино́ в бока́лы.

— За что́ мы вы́пьем? — спроси́л я Мари́ну.

— За что? За на́шу встре́чу пять лет наза́д.

— Хорошо́, за на́с!

За у́жином мы поговори́ли, пото́м потанцева́ли. (6) По́зже мы попроси́ли принести́ нам ещё моро́женое и ко́фе.

Постепе́нно зал пусте́ет. Собира́емся уходи́ть и мы.

— Получи́те с нас, — говорю́ я официа́нту.

— Вот счёт.

— Пожа́луйста, возьми́те де́ньги. До свида́ния.

— Всего́ до́брого. Споко́йной но́чи.

КОММЕНТАРИИ. NOTES

(1, 3). Из-за сто́лика поднима́лись дво́е.	Two people left a table.
Мы се́ли за сто́л.	We sat down at the table.
сиде́ть (где?) за столо́м	to sit at table
сесть \ садиться / (куда?) за сто́л	to sit down to table
встать / встава́ть \ подня́ться / поднима́ться / (отку́да?) из-за стола́	to leave the table

(2). Нам, ка́жется, повезло́. It seems we are in luck.

Везти́ / повезти́ in impersonal statements (with the dative) corresponds to the English 'to be lucky'.

Ему́ обы́чно *везёт* на экза́-
  менах.
He's usually lucky in examinations.

Вчера́ *мне не повезло́* — я
  зашёл к това́рищу, а его́
  не́ было до́ма.
Yesterday I was unlucky. I
  called on a friend, but he
  wasn't at home.

(4). Мари́на приняла́сь изу-
  ча́ть... спи́сок
Marina started (set about)
  studying the... list

(5). Я *бы вы́пила* немно́го
  сухо́го вина́.
I should like a drink of dry
  wine.

Я *бы* с удово́льствием
  съел...
I'd like to eat...

Я *бы* ещё раз *посмот-
  ре́ла* э́тот фильм.
I would like to see this film
  once more.

The subjunctive preceded by **не** expresses a request made with great courtesy.

Сравни́те. Compare:

Позвони́те мне, пожа́луйста,
  за́втра.
Please phone me tomorrow.

Вы не могли́ бы позвони́ть
  мне за́втра?
I wonder whether you could
  (possibly) phone me to-
  morrow.

(6). За у́жином мы погово-
  ри́ли, пото́м потанцева́-
  ли.
At supper we talked a little, then we had a dance.

По- prefixed to certain verbs indicates that the action was of short duration (and makes them perfective).

Мы (немно́го) погуля́ли.
We went for a (little) walk.

Они́ покури́ли, побесе́дова-
  ли и сно́ва приняли́сь за
  рабо́ту.
They had a smoke, had a
  talk and again began work.

ДИАЛОГИ. DIALOGUES

I

— Где здесь мо́жно пообе́дать?

— Недалеко́ отсю́да есть хоро́ший рестора́н. Там прекра́сно гото́вят и всегда́ большо́й вы́бор блюд.

— Мо́жет быть, пообе́даем сейча́с? Я что́-то проголода́лся.

— С удово́льствием.

II

— Здесь не за́нято?

— Нет, свобо́дно, сади́тесь, пожа́луйста. Вот меню́. Что вы хоти́те заказа́ть?

— Что есть из заку́сок?

— Сала́т мясно́й, сала́т с кра́бами, икра́, осетри́на ...

— Пожа́луй, я возьму́ сала́т с кра́бами.

— А я осетри́ну.

— Каки́е супы́ есть в меню́?

— Овощно́й суп, ри́совый, борщ украи́нский, щи, суп фрукто́вый.

— Я бу́ду есть борщ. А вы?

— А я — овощно́й суп.

— Что возьмём на второ́е? (1)

— Здесь прекра́сно гото́вят ры́бные блю́да. Я посове́товал бы вам заказа́ть судака́ по-по́льски.

— Спаси́бо. Так я и сде́лаю.

III

— О, вы уже́ здесь. Прия́тного аппети́та.

— Спаси́бо. Сади́тесь. Вот свобо́дное ме́сто.

— Что вы посове́туете мне заказа́ть? Сего́дня так жа́рко. Хоте́лось бы съесть чего́-нибудь холо́дного.

— Мо́жете взять холо́дный овощно́й суп. Это о́чень вку́сно.

— Пожа́луйста, принеси́те буты́лку пи́ва, овощно́й суп, ку́рицу с ри́сом и моро́женое.

— Вы ужé обéдали?

— Нет ещё. Я как рáз собирáюсь пойти (2) в столóвую. Вы тóже идёте?

— Да. Вы всегдá обéдаете в столóвой?

— Да, зáвтракаю и ýжинаю я дóма, а обéдаю здесь.

КОММЕНТАРИИ. NOTES

(1). Что возьмём на вторóе?	What shall we take for our second course?
брать } на пéрвое, на вторóе, взять } на трéтье	to take something for one's first course, second course, third course
(2). Я как рáз собирáюсь пойти ...	I'm just about to go ...

ЗАПОМНИТЕ. MEMORIZE:

Это мéсто свобóдно (не зáнято)?	Is this place free?
Этот стóлик свобóден.	This table is free.
Дáйте, пожáлуйста, меню́.	Give me the menu, please.
Бýдьте дóбры, принеси́те ещё оди́н прибóр.	Would you bring one more knife and fork, please?
Каки́е закýски у вáс есть?	What hors-d'oeuvres are there?
Что у вáс есть из сухи́х вин?	What dry wines are there?
Что мы закáжем?	What shall we order?
Какóе винó вы бýдете пить?	What wine will you drink?
Передáйте, пожáлуйста, хлеб (соль, мáсло).	Pass the bread (salt, butter), please.
Прия́тного аппети́та!	Good appetite!
Тост за встрéчу, за дрýжбу.	A toast to our meeting, to our friendship.
Дáйте, пожáлуйста, счёт.	Give me the bill, please.
Скóлько я дóлжен (мы должны́)?	How (much) do I (we) owe you?

Получи́те с нас, пожа́-луйста. Пожа́луйста. (*when actually paying*).	Will you take the money, please? May I pay, please? Here you are.

УПРАЖНЕНИЯ. EXERCISES

I. Отве́тьте на сле́дующие вопро́сы. Answer the following questions.

1. Где вы обы́чно за́втракаете, обе́даете, у́жинаете?
2. В кото́ром часу́ вы за́втракаете?
3. Что вы еди́те у́тром за за́втраком?
4. Что вы пьёте во вре́мя за́втрака?
5. Где вы предпочита́ете обе́дать — до́ма, в столо́вой, в рестора́не?
6. Когда́ вы обе́даете?
7. Что вы пьёте во вре́мя обе́да — минера́льную во́ду, пи́во или вино́?
8. Что вы еди́те за обе́дом?
9. Что вы обы́чно берёте на пе́рвое, на второ́е, на тре́тье?
10. Како́е ва́ше люби́мое блю́до?
11. Вы лю́бите мясны́е (ры́бные) блю́да?
12. Каки́е блю́да ва́шей национа́льной ку́хни вы лю́бите бо́льше всего́?
13. Каки́е ру́сские национа́льные блю́да вы зна́ете?
14. Каки́е блю́да ру́сской ку́хни вам нра́вятся?
15. Где мо́жно пообе́дать и́ли закуси́ть в ва́шем го́роде?

II. Слова́ из ско́бок поста́вьте в ну́жной фо́рме. Put the words in brackets in the appropriate form.

Образе́ц. Model: Возьми́те суп ... (мя́со). — Возьми́те суп с мя́сом.

1. Я люблю́ ко́фе ... (молоко́). 2. У́тром я ем хлеб ... (ма́сло и сыр). 3. Вы лю́бите сала́т ... (мя́со)? 4. На второ́е мы возьмём ку́рицу ... (рис и́ли карто́шка). 5. Обы́чно у́тром мы пьём чай ... (молоко́). 6. Да́йте, пожа́луйста, соси́ски ... (капу́ста).

III. Вме́сто то́чек вста́вьте оди́н из глаго́лов, да́нных ни́же, в ну́жной фо́рме. Fill in the blanks with the verbs from the list below in the appropriate form.

1. На столе́ ... ва́за с фру́ктами. 2. На таре́лке ... я́блоки. 3. Официа́нт ... на сто́л буты́лку вина́, ... ножи́ и ви́лки. 4. Пожа́-луйста, ... стака́н на сто́л. 5. Пожа́луйста, ... свою́ су́мку на то́т сто́лик.

(стоя́ть, лежа́ть, поста́вить, положи́ть)

IV. Ответьте на вопро́сы, поста́вив слова́, стоя́щие спра́ва, в ну́жной фо́рме. Answer the following questions using the words given on the right in the appropriate form.

1. Где лежа́т ви́лки? стол
   Куда́ официа́нт положи́л ви́лки?

2. Куда́ вы положи́ли свой портфе́ль? стул
   Где лежи́т ваш портфе́ль?

3. Где стоя́т ча́шки для ко́фе? буфе́т
   Куда́ вы поста́вили ча́шки для ко́фе?

4. Куда́ вы поста́вили ва́зу с цвета́ми? окно́
   Где стои́т ва́за с цвета́ми?

5. Где виси́т моё пальто́? шкаф
   Куда́ вы пове́сили моё пальто́?

V. Из да́нных словосочета́ний сде́лайте предложе́ния по образцу́. Rearrange the following according to the model.

Образец. Model: дать меню́ — Да́йте, пожа́луйста, меню́.

1. принести́ вино́, ви́лку, ещё оди́н прибо́р; 2. переда́ть хлеб, соль, нож; 3. дать меню́, счёт.

VI. Зако́нчите предложе́ния, употребля́я слова́, стоя́щие спра́ва. Complete the sentences using the words given on the right.

1. Официа́нт принёс ... . одна́ котле́та, холо́дная ры́ба, о́стрый сыр, ча́шка ко́фе

2. На второ́е мо́жно взять ... . мя́со с гарни́ром, котле́та с капу́стой

3. Я хочу́ взять ... . буты́лка воды́, таре́лка су́па, у́тка с ри́сом, ча́шка ко́фе

4. Принеси́те, пожа́луйста, стака́н ... . вода́, молоко́, пи́во, лимона́д, сок

VII. Зако́нчите предложе́ния, употребля́я слова́, да́нные спра́ва. Complete the sentences using the words given on the right.

1. Мо́жно пойти́ ... . э́тот рестора́н
   Мо́жно пообе́дать ... .

2. Вы ещё не́ были ...? но́вая столо́вая
   Я хочу́ пойти́ обе́дать ... .

3. Мы мо́жем поу́жинать ... . это ма́ленькое кафе́
   Дава́йте зайдём ... .

VIII. Проспряга́йте глаго́лы. Conjugate the following verbs:

есть, пить, брать, взять, заказа́ть

IX. Отвéтьте на вопрóсы, заменив глагóл _любить_ глагóлом _нравиться_. Answer the following questions replacing the verb _любить_ by _нравиться_.

Образéц. Model: — Вы любите кóфе с лимóном?
— Да, мне нрáвится кóфе с лимóном.
— Нет, мне не нрáвится кóфе с лимóном.

1. Вы любите чай с молокóм? 2. Какóе винó вы любите? 3. Какие фрýкты вы любите бóльше всегó? 4. Вы любите рыбные блюда? 5. Вы любите óстрый сыр? 6. Вы любите рýсскую кýхню?

X. Заменйте выделенные выражéния синонимичными по образцý. Replace the words in italics by synonyms according to the model.

Образéц. Model:

Во врéмя обéда мы говорили о последних новостях.	_За обéдом_ мы говорили о послéдних новостях.

1. _Во врéмя зáвтрака_ мы сидéли мóлча. 2. _Во врéмя ýжина_ он ни с кéм не разговáривал. 3. _Во врéмя обéда_ он расскáзывал о своих делáх.

XI. Состáвьте вопрóсы, на котóрые отвечáли бы слéдующие предложéния. Make up questions to which the following sentences would be the answers.

1. — ...... ?
— Мы зáвтракаем в вóсемь часóв утрá.
2. — ...... ?
— Обычно я обéдаю дóма.
3. — ...... ?
— Сегóдня мы обéдали в ресторáне.
4. — ...... ?
— Да, этот стóлик свобóден.
5. — ...... ?
— На вторóе я хочý взять рыбу.
6. — ...... ?
— Я люблю сухóе винó.
7. — ...... ?
— Нет, я не люблю чай с молокóм.

XII. Переведи́те на ру́сский язы́к. Translate into Russian.

1. — Would you like to go and have dinner?
   — I would. I was just going to go.
   — Where shall we go?
   — We can go to the "Cosmos" café. The food is quite good there. (*lit.* They cook quite well there.) And it isn't crowded now.

2. — What shall we take for our first course? Are you going to order soup? What are you going to drink—wine, beer or mineral water?
   — I would like to try some Russian vodka.

3. — I liked that wine very much. What's it called?
   — 'Tsinandali'. It's a Georgian wine.

4. — I don't know what to take for my second course.
   — I'd advise you to order a cutlet à la Kiev. They are (*lit.* this is) very nice.

5. Will you please bring some salad and cold meat?

6. Give me the bill, please.

7. Pass the butter, please. Thank you.

8. — Is this place free?
   — Yes, do sit down (please).

9. I usually have my breakfast and supper at home, and have lunch at work. There is a good canteen at our institute. The food is very good there and there is always a large choice of meat and fish courses.

XIII. Расскажи́те: 1) что вы еди́те у́тром и ве́чером, 2) из чего́ состои́т ваш обе́д. Describe: 1) what you have for breakfast and for supper, 2) what you have for lunch.

XIV. Соста́вьте диало́ги. Make up dialogues:

1) ме́жду друзья́ми, иду́щими в кафе́; сидя́щими в кафе́; between friends going to a café; sitting in a café.

2) ме́жду посети́телями кафе́ (рестора́на) и официа́нтом; between customers at a café (restaurant) and the waiter.

XV. Прочита́йте и перескажи́те. Read out the following and renarrate.

Ка́к-то раз изве́стный францу́зский писа́тель Алекса́ндр Дюма́ путеше́ствовал по Герма́нии. Дюма́ совсе́м не говори́л по-неме́цки. Одна́жды он останови́лся в ма́леньком городке́. Дюма́ о́чень хоте́л есть и зашёл в рестора́н. Он хоте́л заказа́ть грибы́, но не зна́л, ка́к э́то сказа́ть по-неме́цки. Он до́лго пока́зывал же́стами, чего́ он хо́чет, но хозя́ин рестора́на так и не по́нял его́. Тогда́ Дюма́ взял бума́гу и карандаш, нарисовал большой гриб и показал рисунок хозяину. Хозяин посмотрел на рисунок и понимающе улыбнулся.

Дюма был очень доволен собой. Теперь он мог спокойно сидеть и ждать, когда ему принесут его любимое блюдо. Каково же было его удивление, когда он увидел в руках вошедшего хозяина... зонтик!

* * *

Однажды один человек обедал у одной очень экономной дамы. Он встал из-за стола совершенно голодный. Хозяйка любезно сказала ему:

— Прошу вас как-нибудь ещё прийти ко мне пообедать.

— С удовольствием, — ответил гость, — хоть сейчас.

хоть сейчас at once if you like

10

НА ПОЧТЕ

Я получа́ю и сам пишу́ о́чень мно́го пи́сем. Друзья́, с кото́рыми я учи́лся, разъе́хались по всему́ све́ту. (1) Одни́ живу́т в ра́зных города́х Сове́тского Сою́за, други́е рабо́тают за грани́цей (2). Я перепи́сываюсь со мно́гими из них. (3) Почти́ ка́ждый день почтальо́н прино́сит мне вме́сте с газе́тами не́сколько пи́сем от друзе́й. В свою́ о́чередь и я ча́сто посыла́ю им пи́сьма, (4) откры́тки, телегра́ммы, посы́лки.

Пи́сьма я обы́чно пишу́ ве́чером, а на друго́й день у́тром опуска́ю их в почто́вый я́щик недалеко́ от на́шего до́ма. Телегра́ммы, бандеро́ли и посы́лки мы отправля́ем в ближа́йшем почто́вом отделе́нии.

Неде́лю наза́д, пе́ред нового́дним пра́здником, я написа́л не́сколько пи́сем, пригото́вил ну́жные кни́ги и ве́щи для посы́лок и пошёл на по́чту. Снача́ла я подошёл к око́шку, где принима́ют бандеро́ли, по́дал в око́шко кни́ги и попроси́л упакова́ть их. Пото́м я написа́л а́дрес и заплати́л де́ньги за ма́рки, кото́рые де́вушка, рабо́тница по́чты, накле́ила на бандеро́ль.

В отде́ле «Приём и вы́дача посы́лок» я запо́лнил бланк для посы́лки. На бла́нке я написа́л а́дрес, фами́лию, по́лное и́мя и о́тчество адреса́та и обра́тный а́дрес. Рабо́тник по́чты прове́рил, всё ли в поря́дке (5), взве́сил посы́лку и вы́писал мне квита́нцию. Я заплати́л де́ньги и напра́вился к друго́му отделе́нию.

Ме́лкие ве́щи — га́лстук, перча́тки, автор́чку и электро-бри́тву — я посла́л це́нной бандеро́лью.

Ита́к, оста́лось то́лько отпра́вить нового́дние поздрав-ле́ния. В окне́ «Приём телегра́мм» я взял не́сколько бла́н-ков и тут же на по́чте написа́л о́коло пятна́дцати поздра-ви́тельных телегра́мм и откры́ток свои́м роди́телям, ро́д-ственникам и друзья́м.

КОММЕНТАРИИ. NOTES

(1). Друзья́... разъе́хались
по всему́ све́ту.
My friends... have gone to various parts of the world.

Раз- gives verbs of motion the meaning of movement from the centre in various directions. Note that the particle **-ся** is added.

Го́сти разошли́сь по́здно.
The visitors went home late.

Де́ти разбежа́лись по па́рку.
The children ran all over the park.

The opposite notion—movement from different places towards the centre—is rendered by the prefix **с-** and the particle **-ся**:

сошли́сь, съе́хались, сбежа́-лись
came together (assembled) on foot, by transport, running

With other verbs the prefix **раз-** has the meaning of di-vision, distribution, separation.

разложи́ть ве́щи	to lay out to display } things to unpack
разда́ть кни́ги	to give out books
разре́зать я́блоко	to cut up an apple (into some parts)
разби́ть стака́н	to break a glass
(2). рабо́тают за грани́цей	(they) work abroad
быть, рабо́тать (*где?*) за грани́цей	to be, to work abroad
пое́хать (*куда́?*) за гра-ни́цу	to go abroad
прие́хать, верну́ться (*отку́да?*) из-за гра-ни́цы	to return from abroad

(3). Я переписываюсь со I correspond with many of
многими из них. them.

Переписываться *с кем-либо* (imperfective only) means **писать друг другу**.

Вы переписываетесь с бра- Do you write to (*lit.* corres-
том? pond with) your brother?

Memorize the following verbs with the particle **-ся** having the meaning of reciprocal action:

бороться	to fight (with someone)
видеться	to see (each other)
встречаться	to meet (each other)
делиться	to share
договариваться	to agree, come to an arrangement
здороваться	to greet (each other)
знакомиться	to get acquainted
обмениваться	to exchange
обниматься	to embrace
прощаться	to take one's leave
расставаться	to part
ссориться	to quarrel
советоваться	to consult, to discuss
целоваться	to kiss (each other)

Normally after these verbs the noun is in the instrumental preceded by **с** answering the question *с кем?*:

— *С кем* вы поздоровались — Whom did you greet in
на улице? the street?
— Я поздоровался *со своим* — I greeted my old teacher.
старым учителем.
Мне надо посоветоваться *с* I have to discuss this with
родителями. my parents.
Мы договорились *с Андре-* Andrei and I arranged to go
ем пойти в воскресенье на skiing on Sunday.
лыжах.

(4). В свою очередь и я час- In my turn I also often send
то посылаю им письма. them letters.

The possessive pronoun **свой** shows that the object belongs to the subject of the sentence.

Сравните. Compare:

Это *мой* брат.	Я давно́ не ви́дел *своего́* бра́та.
	Вы давно́ не ви́дели *моего́* бра́та?
Это *ва́ша* ру́чка.	Мо́жно взять *ва́шу* ру́чку?
	Вы нашли́ *свою́* ру́чку?
Это газе́та отца́.	Оте́ц взял *свою́* газе́ту.
	Я взял *его́* газе́ту.

Note that in Russian possessive pronouns are used less frequently than in English.

Сравните. Compare:

Он пое́хал на вокза́л встре-ча́ть сы́на.	He has gone to the station to meet *his* son.
Вчера́ мы с жено́й бы́ли в теа́тре.	Last night *my* wife and I were at the theatre.
Ни́на всегда́ сове́туется с ма́терью.	Nina always discusses mat-ters (things) with *her* moth-er.
(5). ...прове́рил, всё ли в поря́дке.	(He) checked (to see) wheth-er everything was in order.

It is imperative not to confuse the use of the conjunction **е́сли** with the particle **ли**. **Ли** is translated into English by 'whether'. In Russian **е́сли** and **ли** can never be used to replace one another. **Ли** is used to join clauses when using the following verbs (in the main clause): **знать, слы́шать, ви́деть, спроси́ть, посмотре́ть, прове́рить, узна́ть, интересова́ться, по́мнить.**

Я не зна́ю, *говори́т ли* он по-ру́сски.
Он прове́рил, *пра́вильно ли* я написа́л а́дрес.
Мать посмотре́ла, *спят ли* де́ти.
Вы не по́мните, *есть ли* э́та кни́га в магази́не?
Я спроси́л его́, *был ли* он ра́ньше в Москве́.
Прове́рьте, *всё ли* вы написа́ли пра́вильно.

Ли expresses some element of doubt and may be replaced by **и́ли нет.**

Мы не зна́ем, *получи́ли вы на́ше письмо́ и́ли нет.*
Я не по́мню, *чита́л я э́ту кни́гу и́ли нет.*
Меня́ интересу́ет, *по́няли вы моё объясне́ние и́ли нет.*

ДИАЛОГИ. DIALOGUES

I

— Мне на́до посла́ть телегра́мму.
— Телегра́ммы принима́ют в тре́тьем окне́.
— Да́йте, пожа́луйста, бланк для телегра́ммы.
— Для како́й телегра́ммы — просто́й и́ли сро́чной?
— Для сро́чной.
— Пожа́луйста, вот бланк.
— Ско́лько вре́мени идёт сро́чная телегра́мма в Ерева́н?
— Два часа́.
— Спаси́бо.

II

— Скажи́те, пожа́луйста, могу́ я отпра́вить э́ти кни́ги в Ло́ндон?
— Коне́чно. Вы мо́жете посла́ть их бандеро́лью. Дава́йте я их упаку́ю. А тепе́рь напиши́те на бандеро́ли а́дрес.
— Ско́лько сто́ит бандеро́ль?
— Как вы бу́дете посыла́ть — просто́й и́ли заказно́й бандеро́лью?
— Просто́й.
— Это бу́дет сто́ить три́дцать пять копе́ек.

III

— Скажи́те, пожа́луйста, как мо́жно посла́ть по по́чте да́мскую су́мочку, перча́тки и духи́?
— Ме́лкие ве́щи, таки́е, как духи́, очки́, перча́тки, га́лстуки, мо́жно посла́ть це́нной бандеро́лью. Вес тако́й бандеро́ли не до́лжен быть бо́льше пятисо́т гра́ммов.
— Как всё э́то должно́ быть упако́вано?
— Положи́те всё в коро́бку, заверни́те её в пло́тную бума́гу и напиши́те на ней а́дрес.
— Ка́жется, я до́лжен запо́лнить бланк — написа́ть спи́сок веще́й, кото́рые я посыла́ю?
— Нет, ничего́ не ну́жно.
— Благодарю́ вас.

IV

— Посмотри́те, пожа́луйста, есть ли пи́сьма на моё и́мя. Моя́ фами́лия Со́мов.

— Ваш докуме́нт, пожа́луйста.
— Вот па́спорт.
— Со́мов? Одну́ мину́ту. Ва́ши инициа́лы А. Н.? Вам откры́тка и де́нежный перево́д. Вот ва́ша откры́тка. Де́ньги получи́те в сосе́днем окне́.
— Спаси́бо.

V

— Да́йте, пожа́луйста, де́сять конве́ртов.
— С ма́рками и́ли без ма́рок?
— Без ма́рок. И два конве́рта с ма́рками для а̀виаписьма́.
— Пожа́луйста. 24 копе́йки.

ЗАПО́МНИТЕ. MEMORIZE:

посыла́ть / посла́ть письмо́, посы́лку, телегра́мму, откры́тку	to send a letter, a parcel, a telegram, a postcard
посыла́ть / посла́ть что́-либо це́нным письмо́м	to send something by registered letter (with declared value)
опуска́ть / опусти́ть, броса́ть / бро́сить письмо́, откры́тку в я́щик	to drop a letter, a postcard in a letter-box
отвеча́ть / отве́тить на письмо́	to reply to a letter

приноси́ть / принести́ ⎫ письмо́, доставля́ть / доста́- ⎬ посы́лку, вить ⎭ откры́тку	to bring ⎫ a letter, to deliver ⎬ a parcel, ⎭ a postcard
вруча́ть / вручи́ть телегра́мму	to hand in a telegram
— Ско́лько вре́мени идёт письмо́ (телегра́мма) в Москву́?	— How long does a letter (a telegram) take to get to Moscow?
— Письмо́ идёт два дня.	— A letter takes two days.
— Телегра́мма идёт четы́ре часа́.	— A telegram takes four hours.

Адрес по-ру́сски пи́шется так. Here is the way we write an address in Russian:

Москва K-9
пл. Пушкина, д. 3, кв. 21
Орлову Павлу Сергеевичу

Адрес отправителя: г. Ленинград,
ул. Попова, д. 16, кв. 4
Васильев С. И.

Образцы́ пи́сем. Model letters

15 ма́я 1965 г.
Ленингра́д

Дорого́й Па́вел!

Неда́вно получи́л твоё письмо́. Большо́е спаси́бо. Про́сьбу твою́ вы́полнил — позвони́л в институ́т и узна́л о твое́й рабо́те. Секрета́рь обеща́л обо всём подро́бно написа́ть тебе́.

У нас до́ма всё по-ста́рому. Ле́том всей семьёй пое́дем в Крым, я на ме́сяц, а Ле́на с детьми́ на всё ле́то. Приве́т Мари́не.

До свида́нья. Никола́й

Дорога́я Ни́на Ива́новна!

Поздравля́ем Вас с юбиле́ем. Жела́ем Вам до́лгих лет жи́зни, здоро́вья, успе́хов в рабо́те и сча́стья.

Мы ча́сто вспомина́ем Вас, Ва́ши интере́сные уро́ки, Ва́шу забо́ту о нас. Большо́е спаси́бо за всё.

17 января́ 1965 г.
Москва́

Ва́ши ученики́

Образцы́ обраще́ния в нача́ле письма́
Forms of address used in letters

Многоуважа́емая Анна Ива́новна!
Уважа́емый това́рищ Петро́в!
Дорого́й Васи́лий Никола́евич!
Ми́лая Ни́на!
Многоуважа́емый господи́н Смит!
Уважа́емый господи́н дире́ктор!

УПРАЖНЕ́НИЯ. EXERCISES

I. **Отве́тьте на вопро́сы. Answer the following questions.**

1. У вас больша́я перепи́ска?
2. С кем вы перепи́сываетесь?
3. Кому́ вы пи́шете пи́сьма?
4. Вы ча́сто пи́шете свои́м друзья́м?
5. Вы лю́бите писа́ть пи́сьма?
6. Вы лю́бите получа́ть пи́сьма?
7. Что вы предпочита́ете писа́ть — пи́сьма и́ли откры́тки?

8. Что вы получа́ете, кро́ме пи́сем?

9. Где вы отправля́ете посы́лки и бандеро́ли?

10. Что мо́жно посыла́ть бандеро́лью?

11. Как мо́жно посла́ть кни́ги?

12. Как мо́жно посла́ть в друго́й го́род очки́?

13. Где нахо́дится ближа́йшее от ва́с почто́вое отделе́ние?

14. Где мо́жно купи́ть ма́рки и конве́рты?

15. Что ну́жно име́ть при себе́, что́бы получи́ть посы́лку и́ли де́нежный перево́д?

II. Замени́те ли́чные предложе́ния безли́чными. Replace the personal sentences by corresponding impersonal ones.

Образец. Model: Где *я могу́* купи́ть кон- — Где *мо́жно* купи́ть конве́рт с ма́ркой? верт с ма́ркой?

Я до́лжен написа́ть пись- — *Мне на́до (ну́жно)* написа́ть письмо́ друзья́м. мо́ друзья́м.

1. Конве́рты и откры́тки вы мо́жете купи́ть на по́чте. 2. Я до́лжен посла́ть сро́чную телегра́мму. 3. Здесь вы мо́жете отпра́вить заказно́е письмо́. 4. Я до́лжен пойти́ в магази́н. 5. Они́ должны́ быть на вокза́ле в семь часо́в. 6. Где я могу́ позвони́ть? 7. Как мы мо́жем посла́ть докуме́нты в друго́й го́род?

III. Вме́сто то́чек вста́вьте оди́н из глаго́лов, да́нных ни́же, в ну́жной фо́рме. Fill in the blanks with the appropriate form of the verbs from the list below.

1. Сего́дня я ... письмо́ в Ки́ев. Как вы ду́маете, когда́ его́ там ...? 2. Мне на́до ... телегра́мму в Ленингра́д. 3. Вы уже́ ... поздрави́тельные откры́тки? 4. Где здесь по́чта и́ли почто́вый я́щик? Мне на́до ... пи́сьма. 5. Утром мы ... письмо́ и бандеро́ль от отца́. 6. Вчера́ почтальо́н ... нам два письма́. 7. Бу́дьте добры́, ... мои́ пи́сьма в почто́вый я́щик. 8. Большинство́ люде́й не лю́бит ... пи́сьма, но лю́бит ... их. 9. Ка́ждое у́тро почтальо́н ... нам газе́ты, журна́лы, пи́сьма.

(отправля́ть — отпра́вить, посыла́ть — посла́ть, опуска́ть — опусти́ть, броса́ть — бро́сить, получа́ть — получи́ть, писа́ть — написа́ть, приноси́ть — принести́)

IV. Зако́нчите предложе́ния, употреби́в слова́, да́нные спра́ва. Complete the sentences using the words given on the right.

Образец. Model: Андре́й показа́л мне письмо́ *из Ло́ндона от Хэ́мфри.*

1. Это письмо́	Ленингра́д, мой друг
2. Я ча́сто получа́ю откры́т-ки	Москва́, мои сове́тские друзья́
3. Неда́вно я получи́л кни́гу	Ки́ев, оди́н знако́мый студе́нт
4. Вчера́ пришла́ посы́лка	родна́я дере́вня, мои роди́тели
5. В письме́ оте́ц переда́л мне приве́т	родны́е места́, друзья́, ро́дствен-ники и знако́мые

V. Вста́вьте ну́жные предло́ги. Слова́ из ско́бок поста́вьте в ну́жном падеже́. Insert the appropriate prepositions. Put the words in brackets in the correct case.

1. Вчера́ мой друг получи́л письмо́ ... (брат) ... (Ки́ев). 2. Утром я посла́л (сро́чная телегра́мма) (сестра́) ... (Оде́сса). 3. Накле́йте (ма́рка) ... (конве́рт) и положи́те (письмо́) ... (конве́рт). 4. Утром я был ... (по́чта). 5. Я ча́сто получа́ю пи́сьма ... (дом) ... (роди́тели). 6. Почтальо́н принёс мне (телегра́мма) ... (Ленингра́д) ... (мой мла́д-ший брат).

VI. Отве́тьте на вопро́сы, испо́льзуя слова́, стоя́щие спра́ва. Answer the following questions using the words given on the right.

1. С кем вы перепи́сываетесь?	мой мла́дший брат, друзья́ по ин-ститу́ту, мои роди́тели
2. С кем вы ча́сто ви́дитесь?	Ни́на и Ми́ша, мои това́рищи
3. С кем она́ поздоро́валась?	одна́ знако́мая же́нщина
4. С кем она́ познако́милась на ве́чере?	оди́н интере́сный молодо́й челове́к
5. С кем вы сове́туетесь на ра-бо́те?	инжене́р и рабо́чие, други́е рабо́т-ники

VII. Вы́берите ну́жный глаго́л из да́нных спра́ва. Choose the appro-priate verb from those given on the right.

| 1. Мы договори́лись ... у теа́тра в шесть часо́в. У теа́тра я ... своего́ това́ри-ща. | встре́тить — встре́титься |
| 2. Когда́ мне тру́дно, я иду́ ... к своему́ ста́ршему бра́ту. Мы не зна́ли, как дое́хать до теа́тра. Милиционе́р ... нам е́хать на метро́. | посове́товать — посове́товаться |

3. Я не ... мать три года. Мы не ... три года. Вы часто ... с друзьями?

видеть — видеться

4. На вокзале перед отходом поезда мы ... и попрощались. Мать ... сына и заплакала от радости.

обнять — обняться

VIII. Прочитайте предложения. Объясните употребление притяжательных местоимений. Read the following sentences. Explain the use of the possessive pronouns.

1. *Мой* родители часто пишут мне. *Я* тоже часто пишу *своим* родителям.

Её родители часто пишут *ей*. *Она* тоже часто пишет *своим* родителям.

2. Это *моя* комната. В *моей* комнате мало мебели. *Я* люблю сидеть один в *своей* комнате. Марина вошла в *мою* комнату.

Это комната Марины. В *её* комнате много цветов. Сейчас Марина в *своей* комнате.

IX. Прочитайте предложения. Объясните употребление местоимения *свой*. Read the following sentences. Explain the use of the pronoun *свой*.

1. Где *мой* портфель? Вы не видели *мой* портфель? Кажется, я забыл *свой* портфель в гардеробе. 2. Это *ваша* книга? Я нашёл *вашу* книгу в аудитории. Вы забыли там *свою* книгу. 3. Это письмо я получил от *своего* друга. Вы ведь знаете *моего* друга Андрея Громова? 4. Я ничего не знаю о *вашей* работе Расскажите, пожалуйста, о *своей* работе. Потом я расскажу вам о *своей*. 5. Скоро *мои* родители приедут в Москву. Вы знакомы с *моими* родителями? Я хочу познакомить вас со *своими* родителями.

X. Вместо точек вставьте слова, данные справа. Там, где необходимо, замените местоимения *мой, её, их* местоимением *свой*. Fill in the blanks with the words given on the right in the appropriate form. Replace the pronouns *мой, её, их* by *свой* where necessary.

1. Я разговаривал ... .
   В саду играют дети ... .

мой сосед

2. Я хорошо знаком ... .
   ... живёт в Ленинграде.
   Она часто пишет ... .

её младшая дочь

3. Мои друзья́ о́чень дово́льны ... . Мы показа́ли свои́ сочине́ния на ру́сском языке́	их преподава́тель
4. Эту кни́гу мне дал ... . Эту кни́гу я взял	оди́н мой знако́мый
5. Мари́на получи́ла посы́лку ... . Эту посы́лку Мари́не присла́ла	её ста́ршая сестра́

XI. Переде́лайте предложе́ния, употребля́я части́цу _ли_. Change the sentences using the particle _ли._

Образе́ц. Model: Я не по́мню, _есть_ у меня́ э́та кни́га _и́ли нет._ —
Я не по́мню, _есть ли_ у меня́ э́та кни́га.

1. Я не по́мню, писа́л я вам об э́том и́ли нет. 2. Мы ещё не зна́ем, пое́дем мы ле́том на юг и́ли нет. 3. Нам ещё не сказа́ли, бу́дут у нас экза́мены и́ли нет. 4. Посмотри́те, пра́вильно я написа́л э́то предложе́ние и́ли нет. 5. Скажи́те, пожа́луйста, мо́жно так сказа́ть по-ру́сски и́ли нет. 6. Мне бы хоте́лось знать, поня́тно вам то, что я говорю́, и́ли нет. 7. Я не зна́ю, интере́сно вам то, что я расска́зываю, и́ли нет. 8. Он не зна́ет, есть э́та кни́га в на́шей библиоте́ке и́ли нет. 9. Меня́ интересу́ет, есть жизнь на Ма́рсе и́ли нет.

XII. Вме́сто то́чек вста́вьте оди́н из глаго́лов, да́нных в ско́бках в ну́жной фо́рме. Fill in the blanks with the appropriate forms of the verbs given in brackets.

1. Роди́тели ча́сто ... мне. Вчера́ я ... им письмо́. (писа́ть — написа́ть) 2. Обы́чно я ... посы́лки в на́шем почто́вом отделе́нии. Неда́вно я ... ещё одну́ посы́лку. (получа́ть — получи́ть) 3. Не́сколько раз она́ ... писа́ть своё письмо́, но ей всё вре́мя кто-нибудь меша́л. Она́ ... писа́ть письмо́ ве́чером, по́сле у́жина. (начина́ть — нача́ть) 4. В воскресе́нье я ... бра́ту посы́лку. Когда́ я ... посы́лку, на по́чте бы́ло ма́ло наро́ду. (отправля́ть — отпра́вить) 5. Не́сколько лет мы ... друг дру́гу пи́сьма, ... кни́ги. На про́шлой неде́ле я ... дру́гу письмо́ и ... кни́ги. (писа́ть — написа́ть, посыла́ть — посла́ть) 6. Мно́го раз он ... мой а́дрес, но, очеви́дно, ка́ждый раз теря́л его́. В после́днюю на́шу встре́чу он опя́ть ... мой а́дрес. (запи́сывать — записа́ть) 7. Прости́те, я ... ваш а́дрес. У него́ была́ плоха́я па́мять: он всегда́ ... адреса́ и номера́ телефо́нов. (забыва́ть — забы́ть)

XIII. Составьте вопросы, на которые отвечали бы следующие предложения. Make up questions to which the following sentences would be the answers.

1. — .... ?
— Я спешу на почту.
2. — ...... ?
— Я должен отправить телеграмму сестре.
3. — ...... ?
— Вчера мы получили письмо от брата.
4. — ...... ?
— Марина получила посылку из Одессы.
5. — ...... ?
— Нет, почта недалеко отсюда.
6. — ...... ?
— Конверт с маркой стоит пять копеек.
7. — ...... ?
— Нам приносят газеты в восемь часов утра.

XIV. Переведите на русский язык. Translate into Russian.

1. — Can you tell me where the nearest post office is, please?
— The post office is not far away, in Kirov Street.
— Do you know when the post office is open (*lit.* works)?
— I think it's open from 8 o'clock in the morning till 8 at night.
2. — Where can I buy envelopes and stamps?
— At the next window.
— Will you please give me an envelope and a stamp (a stamped envelope), two postcards and two telegram forms?
3. — How much is an airmail envelope?
— Seven copecks.
— How long does a letter take from Moscow to Kiev?
— One day.
4. — I've got to send a few greeting telegrams. Where can one send telegrams?
— In the next room.
— How long does a telegram take from Moscow to Leningrad?
— Two hours.

5. Every morning the postman brings us our papers and letters. He brought me a few letters this morning. One letter was from an old friend of mine in Kiev. I've got to reply to this letter. I don't like writing letters. I usually send postcards.

XV. Расскажи́те о ва́шей перепи́ске, испо́льзуя сле́дующие слова́ и выраже́ния. Tell about your correspondence using the following words and expressions:

перепи́сываться, получа́ть пи́сьма от ..., отвеча́ть на пи́сьма, письмо́ идёт ..., поздрави́тельная телегра́мма, посы́лка, бандеро́ль, откры́тка.

XVI. Прочита́йте и перескажи́те расска́з. Read out the following and renarrate.

Оди́н молодо́й челове́к получа́л пи́сьма до востре́бования. Одна́жды он зашёл на по́чту, что́бы получи́ть заказно́е письмо́. Письмо́ лежа́ло на по́чте, но рабо́тник по́чты не хоте́л отдава́ть его́ молодо́му челове́ку, та́к как у того́ не́ было с собо́й докуме́нта.

— Я не уве́рен, что э́то письмо́ для ва́с. Отку́да я зна́ю, что вы — э́то вы?

Молодо́й челове́к доста́л из карма́на свою́ фотогра́фию.

— Наде́юсь, тепе́рь вы зна́ете, что я — э́то я.

Рабо́тник по́чты до́лго смотре́л на фотогра́фию.

— Да, э́то вы, — сказа́л он наконе́ц. — Вот ва́ше письмо́.

      до востре́бования   to be called for

11

В ГОСТИНИЦЕ

5 июля 1965 г.
Москва́

Дорого́й Джим!

В после́днем письме́ я подро́бно описа́л тебе́ наш путь от Ло́ндона до Бре́ста. Ита́к, три дня наза́д на́ша гру́ппа прибыла́ в Москву́. Нас помести́ли в гости́нице «Буха́ре́ст».

Гости́ница занима́ет дово́льно большо́е ста́рое шестиэта́жное зда́ние на на́бережной Москвы́-реки́ в са́мом це́нтре го́рода.

За реко́й, почти́ напро́тив на́шей гости́ницы, нахо́дится Кремль, храм Васи́лия Блаже́нного и за ни́м Кра́сная пло́щадь. Мой но́мер на пя́том этаже́. Окна ко́мнаты выхо́дят как ра́з в э́ту сто́рону — на Кре́мль и Москву́-реку́. Ка́ждое у́тро я любу́юсь чуде́сной карти́ной (1) — разноцве́тными купола́ми хра́ма Васи́лия Блаже́нного, белока́менным Кремлёвским дворцо́м, дре́вними стена́ми и ба́шнями Кремля́.

В гости́нице нас при́няли о́чень хорошо́. Ко́мнаты, в кото́рых нас размести́ли, небольши́е, но удо́бные, (2) чи́стые и све́тлые. В ка́ждом но́мере есть телефо́н.

Ежедне́вно в гости́нице остана́вливается пятьсо́т челове́к, но в коридо́рах, хо́ллах, ли́фтах гости́ницы всегда́ ти́хо (2), толпу́ мо́жно уви́деть то́лько во вре́мя прие́зда и́ли отъе́зда како́й-нибудь гру́ппы тури́стов и́ли делега́тов.

На пе́рвом этаже́ гости́ницы нахо́дится рестора́н, где мы за́втракаем, обе́даем и у́жинаем. Обы́чно мы зака́зываем за́втрак, обе́д и у́жин накану́не. Вы́бор блюд в рестора́не бога́тый и разнообра́зный. В пе́рвое вре́мя ру́сский обе́д каза́лся нам о́чень оби́льным, а ру́сская пи́ща — жи́рной и о́строй, но мы постепе́нно привыка́ем к ней и с удово́льствием еди́м всё, что нам предлага́ют.

На пе́рвом этаже́ располо́жены та́кже гардеро́б, ка́мера хране́ния, по́чта, парикма́херская, газе́тный кио́ск и кио́ск, где продаю́т сувени́ры.

Здесь же ̀ нахо́дится администра́тор, кото́рый принима́ет и размеща́ет приезжа́ющих. Когда́ мы прие́хали, администра́тор сказа́л нам: «Если вы хоти́те пойти́ и́ли пое́хать на экску́рсию, пойти́ в кино́ и́ли в теа́тр, встре́титься с ке́м-либо из сове́тских учёных, писа́телей и́ли обще́ственных де́ятелей, вам сле́дует обрати́ться в бюро́ обслу́живания. Рабо́тники бюро́ зака́жут вам биле́ты, организу́ют экску́рсию и́ли встре́чу. Если вам ну́жно погла́дить пла́тье (3), почи́стить костю́м, почини́ть о́бувь, обрати́тесь к го́рничной и́ли подними́тесь на шесто́й эта́ж в комбина́т обслу́живания».

Я ду́маю, «Бухаре́ст» не са́мая первокла́ссная из моско́вских гости́ниц, но мне нра́вится здесь, потому́ что гости́ница уда́чно располо́жена, в ней всегда́ ти́хо и споко́йно, потому́ что здесь хорошо́ обслу́живают приезжа́ющих.

На дня́х напишу́ ещё.

Приве́т твои́м роди́телям и Джо́ну.

Твой Фили́пп.

КОММЕНТАРИИ. NOTES

(1). Я любу́юсь чуде́сной карти́ной. I admire the wonderful picture.

любова́ться / полюбова́ться + *instr.* (*чем-либо*)

The following verbs expressing feelings are followed by the instrumental:

интересова́ться нау́кой — to be interested in science
увлека́ться спо́ртом — to be keen on sport (games)
любова́ться карти́ной — to admire a picture
восхища́ться красото́й — to be delighted by the beauty
гордиться успе́хами, детьми́ — to be proud of success, of one's children

(2). Ко́мнаты... небольши́е, но удо́бные. The rooms ... are small, but comfortable.

Ежедне́вно в гости́нице остана́вливается пятьсо́т челове́к, но в коридо́рах ... всегда́ ти́хо. Every day five hundred guests stop at the hotel, but it is always quiet ... in the corridors.

The conjunction **но** is used to bring out a particularly strong contrast of two facts. It links up two sentences, the second of which runs counter to expectation. **Но** corresponds to the English 'but'.

Я хоте́л позвони́ть вам, *но* не нашёл ва́шего телефо́на.
Весь ве́чер я ждал това́рища, *но* он не пришёл.

A is used when there is a slight contrast between two closely related alternatives.

Я уже́ *был* в Сове́тском Сою́зе, **а** *мой колле́га не́ был.*
Вчера́ ве́чером *я писа́л* письмо́, **а** *жена́ смотре́ла* телеви́зор.
Все уе́хали на экску́рсию, **а** *я оста́лся* в гости́нице.

Сравните. Compare:

Он говори́т по-ру́сски бы́стро, **но** с оши́бками.
Он говори́т по-ру́сски бы́стро **и** без оши́бок.
Он говори́т по-ру́сски бы́стро, **а** я ме́дленно.

Сестра́ звони́ла мне, **но** ничего́ не сказа́ла об э́том.
Сестра́ звони́ла мне **и** сказа́ла об э́том.
Сестра́ звони́ла мне, **а** брат не звони́л.

(3) Если вам ну́жно погла́дить пла́тье...   If you must have your dress ironed / pressed ...

On page 97 it was mentioned that some verbs with the prefix **по-** (**покури́ть, поговори́ть, погуля́ть**) indicate restricted action.

When used with other verbs the prefix **по-** does not add this shade of meaning but merely changes the verbal aspect, indicating the completion of action.

почи́стить костю́м	to have a suit (dry-)cleaned
погла́дить пла́тье	to have a dress ironed / pressed
почины́ть о́бувь, часы́	to have shoes, a watch repaired
позвони́ть по телефо́ну	to ring up
посмотре́ть фильм	to see a film
подари́ть вещь	to give a thing as a present
поблагодари́ть за по́мощь, etc.	to thank for help

ДИАЛОГИ. DIALOGUES

I. Разгово́р с администра́тором

— Скажи́те, пожа́луйста, у ва́с есть свобо́дные номера́?

— Да, есть. Како́й но́мер вам ну́жен — на одного́ и́ли на двои́х?

— Мне нужна́ ко́мната на одного́ челове́ка, жела́тельно с ва́нной и телефо́ном.

— У на́с все номера́ с удо́бствами. Как до́лго вы пробу́дете здесь? (1).

— Две неде́ли.

— Запо́лните, пожа́луйста, листо́к для приезжа́ющих. Ва́ша ко́мната на тре́тьем этаже́. Мо́жете подня́ться на ли́фте. Вот ключ от но́мера.

— Спаси́бо.

II. Разговор с горничной

— Скажите, пожалуйста, где триста девятый номер?

— Я провожу вас. Это третья дверь налево. Вот ваш номер. Это ванная. Здесь уборная. Телефон на столе. Здесь звонок. Если вам будет что-нибудь нужно, позвоните.

— Хорошо, спасибо. Мне нужно погладить костюм и рубашки.

— Я возьму их. Всё будет готово через час.

— Сейчас я ухожу в город. Если кто-нибудь будет спрашивать меня, скажите, что я буду вечером после девяти часов.

— Хорошо, я передам. Будут ещё какие-нибудь поручения?

— Нет, кажется, всё. Спасибо. Завтра разбудите меня в половине восьмого.

— Хорошо. Всё будет сделано. (2). Когда будете уходить, оставляйте ключ у дежурного, чтобы я могла убирать ваш номер.

КОММЕНТАРИИ. NOTES

(1). Как долго вы пробудете здесь? — How long will you be here?

Notice the special use of the prefix **про-** to emphasize the duration of the action.

Verbs with the prefix **про-** are generally modified by words denoting a period of time (**весь день** 'the whole day', **целый час** 'the whole hour', etc.)

Он прозанимался всю ночь.	He worked all through the night.
Мы прождали вас весь вечер.	We waited for you all the evening.
Эта семья прожила в Москве двадцать лет.	This family lived in Moscow twenty years.
Он проработал в институте десять лет.	He has been working at the institute for ten years.

Similarly also:

просиде́ть це́лый час	to sit for a whole hour
проговори́ть весь ве́чер	to talk the whole evening
проспо́рить три часа́	to argue for three hours
пробе́гать весь день	to be up and about the whole day

(2). Всё бу́дет сде́лано. It'll all be done.

Сде́лано is the short form of the past participle passive of **сде́лать.**

Эта гости́ница постро́ена два го́да наза́д.
Но́мер был зака́зан по телефо́ну.
Это пальто́ ку́плено в Москве́.

Short passive participles can be formed only from transitive perfective verbs.

прочита́ть кни́гу — кни́га прочи́тана
пригласи́ть госте́й — го́сти приглашены́
организова́ть экску́рсию — экску́рсия организо́вана
написа́ть письмо́ — письмо́ напи́сано

ЗАПОМНИТЕ. MEMORIZE:

привыка́ть / привы́кнуть+ *dative* (*к кому́, к чему́*)	to get used to
Я привы́к к ру́сской ку́хне.	I've got used to Russian food.
Мы привы́кли к моско́вскому кли́мату.	We've got used to the Moscow climate (weather).
обраща́ться / обрати́ться	to apply
к кому́-либо	to somebody
куда́-либо	somewhere
за че́м-либо	for something
Обрати́тесь к {дежу́рному. врачу́.	Apply {to the desk-clerk. to the doctor.
— Как вас при́няли?	— How were you received? (How did they receive you?)
— Нас при́няли о́чень хорошо́.	— We were received very well.

124

УПРАЖНЕНИЯ. EXERCISES

I. Отве́тьте на вопро́сы. Answer the following questions.

1. Где вы остана́вливаетесь, когда́ быва́ете в чужо́м го́роде?
2. Вам ча́сто прихо́дится е́здить и остана́вливаться в гости́ницах?
3. Мо́жно заказа́ть но́мер в гости́нице по телефо́ну?
4. В како́й гости́нице вы остана́вливались после́дний раз?
5. Где нахо́дится э́та гости́ница?
6. Далеко́ ли она́ от це́нтра го́рода?
7. Каки́е удо́бства есть в э́той гости́нице?
8. На како́м этаже́ был ваш но́мер?
9. Куда́ выходи́ли о́кна ва́шей ко́мнаты (ва́шего но́мера)?
10. Кто убира́ет ко́мнаты в гости́нице?
11. Кому́ вы отдава́ли ключ от ва́шего но́мера, когда́ уходи́ли из гости́ницы?
12. Где вы обе́дали, когда́ жи́ли в гости́нице?
13. Ско́лько сто́ил ваш но́мер?
14. Ско́лько вре́мени вы про́жили в гости́нице?

II. Замени́те ли́чные предложе́ния безли́чными, употреби́в *на́до (ну́жно)* вме́сто *до́лжен*. Replace the personal sentences by corresponding impersonal ones using *на́до (ну́жно)* in place of *до́лжен*.

Образе́ц. Model: Вы должны́ пойти́ к врачу́. —
Вам на́до пойти́ к врачу́.

1. Я до́лжен заказа́ть но́мер в гости́нице. 2. Мы должны́ верну́ться в гости́ницу к у́жину. 3. Вы должны́ запо́лнить листо́к для приезжа́ющих. 4. Я до́лжен взять ключ у дежу́рного. 5. За́втра я должна́ встать о́чень ра́но.

III. Вме́сто то́чек вста́вьте местоиме́ния *его́, её, мой, твой, их* и́ли *свой*. Fill in the blanks with the pronouns *его́, её, мой, твой, их* or *свой*.

1. Это ... но́мер. Где ключ от ... но́мера? Я оста́вил ключ от ... но́мера у дежу́рной. 2. Джон присла́л из Москвы́ письмо́. В ... письме́ он пи́шет о Москве́. Он о́чень дово́лен ... путеше́ствием в Сове́тский Сою́з. Я получи́л ... письмо́ два дня наза́д. 3. Москвичи́ лю́бят ... го́род. Они́ с го́рдостью говоря́т о ... исто́рии, о ... но́вых райо́нах. 4. В теа́тре мы встре́тили ... знако́мого. Вме́сте с ним была́ ... жена́. Он познако́мил нас со ... жено́й. 5. Этот челове́к — ... друг. Он писа́тель. Неда́вно он дал мне ... расска́зы. Я прочита́л ... расска́зы и вы́сказал ему́ ... мне́ние о ни́х.

V. Вме́сто то́чек вста́вьте глаго́лы соверше́нного и́ли несоверше́нного ви́да, да́нные ни́же. Сравни́те те́ксты и объясни́те ра́зницу в их значе́нии. Fill in the blanks with the perfective or imperfective verbs from the list below. Compare the texts and explain the difference between their meaning.

Обы́чно, когда́ я ... в э́тот го́род, я ... в гости́нице «Во́лга». Я ... к администра́тору, и он ... мне но́мер на второ́м этаже́.

Не́сколько дней наза́д я ... в э́тот го́род и ... в гости́нице «Во́лга». Я ... к администра́тору, и он ... мне но́мер на второ́м этаже́.

Как пра́вило, я ... но́мер зара́нее по телефо́ну.

Я ... но́мер зара́нее по телефо́ну.

Я ... на второ́й эта́ж, где дежу́рная ... мне мой но́мер.

Я ... на второ́й эта́ж, где дежу́рная ... мне мой но́мер.

(приезжа́л — прие́хал, остана́вливался — останови́лся, обраща́лся — обрати́лся, дава́л — дал, зака́зывал — заказа́л, поднима́лся — подня́лся, пока́зывала — показа́ла)

V. Поста́вьте глаго́лы в настоя́щем вре́мени. Put the verbs in the present.

1. Наш сын хорошо́ рисова́л. 2. Игра́ла му́зыка, но никто́ не танцева́л. 3. О́бщество Англия — СССР организова́ло пое́здки в Сове́тский Сою́з. 4. Тури́сты ночева́ли в гора́х. 5. Молодо́го худо́жника справедли́во критикова́ли в газе́те. 6. Профе́ссор бесе́довал со свои́ми студе́нтами. 7. Я всегда́ волнова́лся пе́ред экза́менами. 8. Мой друг интересова́лся ру́сской литерату́рой.

VI. Употреби́те глаго́л с приста́вкой *по-* и́ли *про-*. Use the verbs with the prefix *по-* or *про-*.

1. Мы -говори́ли весь ве́чер. 2. В переры́ве мы -говори́ли, -кури́ли. 3. По́сле тру́дной рабо́ты он -спа́л де́сять часо́в. 4. Он немно́го -спа́л и сно́ва приня́лся за рабо́ту. 5. Вчера́ дочь -гуля́ла весь ве́чер и не сде́лала уро́ки. 6. Иди́ -гуля́й в саду́. 7. Больно́й -лежа́л в больни́це не́сколько ме́сяцев. 8. Мы -сиде́ли в кафе́ весь ве́чер. 9. Мы -сиде́ли в кафе́, пото́м пошли́ в кино́.

VII. Вста́вьте глаго́лы, да́нные ни́же, в ну́жной фо́рме. Fill in the blanks with the appropriate form of the verbs given below.

Не́сколько дней наза́д в Москву́ ... гру́ппа англи́йских тури́стов. Они́ ... из Ло́ндона 3 а́вгуста. 5 а́вгуста они́ ... в Брест, а 6 в Москву́. Вчера́ э́та гру́ппа ... на экску́рсию в колхо́з. Там они́ про́были нéсколько часóв. Грýппа ... из Москвы́ в 9 часóв утрá и ... обрáтно в 3 часá дня. Вéчером они́ ... в теáтр. Сегóдня ýтром тури́сты ... в Кремль. Там они́ пробýдут недóлго, они́ ... к обéду.

(приéхать, прийти́, вы́ехать, éздить, ходи́ть, пойти́)

VIII. Замени́те акти́вные констрýкции пасси́вными. Replace the active constructions by passive ones.

Образéц. Model: Послéднее письмó отéц *написáл* в февралé. — Послéднее письмó *напи́сано* отцóм в февралé.

1. Наш дом пострóили пять лет назáд. 2. В журнáле напечáтали мои́ стихи́. 3. Магази́н ужé закры́ли. 4. Телегрáмму ужé послáли? 5. Это письмó получи́ли на прóшлой недéле. 6. Гостéй пригласи́ли к семи́ часáм. 7. На вéчере нам показáли совéтский фильм. 8. Эту кни́гу купи́ли в киóске. 9. Нóмер в гости́нице ещё не заказáли.

IX. Прочитáйте предложéния и переведи́те на англи́йский язы́к. Объясни́те рáзницу в значéнии сою́зов *и, а, но.* Read out the sentences and translate them into English. Explain the difference in meanings of the conjunctions *и, а* and *но.*

1. Рабóта былá трýдная, *и* мы бы́стро устáли. Рабóта былá трýдная, *но* мы не устáли. 2. Шёл дождь, *и* на ýлице никогó нé было. Шёл дождь, *но* на ýлице бы́ло мнóго нарóду. 3. Зá три гóда сестрá óчень измени́лась, *и* я не срáзу узнáл её. Зá три гóда сестрá óчень измени́лась, *но* я срáзу узнáл её. Зá три гóда сестрá óчень измени́лась, *а* мать не измени́лась. 4. Вчерá я получи́л письмó *и* написáл отвéт. Вчерá я получи́л письмó, *но* ещё не написáл отвéт. Вчерá я получи́л письмó, *а* сегóдня посы́лку.

X. Соедини́те предложéния сою́зами *и, но, а.* (Словá в скóбках при э́том вы́падут). Join the sentences by means of the conjunctions *и, но, а.* (The words in brackets must be omitted).

1. Лéкция кóнчилась.	a) Все ушли́ из зáла.
	b) Все остáлись в зáле.
2. Я внимáтельно прочитáл статью́.	a) (Я) всё пóнял.
	b) (Я) не всё пóнял в ней.
	c) Мой товáрищ тóлько просмотрéл её.
3. Лéтом я хочý поéхать в Итáлию.	a) У меня́ нет дéнег на поéздку.
	b) Мой друг (хóчет поéхать) в Болгáрию.

4. Он изуча́ет ру́сский язы́к.

    a) (Он) свобо́дно чита́ет литерату́ру на ру́сском языке́.

    b) (Он) пока́ не мо́жет говори́ть по-ру́сски.

    c) Его́ сестра́ (изуча́ет) по́льский (язы́к).

5. По́сле рабо́ты мы хоте́ли пойти́ в кино́.

    a) Они́ реши́ли пое́хать на стадио́н.

    b) (Мы) пошли́ в ка́ссу за биле́тами.

    c) В ка́ссе не́ было биле́тов.

XI. Соедини́те предложе́ния сою́зом *е́сли*. Join the sentences by means of the conjunction *е́сли*.

1. У вас бу́дет вре́мя. Позвони́те мне. 2. Я зайду́ к вам. Я ра́но ко́нчу рабо́ту. 3. Вы хоти́те посмотре́ть э́тот фильм. Поезжа́йте в кинотеа́тр «Москва́». 4. Ле́том я пое́ду в По́льшу. У меня́ бу́дут де́ньги. 5. В воскресе́нье бу́дет тепло́. Мы пое́дем за́ город. 6. Вы уви́дите где́-нибудь э́тот уче́бник. Купи́те его́, пожа́луйста, мне. 7. Ва́ши часы́ спеша́т. Покажи́те их ма́стеру.

XII. Прочита́йте предложе́ния. Сравни́те значе́ние части́цы *ли* и сою́за *е́сли*. Read out the sentences. Compare the meaning of the particle *ли* and the conjunction *е́сли*.

1. Я не зна́ю, есть ли в гости́нице свобо́дные номера́. Если в гости́нице есть свобо́дные номера́, мы остано́вимся в ней. 2. Я не зна́ю, понра́вятся ли вам э́ти стихи́. Если они́ вам понра́вятся, я могу́ подари́ть вам э́ту кни́гу. 3. Вы не зна́ете, откры́т ли газе́тный кио́ск? Если кио́ск откры́т, на́до спусти́ться вниз и купи́ть газе́ты. 4. Меня́ интересу́ет, по́няли ли вы мой расска́з. Если вы не по́няли мой расска́з, я повторю́ его́ ещё раз. 5. Я не по́мню, есть ли у меня́ её а́дрес. Если у меня́ есть её а́дрес, я сего́дня же напишу́ ей письмо́. Если у меня́ нет её а́дреса, я узна́ю его́ за́втра в а́дресном бюро́.

XIII. Соста́вьте вопро́сы, на кото́рые отвеча́ли бы сле́дующие предложе́ния. Make up questions to which the following sentences would be the answers.

1. — ...... ?

— Тури́сты останови́лись в гости́нице «Москва́».

2. — ...... ?

— Эта гости́ница нахо́дится в це́нтре го́рода.

3. — ...... ?

— Ваш но́мер на тре́тьем этаже́.

4. — ...... ?
— Но́мер сто́ит два рубля́ в су́тки.
5. — ...... ?
— Ключ от ко́мнаты вы мо́жете взять у дежу́рной.
6. — ...... ?
— Мы пробу́дем здесь неде́лю.

XIV. Переведи́те на ру́сский язы́к. Translate into Russian.

1. Our group were given accommodation in the "Ukraina" hotel. We were met in the hall by the manager. We handed our passports to him and filled in the forms for visitors. He told us the numbers of our rooms.

2. My room is on the tenth floor. I took the lift up to the tenth floor. The desk-clerk gave me the key of my room and said, "Will you please leave your key with me when you go out." She went with me and showed me my room.

3. The windows of my room overlook the River Moskva. From my window I can see streets, houses and the bridge over the Moskva. My room is large and warm.

4. We were told that we would have breakfast, dinner and supper in the restaurant which is on the ground floor of the hotel.

5. — Can you tell me whether you have any vacant rooms?
— Yes, we have. You need a room for two?
— Yes. I am with my wife.
— Will you please fill in this form? Your room is on the second floor. You can take the lift. The desk-clerk will give you the key of your room.
— Thank you.

XV. Соста́вьте диало́г ме́жду челове́ком, прие́хавшим в гости́ницу, и администра́тором. Make up a dialogue between a hotel guest and the hotel manager.

XVI. Опиши́те каку́ю-нибудь гости́ницу. Describe a hotel you know. Опиши́те но́мер, в кото́ром вы остана́вливались. Describe a room (in a hotel) where you have stayed.

XVII. Прочита́йте и перескажи́те. Read out the following and renarrate.

Оди́н челове́к впервы́е прие́хал в Пари́ж. На вокза́ле он взял такси́ и пое́хал в одну́ из гости́ниц. Он немно́го отдохну́л в своём но́мере, переоде́лся и пошёл осма́тривать Пари́ж. По пути́ он зашёл на телегра́ф и дал жене́ телегра́мму, в кото́рой сообщи́л ей свой пари́жский а́дрес.

В э́тот день он мно́го ходи́л по го́роду, был в музе́ях, заходи́л в магази́ны, а ве́чером пошёл в теа́тр. Когда́ спекта́кль ко́нчился и все вы́шли из теа́тра, наш знако́мый реши́л, что пора́ возвраща́ться в гости́ницу. Но тут он обнару́жил, что он не по́мнит ни а́дреса, ни назва́ния гости́ницы. Це́лый час он ходи́л по у́лицам, не зна́я, что ему́ де́лать. Наконе́ц он пошёл на телегра́ф и посла́л жене́ ещё одну́ телегра́мму: «Неме́дленно сообщи́ мне до востре́бования мой пари́жский а́дрес».

* * *

Испа́нский аристокра́т, гости́вший в Пари́же, одна́жды возврати́лся в гости́ницу, где он останови́лся, по́здно но́чью. Он позвони́л. Со́нный портье́ вы́глянул в окно́ и спроси́л:

— Кто там?

— Хуа́н Родри́гес Кара́мба-де-Пепе́то-и-Гонза́лес.

— Хорошо́, хорошо́, — сказа́л портье́ — входи́те. Только пусть после́дний из ва́с не забу́дет закры́ть дверь.

12

РАЗГОВОР ПО ТЕЛЕФОНУ

Неде́лю наза́д мой друг — по профе́ссии он журнали́ст — верну́лся из туристи́ческой пое́здки в А́нглию. В э́ту суббо́ту он обеща́л прийти́ к нам рассказа́ть о свои́х впечатле́ниях, показа́ть фотогра́фии. Мы с жено́й пригласи́ли на э́тот ве́чер свои́х друзе́й. В пя́тницу у́тром я позвони́л Петро́вым (1). Я снял тру́бку, набра́л но́мер и услы́шал дли́нные гудки́. Никто́ не подходи́л к телефо́ну. Неуже́ли ещё спят? А мо́жет быть, уже́ ушли́ на рабо́ту? Наконе́ц я услы́шал:

— Я слу́шаю ...

— Ли́за?

— Вы оши́блись, — отве́тил мне серди́то незнако́мый же́нский го́лос.

— Прости́те, — я положи́л тру́бку. Неуже́ли я непра́вильно набра́л но́мер? Я позвони́л ещё раз и на э́тот раз уда́чно.

— Ли́за? До́брое у́тро! Это говори́т Па́вел. Как у вас дела́? Всё хорошо́? У нас то́же ничего́, спаси́бо. (2) Мари́на чу́вствует себя́ прекра́сно. Ли́за, в э́ту суббо́ту у нас бу́дет Никола́й. Он бу́дет расска́зывать о свое́й пое́здке. Приходи́те с Ю́рой часо́в в семь.

— Хорошо́. Спаси́бо. Па́вел, а мо́жно пригласи́ть одного́ на́шего това́рища? Он интересу́ется совреме́нным англи́йским теа́тром, и ему́ бы́ло бы о́чень интере́сно послу́шать об А́нглии. (3)

— Коне́чно. Пригласи́ его́.

— Хорошо́, спаси́бо. Тогда́ я позвоню́ ему́ сего́дня.

— Ну, до за́втра.

Днём я позвони́л Ви́ктору на рабо́ту.

— Ви́ктор, здра́вствуй!

И услы́шал в тру́бке:

— Прости́те, вам кого́?

— Позови́те, пожа́луйста, Ви́ктора Ива́новича.

— Его́ нет. Он бу́дет чѐрез ча́с—полтора́. Что ему́ переда́ть?

— Ничего́, спаси́бо. Я позвоню́ ему́ ещё раз, попо́зже. Извини́те за беспоко́йство.

— Ничего́, пожа́луйста.

К ве́черу я пригласи́л всех. Оста́лось позвони́ть то́лько Алекса́ндру, моему́ ста́рому дру́гу ещё по институ́ту. К телефо́ну подошла́ Ва́ля, его́ сестра́.

— Алло́...

— Ва́ля? Здра́вствуй. Это говори́т Па́вел Андре́евич. Са́шу мо́жно?

— Его́ нет до́ма. Обеща́л прийти́ часо́в в де́сять. Ведь сего́дня футбо́л, на́ши игра́ют со сбо́рной А́нглии. Он с рабо́ты пое́хал пря́мо туда́. А что ему́ переда́ть?

— Ва́ля, скажи́ ему́, что́бы он позвони́л мне сего́дня. (4) Как то́лько придёт домо́й, пусть сра́зу позвони́т мне. (5) Хорошо́? Не забу́дешь?

— Нет, обяза́тельно скажу́.

— Спаси́бо. Ну, а как твои́ дела́ в шко́ле? Всё отли́чно? Молоде́ц. Жела́ю успе́хов.

— Спаси́бо. До свида́нья.

КОММЕНТАРИИ. NOTES

(1). Я позвони́л Петро́вым.   I called up the Petrovs.

Surnames in the plural (**Соколо́вы, Мали́нины, Нико́льские,** etc.) indicate husband and wife, or the whole family.

Вы знако́мы с Бори́совыми?

Вчера́ в теа́тре мы встре́тили Мака́ровых.

(2). Как у вас дела́? Всё хорошо́?   How are things with you? Everything is all right?

У нас то́же ничего́, спаси́бо.   We're all right, too, thank you.

Ничего́, спаси́бо.   All right, thank you.

Ничего́ (genitive of **ничто́**) is used as a negative pronoun, an adverb and a particle.

a) as a negative pronoun it has the meaning of 'nothing'.

— Что ему́ переда́ть? — What shall I tell him?
— *Ничего́* (не передава́йте). — Nothing.
— Вы слы́шали об э́том? — Have you heard about this?

— Нет, я *ничего́* не слы́шал об э́том. — No, I haven't heard anything about it.

b) as an adverb it is equivalent to **дово́льно хорошо́** 'fairly good/well', 'so-so', 'not too bad/badly', 'all right'.

— Как у ва́с дела́? — How are things with you?
— *Ничего́*, спаси́бо. — All right, thank you.
— Как вы пожива́ете? — How are you?
— *Ничего́*, спаси́бо. — All right, thank you.

c) as a particle it is used with the meaning 'it doesn't matter', 'never mind', 'not at all'.

— Извини́те за беспоко́й- — Excuse my troubling you.
   ство.
— *Ничего́*, пожа́луйста. — Not at all. (That's all right).

— Вам не тру́дно сде́лать — Won't it be difficult for
   э́то сего́дня? you to do it today?
— *Ничего́*, я успе́ю. — Not at all, I'll manage it.

(3). Ему́ бы́ло бы интере́сно It would be interesting for
   послу́шать об Англии. him to hear about England.

Note the use of the dative in this case.

Вам не ску́чно сиде́ть здесь?
Мне бы́ло прия́тно познако́миться с ва́ми.

The most common adverbs used in constructions with the infinitive:

интере́сно послу́шать
тру́дно рабо́тать
бо́льно вспомина́ть
по́здно ⎫
ра́но ⎭ говори́ть об э́том

легко́ }
тяжело́ } расстава́ться

Смешно́ ссо́риться из-за э́того.
Остава́ться здесь опа́сно.
Жа́лко броса́ть э́ту рабо́ту.
Оби́дно слы́шать э́то.

(4). Скажи́ ему́, что́бы он
позвони́л мне сего́дня.

Tell him to ring me today.

Сравни́те. Compare:

Я сказа́л, *что* Ви́ктор звони́л
мне сего́дня.
I said that Victor rang (had
rung) me today.

Я сказа́л, *что́бы* Ви́ктор по-
звони́л мне сего́дня.
I told them to tell Victor to
ring me today.

In the first sentence (with the conjunction **что**) we are
told about an accomplished fact. The second (with **что́бы**)
expresses an indirect request.

Сравни́те. Compare:

Я сказа́л Ви́ктору: «Позвони́ мне».
Я сказа́л Ви́ктору, что́бы он позвони́л мне.

Clauses with **что́бы** are possible after verbs like **переда-
ва́ть, сообща́ть, жела́ть, хоте́ть,** that is after verbs denoting
requests, commands, wishes.
The verb in the **что́бы**-clause is always in the past
tense. The main and subordinate clauses always contain
different subjects.

Мари́на сказа́ла, что́бы *я*
купи́л биле́ты в кино́.

Marina told me to buy tickets for the picture.

Сравни́те. Compare:

Мари́на сказа́ла, что ку́пит
биле́ты в кино́.
Marina said that she would
buy tickets for the picture.

Мари́на сказа́ла, что биле́ты
в кино́ ку́пит *Со́ня.*
Marina said that Sonya would
buy tickets for the picture.

Что́бы-clauses are also possible after such verbs as **про-
си́ть, сове́товать, разреша́ть, предлага́ть, тре́бовать, при-
ка́зывать.**

Преподаватель *попросил* нас, The teacher asked us to
чтобы мы принесли новые bring our new books.
книги.

The infinitive construction is, however, more common
after these verbs: **попросил принести, разрешил взять,** etc.:

Преподаватель *попросил* нас *принести* новые книги.
Мать *посоветовала* сыну *поехать* летом на юг.
Врач *запретил* мне *курить.*
Я *желаю* вам весело *провести* каникулы.

(5). Пусть он позвонит мне. Let him phone me.

Apart from the imperative **позвони — позвоните** addressed
to the 2nd person, someone you are talking or writing to,
commands may also be addressed:

1) to the 3rd person; this is done by means of **пусть:**

Пусть они придут.
(Скажите им, чтобы они пришли.)
Пусть Мария купит билеты.
(Скажите, чтобы Мария купила билеты.)

2) to the 1st and 2nd persons; this is done by means of
давайте giving the statement a familiar inflection:

Давайте пойдём вечером в кино.
Давайте позвоним Смирновым.

ДИАЛОГИ. DIALOGUES

I

— Вы не знаете, где здесь поблизости телефон-автомат?
— В магазине, в соседнем доме.
— Помогите мне, пожалуйста. Я иностранец и не знаю,
как звонить по вашему телефону.
— Надо опустить двухкопеечную монету, снять трубку
и ждать гудка, потом набрать нужный номер. Если после
этого вы услышите короткие, частые гудки, это значит,
что номер занят. Если услышите длинные гудки, ждите
ответа.
— Спасибо.

II

— Алло́!

— Позови́те, пожа́луйста, Ни́ну.

— Подожди́те мину́ту, сейча́с она́ подойдёт. Ни́на, вас (про́сят) к телефо́ну.

III

— Ива́н Никола́евич? Э́то говори́т ваш студе́нт И́горь Гро́мов. Здра́вствуйте!

— Здра́вствуйте, И́горь.

— Извини́те за беспоко́йство. Я позвони́л вам, что́бы узна́ть, когда́ я могу́ прийти́ к вам на консульта́цию.

— За́втра я бу́ду в университе́те с оди́ннадцати до трёх. Мо́жете прийти́ в любо́е вре́мя.

— Хорошо́, я приду́ к 11.

— Договори́лись.

IV

— Бу́дьте до́бры, позови́те к телефо́ну И́горя.

— Его́ нет до́ма.

— А когда́ он бу́дет?

— Ве́чером, по́сле шести́ часо́в. Что ему́ переда́ть?

— Переда́йте, пожа́луйста, что звони́л Влади́мир. Пусть он позвони́т мне ве́чером.

— Хорошо́. Я скажу́ ему́.

— Спаси́бо. До свида́нья.

ЗАПОМНИТЕ. MEMORIZE:

звони́ть / позвони́ть *кому́-либо куда́-либо*	to ring, to telephone someone somewhere
Я позвони́л дру́гу.	I called up a friend.
Я позвони́л в институ́т.	I called up the institute.
Позови́те, пожа́луйста, к телефо́ну Ни́ну Ива́новну.	Fetch (ring for) Nina Ivanovna to the telephone.
Ва́лю, пожа́луйста.	May I speak to Valya, please?
Договори́лись.	Agreed.

Вы ошиблись.	You have dialled the wrong
Вы не туда́ попа́ли.	number.
Вы непра́вильно набра́ли но́мер.	
Что ему́ (ей) переда́ть?	What message can I give him (her)?
Скажи́те Игорю, что ему́ звони́л Влади́мир.	Tell Igor that Vladimir has rung him.
Скажи́те Игорю, что́бы он позвони́л Влади́миру.	Tell Igor to ring Vladimir.

УПРАЖНЕНИЯ. EXERCISES

I. Отве́тьте на вопро́сы. Answer the following questions.

1. У ва́с до́ма есть телефо́н?
2. Како́й у ва́с но́мер телефо́на?
3. Вы ча́сто звони́те по телефо́ну?
4. Вам ча́сто прихо́дится звони́ть по телефо́ну?
5. Кому́ вы звони́ли сего́дня?
6. Куда́ вы звони́ли дру́гу — домо́й и́ли на рабо́ту?
7. Кто подошёл к телефо́ну, когда́ вы звони́ли дру́гу?
8. Этот телефо́н рабо́тает?
9. Почему́ вы положи́ли тру́бку?
10. Каки́е гудки́ слы́шали вы, когда́ набра́ли но́мер?
11. Где здесь побли́зости телефо́н-автома́т?

II. Отве́тьте на вопро́сы, поста́вив в ну́жной фо́рме слова́, стоя́щие спра́ва. Answer the following questions using the words given on the right in the required form.

1. С кем вы ре́дко ви́дитесь?	a) мой ста́рый друг Никола́й и его́ жена́
2. Кого́ вы давно́ не ви́дели?	
3. У кого́ вы бы́ли в суббо́ту в гостя́х?	b) мои́ роди́тели и моя́ мла́дшая сестра́
4. О ко́м вы говори́ли вчера́ ве́чером?	c) Петро́вы
5. Кому́ вам на́до бы́ло позвони́ть сего́дня?	
6. Кому́ вы звони́ли сего́дня у́тром?	
7. С кем вы говори́ли сего́дня по телефо́ну?	

8. Кого́ вы пригласи́ли к себе́
в го́сти?

9. Кто до́лжен прийти́ к вам
в воскресе́нье?

III. Из сле́дующих сочета́ний сде́лайте предложе́ния, выража́ющие про́сьбу. Make sentences out of the following phrases according to the model.

Образе́ц. Model: дать биле́т — Да́йте, пожа́луйста, биле́т.

1. позва́ть к телефо́ну; 2. позвони́ть че̇рез ча̇с; 3. переда́ть приве́т; 4. подожда́ть мину́ту; 5. приходи́ть в суббо́ту ве́чером.

IV. Вме́сто то́чек вста́вьте оди́н из да́нных ни́же глаго́лов в проше́дшем и́ли бу́дущем вре́мени. Fill in the blanks with the verbs from the list below in the past or the future.

Вчера́ ве́чером, когда́ я ... домо́й, я реши́л позвони́ть свое̇и знако́мой. Я ... в телефо́нную бу́дку и набра́л но́мер. «Позови́те, пожа́луйста, Иру», — попроси́л я. «Её нет до́ма». Это ... к телефо́ну Ири́на ма́ма. Я поздоро́вался с ней. «Ира давно́ ...?» — спроси́л я. «Нет, совсе́м неда́вно, мину́т два́дцать наза́д. За ней ... её подру́га Ле́на, и они́ ... в кино́». «А вы не зна́ете, когда́ она́ ... домо́й?» «Она́ сказа́ла, что ... часо́в в де́вять».

(идти́, пойти́, войти́, подойти́, зайти́, прийти́, уйти́)

V. Слова́ из ско́бок поста́вьте в ну́жной фо́рме. Put the words in brackets in the appropriate form.

Образе́ц. Model: (Я) гру́стно вспомина́ть об э́том. — *Мне гру́стно* вспомина́ть об э́том.

1. Я ду́маю, (вы) бу́дет ску́чно с э́тим челове́ком. 2. (Я) бы́ло неинтере́сно чита́ть э́ту статью́. 3. (Они́) тру́дно понима́ть друг дру́га. 4. (Ма́ша) интере́сно быва́ть с друзья́ми. 5. (Я) смешно́ вспомина́ть э́ту исто́рию.

VI. Вста́вьте вме́сто то́чек глаго́лы, да́нные ни́же. Fill in the blanks with the appropriate verb from the list below.

1. Сего́дня ве́чером я бу́ду до́ма, ... мне, пожа́луйста. 2. Это оши́бка, вы непра́вильно ... но́мер. 3. Никола́я Петро́вича нет, ..., пожа́луйста, по́зже. 4. Никто́ не отве́тил, и я ... тру́бку. 5. Что́бы позвони́ть, на́до снять тру́бку, ... ну́жный но́мер и ждать гудка́. 6. Не ... тру́бку, я сейча́с узна́ю, здесь ли Ни́на.

(звони́ть — позвони́ть, класть — положи́ть, набира́ть — набра́ть)

VII. Вставьте вместо точек слова *пусть* **или** *давайте*. Fill in the blanks with the word *пусть* or *давайте*.

1. ... поедем в воскресенье на дачу. ... они едут на машине, а мы поедем поездом. 2. ... позвоним Ире. ... Лида позвонит Ире. 3. Вы знаете, у нас в клубе идёт новый фильм, ... посмотрим его. ... Иван купит билеты для всех.

VIII. Поставьте глаголы, данные в скобках, в нужной форме. Put the verbs in brackets in the appropriate form.

1. Давайте (поехать) на выставку вместе. 2. Давайте (написать) Нине письмо. 3. Пусть это письмо (написать) Иван. 4. Давайте (взять) такси. 5. Пусть Сергей (взять) такси. 6. Давайте (попросить) преподавателя объяснить нам это. 7. Пусть Нина (попросить) преподавателя повторить это.

IX. Замените прямую речь косвенной, употребляя союз *чтобы*. Replace the direct speech by indirect using the conjunction *чтобы*.

Образец. Model: Мать сказала сыну: «Дай мне, пожалуйста, газету». — Мать сказала сыну, *чтобы* он дал ей газету.

1. Нина сказала мне: «Купи, пожалуйста, билеты в кино». 2. Я сказала сестре: «Приди сегодня в 6 часов вечера». 3. Мать написала нам в письме: «Пришлите мне свои фотографии». 4. Павел сказал Марине: «Позвони мне вечером». 5. Я сказал брату: «Подожди меня здесь». 6. Мой друг написал мне: «Пришли мне, пожалуйста, журнал «Радио». 7. Преподаватель сказал нам: «Повторите восьмой урок». 8. Товарищ сказал мне: «Обязательно прочитай эту книгу».

X. Вместо точек вставьте союзы *что* **или** *чтобы*. Fill in the blanks with the conjunction *что* or *чтобы*.

1. Преподаватель сказал нам, ... мы прочитали эту книгу. Он сказал, ... он может дать эту книгу одному из студентов. 2. Мать сказала сыну, ... он шёл гулять. Она сказала, ... её сына нет дома. Он пошёл гулять. 3. Я написал своим родителям, ... летом мы приедем к ним. Отец написал нам, . . летом мы приехали к ним. 4. Лида сказала мне, ... она звонила Петровым. Лида сказала мне, ... я позвонил Петровым. 5. Мы сказали друзьям, ... они приходили к нам в субботу. 6. Я позвонил домой и сказал жене, ... вечером у нас будут гости. Я попросил её, ... она приготовила ужин человек на восемь.

XI. Переведи́те на англи́йский язы́к. Translate into English.

1. Мне на́до позвони́ть домо́й. Где здесь побли́зости телефо́н-автома́т?

2. — Позови́те, пожа́луйста, Ве́ру.

— Её нет до́ма. Она́ бу́дет по́сле шести́. Что переда́ть ей?

— Спаси́бо, ничего́. Я позвоню́ ещё раз.

3. Позвони́те мне за́втра у́тром. Мой телефо́н Б 5-20-40.

4. Вчера́ я звони́л тебе́, но снача́ла телефо́н был за́нят, а по́зже никто́ не подходи́л к телефо́ну.

5. — Попроси́те, пожа́луйста, Ива́на Никола́евича.

— Вы оши́блись.

— Извини́те.

XII. Вме́сто то́чек вста́вьте *е́сли* и́ли *ли*. Fill in the blanks with *е́сли* or *ли*.

1. — Позвони́те мне сего́дня ве́чером.

— Я не уве́рен, есть ... у меня́ ваш телефо́н.

— Запиши́те: Б 9-60-99.

2. — Вы не мо́жете принести́ мне журна́л, о кото́ром вы говори́ли?

— Я не зна́ю, прочита́ла ... его́ жена́. ... она́ прочита́ла, я принесу́ его́ за́втра.

3. — ... у ва́с бу́дет свобо́дное вре́мя, приходи́те к нам сего́дня ве́чером.

— Спаси́бо, но я не зна́ю, бу́дет ... муж свобо́ден сего́дня ве́чером.

4. — Алло́, Ви́ктор? ... ты уви́дишь сего́дня Андре́я, скажи́ ему́, что́бы он позвони́л нам.

— Хорошо́, скажу́. То́лько я не зна́ю, уви́жу ... я его́ сего́дня. ... уви́жу, обяза́тельно скажу́.

XIII. Соста́вьте вопро́сы, на кото́рые отвеча́ли бы сле́дующие предложе́ния. Make up questions to which the following sentences would be the answers.

1. — ...... ?

— Да, вам звони́л брат.

2. — ...... ?

— Он звони́л полчаса́ наза́д.

3. — ..... ?

— Нет, э́тот телефо́н не рабо́тает.

4. — ...... ?

— Телефо́н гости́ницы мо́жно узна́ть в спра́вочном бюро́.

5. — ...... ?
   — Нет, у нас дома нет телефона.
6. — ..... ?
   — Позвоните по номеру К 5-76-54.

XIV. Составьте рассказ йли диалог, используя следующие выражения. Make up a story (or a dialogue) using the following expressions.

поговорить по телефону; попросите, пожалуйста, к телефону; простите, кто говорит?; никто не отвечает; телефон занят; его (её) нет дома; когда можно ему (ей) позвонить?; что ему (ей) передать?

XV. Переведите на русский язык. Translate into Russian.

1. When I got home my wife told me that my old friend Sergei had phoned me. He said he would call again.

2. — I wanted to phone you yesterday, but I didn't know your telephone number.
   — Write it down: Д 3-80-85. That is my home number.

3. — Can you give me a ring tomorrow morning, at about nine?
   — Yes, I can. What number should I ring?
   — К 9-22-11.

4. — When can I give you a ring?
   — Any time after five (in the evening).

5. I rang you up yesterday, but nobody answered.

6. If anybody calls me, tell them that I'll be in after seven.

7. — Is that Valya?
   — No, Valya is not in.
   — Can you tell me when she will be in?
   — Wait a moment, please, I'll find out ... Are you there? Valya will be in after twelve.

8. — Can I speak to Olga Ivanovna, please?
   — Olga Ivanovna speaking.
   — Good morning. This is your student Petrov speaking. I'm sorry to trouble you, but I've finished my work and would like to show it to you.
   — I'll be in the University tomorrow morning. Come and see me and bring your work along.
   — Thank you very much. Good-bye.

XVI. Прочитайте и .перескажите текст. Read the following and re-narrate.

ТÓНКАЯ МЕСТЬ

Однáжды среди́ нóчи в кварти́ре профéссора раздáлся телефóнный звонóк. Профéссор подошёл к телефóну, взял трýбку и услы́шал серди́тый жéнский гóлос:

— Вáша собáка лáет и не даёт мне спать.

— А ктó э́то говори́т?

Жéнщина назвалá свою́ фами́лию. На слéдующую ночь в тóт же час в кварти́ре э́той жéнщины зазвони́л телефóн.

— Я позвони́л, чтóбы сказáть вам, что у меня́ нет собáки, — сказáл в трýбке гóлос профéссора.

лáять to bark

13

ВИЗИТ ВРАЧА

— Ты зна́ешь, где я была́ сего́дня? — спроси́ла меня́ Мари́на. — У Моро́зовых. Утром я принима́ла больны́х в поликли́нике, а по́сле двена́дцати пошла́ по вы́зовам (1). Пе́рвый больно́й — Игорь Моро́зов, де́вять лет, Негли́нная у́лица, 3. Звоню́ в кварти́ру. Открыва́ет дверь же́нщина. Смотрю́, а э́то Зо́я, жена́ Серге́я Моро́зова.

— Здра́вствуйте, — говорю́. — Где ваш больно́й?

А она́ мне: «Здра́вствуйте! Как хорошо́, что вы зашли́. Раздева́йтесь, проходи́те, сади́тесь. Как ва́ши дела́? Как Па́вел?»

Ви́жу, она́ не поняла́, что я тот са́мый врач, кото́рого они́ вызыва́ли из де́тской поликли́ники.

— Спаси́бо, — говорю́ я, — у на́с всё хорошо́. Па́вел неда́вно е́здил в Ки́ев в командиро́вку. Ну, а где́ же ваш больно́й? Игорь Моро́зов? — спра́шиваю я и достаю́ из портфе́ля хала́т и стетоско́п. Ви́дел бы ты её лицо́, (2) Па́вел!

— Так вы к Игорю (3) из поликли́ники?! Ка́к же я сра́зу не догада́лась!? Ведь муж говори́л мне, что вы де́тский врач. Вы рабо́таете у на́с в райо́не? Пожа́луйста, проходи́те. Сын лежи́т в сосе́дней ко́мнате.

— Что с ним? (4) — спра́шиваю я.

— Я ду́маю, он простуди́лся. Вчера́ ве́чером он жа́ловался на головну́ю боль (5). А сего́дня у́тром сказа́л, что у него́ боли́т го́рло (6).

— А кака́я у него́ температу́ра?

— Вчера́ была́ 38,3 (три́дцать во́семь и три), сего́дня у́тром — 37,5 (три́дцать семь и пять).

— Ну, что́ же, сейча́с посмо́трим.

Я се́ла о́коло ма́льчика.

— Что у тебя́ боли́т, Игорь? — спроси́ла я его́.

— Голова́. И го́рло боли́т.

— Откро́й рот. Скажи́ «а-а-а...». Хорошо́, спаси́бо. Закро́й. Глота́ть бо́льно? Нет? А дыша́ть тру́дно?

— Дыша́ть тру́дно.

— На́сморк есть?

— Нет, на́сморка нет.

Я осмотре́ла ма́льчика, изме́рила температу́ру, прове́рила пульс.

— Похо́же, что у Игоря воспале́ние лёгких (7), — сказа́ла я Зо́е. — Неде́ли две ему́ придётся полежа́ть в посте́ли. Я вы́пишу ему́ пеницилли́н. Вот реце́пт. Два ра́за в день к вам бу́дет приходи́ть сестра́ и де́лать ему́ уко́лы. А э́то реце́пт на лека́рство от головно́й бо́ли. Дава́йте два ра́за в день по одно́й табле́тке (8). Это лека́рство есть в ка́ждой апте́ке.

— Это о́чень опа́сно? — с трево́гой спроси́ла Зо́я.

— Нет, э́то не опа́сно. Мы его́ вы́лечим. За́втра у́тром я зайду́ к вам. До свида́ния. Приве́т Серге́ю Петро́вичу.

— Вы уже́ ухо́дите? — спра́шивает Зо́я. — Посиди́те немно́го. Сейча́с я чай пригото́влю.

— Спаси́бо, — говорю́ я, — но меня́ ждут больны́е.

— Извини́те, — засмея́лась Зо́я, — об э́том я и не поду́мала...

Ве́чером на́до бу́дет позвони́ть им и спроси́ть, как чу́вствует себя́ Игорь. (9)

(1). Я пошла́ по вы́зовам.　　I visited patients at home.
вызыва́ть / вы́звать врача́　　to call the doctor

(2). Ви́дел бы ты её лицо́!　　If only you had seen her face!

(3). Так вы к Игорю?　　Oh! So you've come to see Igor?

(4). Что с ним?　　What is wrong with him?

The verbs **случи́ться, произойти́, быть,** etc. are usually omitted in such questions:

Что с ва́ми? (Вы больны́? Вам нехорошо́?)
Что с ма́льчиком? (Почему́ он не хо́дит в шко́лу?)

But in the past and future:

Что с ним *бы́ло?*
Что с ним тепе́рь *бу́дет?*

(5). Он жа́ловался на головну́ю боль.　　He complained of a headache.

жа́ловаться / пожа́ловаться { на + *acc.* (на кого́? на что́?) + *dat.* (кому́?) }　　to complain of somebody, something to somebody

Де́вочка жа́луется на боль в ноге́.　　The girl complains of a pain in the leg.
Мать жа́ловалась врачу́ на бессо́нницу.　　The mother complained of insomnia to the doctor.
— На что́ вы жа́луетесь?　　— What troubles you?
— У меня́ боли́т зуб.　　— I have a toothache.

(6). У него́ боли́т го́рло.　　He has a sore throat.

There are two verbs **боле́ть** in Russian:

1. **боле́ть / заболе́ть** у + *gen.* (*у кого́?*) to hurt, to ache

It exists in the 3rd person only, singular and plural: **(за)боли́т, (за)боля́т; (за)боле́л, -а, -о, -и; бу́дет (бу́дут) боле́ть.**

10—935　　　　**145**

— Что у вас болит? — What's hurting (you)?
— У меня болят уши. — I have an earache.
Не пей холодную воду — у тебя заболит горло. Don't drink cold water, you'll get a sore throat.

It is used with names of parts of the body: голова, горло, уши, зубы, живот, желудок, нога, рука, сердце, спина, etc.

2. болеть / заболеть + instr. (чем?) to be ill

	Singular	Plural
1.	болею	болеем
2.	болеешь	болеете
3.	болеет	болеют

— Чем вы болели в детстве? — What diseases did you have in your childhood?
— В детстве я болел дифтеритом, скарлатиной, воспалением лёгких. — In my childhood I had diphtheria, scarlet fever, pneumonia.
Он болеет гриппом уже дней десять. He has been ill with the 'flu for nearly ten days.

This verb is used when naming various illnesses. When talking of the symptoms of illnesses — температура, боль, насморк, кашель — the construction у меня (у тебя, etc.) + nominative is used.

У брата насморк, а у меня кашель. My brother has a cold in the head and I have a cough.
— Какая у вас температура? — What is your temperature?
— Сегодня у меня нормальная температура. — My temperature is normal today.
(7). У Игоря воспаление лёгких. Igor has pneumonia.

The construction with у меня (тебя, него, etc.) + nominative is also possible with the names of illnesses.

У брата грипп. The brother has the 'flu.
У меня была малярия. I had malaria.

Сравните:

Брат бо́лен гри́ппом.	The brother is ill with the 'flu.
Брат боле́л гри́ппом две неде́ли.	The brother was ill with the 'flu for a fortnight.
В де́тстве я боле́ла маляри́ей.	I had malaria in my childhood.
(8). Дава́йте... по одно́й табле́тке.	Give (him) one pill (at a time).

По + *numeral* + *noun* (in dative or accusative) means 'so many... each'.

a) The numeral **оди́н** preceded by **по** takes the dative:

Де́тям купи́ли *по одному́* карандашу́, *по одно́й* ру́чке и *по одному́* перу́.

b) All other numerals are used in the accusative.

Де́тям купи́ли *по семь* карандаше́й, *по́ две* ру́чки и *по де́сять* тетра́дей.

(The archaic по семи́, по десяти́ are used rarely).

(9). Как чу́вствует себя́ И́горь?	How does Igor feel?

Note the use of this verb:

1. **чу́вствовать** / ⎱ + *acc.* **почу́вствовать** ⎰ *(что?)*	to feel to (begin to) feel
Я почу́вствовал боль, сла́бость, хо́лод.	I felt pain, weakness, cold.
2. **чу́вствовать** / ⎱ **себя́** + *ad-* **почу́вствовать** ⎰ *verb (как?)*	to feel ⎱ + *adverb* to (begin to) feel ⎰ *(how?)*
— Как вы себя́ чу́вствуете?	— How do you feel?
— Я чу́вствую себя́ отли́чно (хорошо́, пло́хо, прекра́сно).	— I feel wonderful (well, bad, fine).

ДИАЛОГИ

I

— Что у вас боли́т?
— Ничего́ не боли́т.
— А на что вы жа́луетесь?

— Я пло́хо сплю и бы́стро устаю́. У меня́ плохо́й аппети́т.

— Мо́жет быть, вы неда́вно че́м-нибудь боле́ли?

— Нет, я уже́ давно́ ниче́м не боле́л.

— Ну что́ же, на́до сде́лать ана́лизы. Вот вам направле́ние в лаборато́рию. А пока́ я вы́пишу вам два реце́пта. Это реце́пт на лека́рство от бессо́нницы, а э́то на витами́ны. Приди́те ко мне́ че́рез два́ дня, когда́ бу́дут результа́ты ана́лизов.

— Хорошо́, спаси́бо.

II

— Здра́вствуйте, больно́й!

— Здра́вствуйте, до́ктор.

— Как вы себя́ чу́вствуете? Лу́чше?

— Спаси́бо. Лу́чше. Голова́ бо́льше не боли́т. Температу́ра пони́зилась.

— Продолжа́йте принима́ть лека́рства. И не встава́йте. Полежи́те ещё дня два-три. За́втра я зайду́ к вам по́сле обе́да.

— Спаси́бо.

III. У ЗУБНО́ГО ВРАЧА́

— Пожа́луйста, сади́тесь в кре́сло. Откро́йте рот. Так. Како́й зуб вас беспоко́ит?

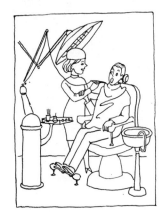

— Вот э́тот.

— Так. Шесто́й ни́жний сле́ва. Давно́ он боли́т?

— Нет, он на́чал боле́ть вчера́ ве́чером.

— Ну что́ же, посмо́трим, что с ним мо́жно сде́лать. Мо́жет быть, мо́жно ещё вы́лечить, а возмо́жно, придётся его́ удали́ть.

— Мо́жет быть, мо́жно поста́вить пло́мбу?

— Да, мо́жно. Сего́дня я почи́щу зуб, положу́ в него́ лека́рство и поста́влю вре́менную пло́мбу.

— А-а-а!
— Что, бо́льно? Ну, вот и всё. На сего́дня дово́льно.
— Когда́ мне прийти́ к вам в сле́дующий раз?
— За́втра в два часа́.

ЗАПОМНИТЕ:

Что с ва́ми? **Что у ва́с боли́т?**	What's the matter with you?
На что́ вы жа́луетесь?	What is your complaint?
принима́ть **приня́ть** } **лека́рство**	to take medicine
лека́рство от головно́й бо́ли	medicine for headache
сре́дство от бессо́нницы **табле́тки от ка́шля**	remedy for insomnia cough tablets
У меня́ грипп. **Я боле́ю гри́ппом.** **Я бо́лен гри́ппом.**	I have the 'flu.

УПРАЖНЕНИЯ

I. **Отве́тьте на вопро́сы.**

1. Как вы себя́ чу́вствуете?
2. Что вас беспоко́ит?
3. На что́ вы жа́луетесь?
4. Когда́ вы почу́вствовали себя́ пло́хо?
5. Кака́я у ва́с температу́ра?
6. Что у ва́с боли́т?
7. У ва́с боли́т го́рло?
8. У ва́с на́сморк?
9. Давно́ вы больны́?
10. Давно́ вы боле́ете?
11. Где вы лечи́лись ра́ньше?
12. Кто вас лечи́л ра́ньше?
13. Вы ча́сто боле́ете анги́ной?
14. Чем вы боле́ли в де́тстве?
15. Лежа́ли ли вы когда́-нибудь в больни́це?
16. Куда́ и к кому́ на́до обрати́ться, е́сли вы почу́вствовали себя́ пло́хо?
17. В каки́х слу́чаях вызыва́ют врача́ на́ дом?
18. В каки́х слу́чаях врач сове́тует больно́му лежа́ть в посте́ли?

II. Вместо точек вставьте нужный глагол.

1. С утра Маша ... на головную боль. 2. Ты болен и должен ... лекарство от кашля. 3. Я часто ... гриппом. 4. У него ... голова. 5. Вы больны? На что вы ...? 6. Врач ... мне рецепт на лекарство. 7. Какой врач ... вас? 8. Больной ... на боль в ногах. 9. Врач советует ему ... витамины. 10. У него ... глаза. 11. Чем ... ваш сын?

(болеть (болит), болеть (болеет), болен, лечить, принимать, выписать, жаловаться)

III. Переделайте следующие предложения, используя конструкции *у меня, у него, у вас + именительный падеж*.

Образец: Я болею ангиной. — У меня ангина.

1. Он болеет гриппом. 2. Давно она болеет гриппом? 3. Мой брат болел воспалением лёгких. 4. Я не работал три дня, так как болел ангиной.

IV. Замените личные предложения безличными, используя слова *надо, нужно, можно, нельзя.*

Образец: Вы должны принимать лекарство. — *Вам надо* принимать лекарство.

1. После операции вы должны лежать в постели. 2. Если у вас болят зубы, вы должны идти к врачу. 3. Сегодня холодно, она должна тепло одеться. 4. У него плохое здоровье, поэтому он не может заниматься спортом. 5. У меня хорошее сердце, и я могу ехать на юг. 6. У него плохое сердце, и он не может ехать на юг. 7. У моего отца плохое зрение, и он не может много читать. 8. Он должен лечить глаза. 9. Недавно ей сделали операцию, и теперь она не может много ходить.

V. Вставьте глаголы *болеть (болит)* и *болеть (болеет)* в нужной форме.

1. Мальчик часто ... . 2. Он никогда не ... ангиной. 3. У меня ... голова. 4. У мальчика ... зубы. 5. На прошлой неделе я ... гриппом. 6. Что у вас ...? 7. Чем вы ...? 8. Дочь говорит, что у неё ... горло.

VI. Соедините предложения с помощью союзов, данных ниже.

Образец: Человек тяжело болен. Врач приходит домой. — Если человек тяжело болен, врач приходит домой.

1. У вас болит голова. Надо принять лекарство от головной боли. 2. Вы больны. Вы должны лежать в постели. 3. Я почувствовал себя

плóхо. Я пошёл к врачу́. 4. Вам нельзя́ выходи́ть на у́лицу. У вáс грипп. 5. Николáй не пришёл на рабóту. Он простуди́лся и заболéл. 6. Моéй сестрé нельзя́ éхать на юг. У неё плохóе сéрдце. 7. Вы почу́вствуете себя́ ху́же. Позвони́те врачу́. 8. Он почу́вствовал себя́ ху́же. Он позвони́л врачу́.

(éсли, когдá, тáк как, потому́ что)

VII. Отвéтьте на вопрóсы, постáвив в ну́жной фóрме с ну́жным предлóгом словá, дáнные спрáва.

Образец: Кудá вы éздили лéтом? | дáча, друзья́
Лéтом мы éздили *к друзья́м на дáчу.*

1. Кудá он идёт?	поликли́ника, зубнóй врач
2. Кудá вы éдете?	больни́ца, моя́ больнáя подру́га
3. Кудá вы поéдете лéтом?	дерéвня, мой роди́тели
4. Кудá мать ведёт сы́на?	кабинéт, медици́нская сестрá
5. Кудá вы обрати́лись за пó-мощью?	медици́нский институ́т, извéстный профéссор

VIII. Замени́те прямýю речь кóсвенной.

Образец: Пéтя сказáл: «Зáвтра я пойду́ к зубнóму врачу́». — Пéтя сказáл, что зáвтра он пойдёт к зубнóму врачу́.

1. Вéчером Ни́на сказáла: «У меня́ боли́т головá». 2. Отéц спроси́л сы́на: «Когдá придёт врач?» 3. Сын отвéтил: «Врач придёт зáвтра». 4. Профéссор сказáл моéй сестрé: «Вы должны́ лечь в больни́цу». 5. Врач спроси́л меня́: «Как вы себя́ чу́вствуете?» 6. Онá сказáла мне: «Чѐрез недéлю вы смóжете вы́йти на рабóту». 7. Мать сказáла сы́ну: «Ты дóлжен принимáть э́то лекáрство два рáза в день».

IX. Состáвьте вопрóсы, на котóрые отвечáли бы слéдующие предложéния.

1. — ...... ?
   — Он заболéл три дня назáд.
2. — ...... ?
   — Утром у негó былá температу́ра 37,5.
3. — ...... ?
   — Сейчáс он чу́вствует себя́ хорошó.
4. — ...... ?
   — Да, он принимáл лекáрство.
5. — ...... ?
   — У меня́ боли́т гóрло.
6. — ...... ?
   — Нет, я не былá у врачá.

X. Расскажи́те по-ру́сски, как чу́вствует себя́ челове́к, е́сли он простуди́лся, и ка́к бы вы его́ лечи́ли.

XI. Переведи́те на ру́сский язы́к.

1. — How do you feel?
   — Very well, thank you.
   — They say you've been ill.
   — Yes, I was.
   — Were you in hospital?
   — No, I was at home.

2. — You look ill. You ought to go and see the doctor.
   — I saw the doctor yesterday.
   — What did he say?
   — He said I've got to stay in bed and take some medicine.
   — Why aren't you in bed then?
   — I've been at the chemist's.

3. My father often has a headache. The doctor prescribed some medicine for his headache. My father says the medicine helps.

4. — I've not seen Nikolai for a long time. What's the matter with him?
   — He's not working now. They say he caught a cold, and is in bed.

5. — Your sister's been ill?
   — Yes, she had an operation and was in hospital for a month.
   — How is she now?
   — She is better, thanks. She is home again (*lit.* already). The doctor said she can go back to work in a week's time.

6. — What's the matter?
   — I've got a bad cold and a headache.
   — What's your temperature?
   — This morning I had a temperature of 37,7 (99 F)

7.* The doctor took the patient's temperature and examined him.

8. The doctor prescribed me some medicine. He said that I've got to take one tablet a day before dinner.

9. Vladimir has got a toothache but he's afraid of going to the dentist.

10. — Marya Ivanovna says she's lost her appetite (*lit.* complains of a bad appetite).
    — Has she? I haven't noticed.

XII. Прочитайте рассказ и перескажите его.

Один молодой человек поздно вставал по утрам и часто опаздывал на работу. Он обратился к врачу.

— На что вы жалуетесь? — спросил юношу врач.

— Вечером я не могу долго уснуть, а утром сплю так крепко, что часто опаздываю на работу.

— Хорошо, — сказал врач, — я дам вам лекарство. Принимайте его по одной таблетке перед сном.

Врач выписал рецепт на лекарство, и юноша побежал в аптеку. Вечером юноша принял его и лёг спать. Проснувшись, он увидел, что ещё рано. Придя на работу, молодой человек сказал:

— Чудесное лекарство! Я спал как убитый! И видите, я пришёл на работу вовремя.

— Поздравляем, — ответили ему, — но где вы были вчера?

14

СПОРТ, ИЛИ ИДЕАЛЬНАЯ СЕМЬЯ.

В семье́ Моро́зовых о́чень лю́бят спорт. Доста́точно сказа́ть, что Серге́й и Зо́я впервы́е встре́тились на те́ннисном ко́рте, (1) когда́ они́ ещё учи́лись в институ́те. Это бы́ло оди́ннадцать лет наза́д. Сейча́с у ни́х семья́, дво́е сынове́й, у ка́ждого своя́ рабо́та, но занима́ться спо́ртом они́ продолжа́ют.

Серге́й уже́ лет пятна́дцать игра́ет в волейбо́л. (2)

Кро́ме того́, он лю́бит пла́вание. Кру́глый год три ра́за в неде́лю он хо́дит в бассе́йн. Его́ люби́мый стиль — брасс.

Зо́я игра́ет в те́ннис. Когда́ она́ была́ студе́нткой, она́ получи́ла зва́ние ма́стера спо́рта по те́ннису (3).

Их ста́рший сын, девятиле́тний И́горь, хорошо́ пла́вает, хо́дит на лы́жах и ката́ется на конька́х. Но бо́льше всего́ он, коне́чно, лю́бит футбо́л. С утра́ до ве́чера он гото́в гоня́ть по́ двору́ мяч. И́горь зна́ет назва́ния всех футбо́льных кома́нд и смо́трит по телеви́зору все соревнова́ния по футбо́лу. Он боле́ет за кома́нду «Спарта́к», (4) ра́дуется, когда́ кома́нда выи́грывает, и расстра́ивается, когда́ она́ прои́грывает. Когда́ И́горя спра́шивают, кем он хо́чет стать, когда́ вы́растет, он отвеча́ет: «Капита́ном футбо́льной кома́нды».

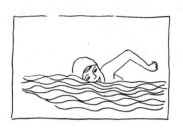

Мла́дший сын Моро́зовых, Ви́тя, ещё не хо́дит в шко́лу, но уже́ занима́ется спо́ртом. Два ра́за в неде́лю де́душка во́дит его́ в шко́лу фигу́рного ката́ния. Пока́ де́душка чита́ет в газе́тах но́вости, Ви́тя вме́сте с други́ми дошко́льниками у́чится ката́ться на фигу́рных конька́х. Он на́чал занима́ться неда́вно, но у́чится с больши́м интере́сом и уже́ мечта́ет стать чемпио́ном ми́ра по фигу́рному ката́нию. «Плох солда́т, кото́рый не мечта́ет стать генера́лом», — подде́рживает его́ де́душка.

Де́душка Моро́зов — то́же большо́й люби́тель спо́рта. Он хоро́ший шахмати́ст. Его́ гла́вный проти́вник — Серге́й. Вечера́ми они́ до́лго сидя́т за ша́хматной доско́й. Де́душка — стра́стный боле́льщик. Ле́том он не пропуска́ет ни одни́х соревнова́ний по футбо́лу, зимо́й — по хокке́ю. Та́к же, как и И́горь, он боле́ет за спарта́ковцев. Как люби́тель ша́хмат он следи́т за все́ми соревнова́ниями, турни́рами и чемпиона́тами по ша́хматам.

Зоя любит повторять слова: «В здоровом теле здоровый дух».

Утром все члены семьи делают зарядку; зимой каждое воскресенье все Морозовы ходят на лыжах.

КОММЕНТАРИИ

(1). Сергей и Зоя встрети- Sergei and Zoya met on the
    лись на теннисном tennis-court.
    корте.

The following nouns describe places where people play games, etc.:

стадион	stadium
футбольное поле стадиона	football field
волейбольная ⎱ площадка	volley-ball ⎱ court
баскетбольная ⎰	basket-ball ⎰
теннисный корт	tennis-court
гимнастический зал	gymnasium
(плавательный) бассейн	swimming-baths
каток	skating-rink

(2). Сергей играет в волей- Sergei plays volley-ball.
    бол.

Играть is used with the prepositions **в** and **на**.
1) It is used with **в** when speaking of games:
    играть *в* футбол

        — *в* волейбол
        — *в* теннис
        — *в* шахматы
        — *в* пинг-понг

Де́вочки игра́ют в пинг-по́нг.

2) It is used with **на** when speaking of musical instru‐
ments:

игра́ть *на* роя́ле
— *на* скри́пке
— *на* гита́ре
— *на* трубе́

(3). зва́ние ма́стера спо́рта   the title of Master of Sport
по те́ннису   in tennis

After a) **турни́р, чемпиона́т, соревнова́ния, трениро́вка,
матч;** b) **чемпио́н, чемпио́нка, ма́стер спо́рта, тре́нер,** *по* +
dative is used.

Иванóв — мáстер спóрта *по конькáм.*	Ivanov is a master of sport in skating.
Кто стал чемпиóном мúра *по шáхматам* в э́том годý?	Who is the chess champion this year?
Сегóдня начинáются соревновáния *по гимнáстике.*	Today athletics competitions begin.
(4). Он болéет за комáнду «Спартáк».	He supports the "Spartak" team.

Болéть *за когó, за чтó* means 'to be a fan or supporter of a given team'. With this meaning it is only used in the imperfective.

За какýю комáнду вы болéете?	What team do you support?

ДИАЛОГИ

I

— Послéднее врéмя я плóхо себя́ чýвствую, чáсто болúт головá, я бы́стро устаю́.

- А вы дéлаете ýтром заря́дку?

— Нет, я нéсколько раз начинáл дéлать, но потóм бросáл.

— Напрáсно. Утренняя гимнáстика óчень помогáет. Онá укрепля́ет не тóлько мы́шцы, но и нéрвную систéму. Я ужé двáдцать лет ежеднéвно дéлаю заря́дку. Чýвствую себя́ прекрáсно.

— Вы дéлаете гимнáстику по рáдио (1)?

— Нет, я дéлаю бóлее слóжный кóмплекс упражнéний, но вам нáдо начáть с просты́х.

II

— Вы занимáетесь спóртом?

— Да, занимáюсь.

— Какúми вúдами?

— Зимóй я хожý на лы́жах, лéтом катáюсь на велосипéде и крýглый год плáваю.

— И у ва́с на всё хвата́ет вре́мени?

— Не всегда́. Ведь я учу́сь в институ́те. В бассе́йн я хожу́ два ра́за в неде́лю по утра́м. На лы́жах ката́юсь то́лько по воскресе́ньям.

— Давно́ вы занима́етесь спо́ртом?

— Давно́, с де́тства.

III

— Серге́й, здра́вствуй! Ты на стадио́н?

— Да, сего́дня на́ши игра́ют с датча́нами.

— Ты был на прошлого́днем ма́тче «СССР — Да́ния»?

— Да. Тогда́ соревнова́ния ко́нчились побе́дой сбо́рной кома́нды СССР.

— А мне каза́лось, что вы́играли да́тские футболи́сты.

— Нет, я по́мню то́чно, счёт был 2:0 (два — ноль).

— Говоря́т, сего́дня игра́ет си́льный соста́в, игра́ должна́ быть интере́сной.

КОММЕНТАРИИ

(1). гимна́стика по ра́дио   broadcast of morning exercises

ЗАПОМНИТЕ:

де́лать у́треннюю заря́дку — у́треннюю гимна́стику	to do one's morning exercises
выи́грывать / вы́играть проӣгрывать / проигра́ть } матч, встре́чу (со счётом...)	to win a match (with a to lose score of...)
сыгра́ть вничью́	to draw
занима́ться спо́ртом	to go in for sport
Каки́м ви́дом спо́рта вы занима́етесь?	What kind of sport do you go in for?
Како́й счёт?	What is the score?
Как (с каки́м счётом) ко́нчилась игра́?	What was the final score?
Игра́ ко́нчилась со счётом...	The final score was...

УПРАЖНЕНИЯ

I. Отвéтьте на вопрóсы.

1. Вы давнó занимáетесь спóртом?
2. Какúм вúдом спóрта вы занимáетесь?
3. Вы игрáете в футбóл?
4. В какóй комáнде вы игрáете в футбóл?
5. Вы любите игрáть в шáхматы?
6. С кем вы обычно игрáете в шáхматы?
7. Кто ещё в вáшей семьé занимáется спóртом?
8. Вы умéете плáвать?
9. Какúм стúлем вы плáваете? (кроль, брасс)
10. Вы умéете катáться на конькáх?
11. Какúе вúды спóрта популярны в вáшей странé?
12. Какóй вид спóрта сáмый популярный в вáшей странé?
13. Где прохóдят соревновáния по футбóлу, по гимнáстике, по плáванию?
14. Где прохóдят тренирóвки по бóксу, по гимнáстике, по плáванию?
15. Вы болéете за какýю-нибудь комáнду?
16. За какýю комáнду вы болéете?

II. Словá, стоящие спрáва, постáвьте в нýжной фóрме.

1. Нúна всегдá былá	хорóшая спортсмéнка
2. Недáвно онá стáла	чемпиóнка гóрода по гимнáстике
3. Вы занимáетесь ... ?	спорт
4. Да, я занимáюсь	лыжи и плáвание
5. В юности я увлекáлся	футбóл и велосипéд
6. Тепéрь я увлекáюсь	велосипéд и шáхматы

III. Словá, стоящие спрáва, постáвьте в нýжной фóрме с нýжным предлóгом.

1. Смирнóв — мáстер спóрта	бокс
2. Кто чемпиóн мúра ... средú жéнщин?	тéннис
3. Ивáн Ильúч — наш трéнер	волейбóл
4. Где прохóдят вáши тренирóвки ...?	гимнáстика
5. Зáвтра во Дворцé спóрта состоятся соревновáния	настóльный тéннис
6. Кто стал чемпиóном мúра ...?	шáхматы
7. Я бывáю на всéх соревновáниях	гимнáстика, плáвание и фигýрное катáние

IV. Вместо точек вставьте глаголы *играть, сыграть, проиграть, выиграть.*

Вчера я был на стадионе. ... команды «Динамо» и «Спартак». Динамовцы ... плохо и ... со счётом 1 : 3. «Спартак» опять ... встречу. Я думаю, сейчас это лучшая наша команда. В этом сезоне она ... очень хорошо: спартаковцы ... семь встреч, ... одну встречу и два раза ... вничью.

V. Вместо точек вставьте глаголы, данные в скобках, в нужной форме.

1. а) Вы умеете ...? Каким стилем вы ...? Я тоже ... кролем. б) Смотрите, как красиво они ...! Кто ... первым? По-моему, первым ... Кузнецов. в) — Вы хотите ... к тому берегу? — Нет, я буду ... здесь. (плыть — плавать)

2. а) — Вы ... на лыжах? — Нет, я никогда не ... на лыжах, но я хочу научиться ... на лыжах. б) — Вы часто ... в бассейн? — Я ... в бассейн два раза в неделю. — Когда вы ... в следующий раз? — Я ... завтра. — Если у вас есть время, ... вместе. в) — Куда вы ...? — Мы ... на каток. — А вы тоже ... на каток? — Нет, я ... на каток в субботу. (ходить — идти/пойти)

3. а) — Куда вы ...? — Я ... на вокзал: опаздываю на поезд. б) — Кто ... первой? — Первой ... Панова. Красиво ..., правда? Сегодня она ... сто метров, но она ... и на большие дистанции. (бегать — бежать)

VI. Слова, стоящие справа, поставьте в нужной форме с нужным предлогом.

играть	пианино, волейбол, футбол, хоккей, рояль, пинг-понг, скрипка, шахматы, гитара, теннис, труба
кататься	лыжи, коньки, лодка, велосипед

VII. Соедините предложения, заменив местоимение *она* союзным словом *который* в нужной форме с нужным предлогом.

Леонов играет в команде.	Она в прошлом году ездила в Болгарию.
	В ней раньше играл мой брат.
	В ней тренером был мой брат.
	Её сейчас тренирует Блинов.
	С ней недавно играла наша команда.
	О ней много писали в газете «Советский спорт».

VIII. Замени́те прямую речь ко́свенной.

1. Тре́нер спроси́л меня́: «Каки́м спо́ртом вы занима́лись ра́ньше?»
«Когда́ вы на́чали игра́ть в футбо́л?»
«В како́й кома́нде вы игра́ли ра́ньше?»

2. Я отве́тил ему́: «Я занима́лся бо́ксом».
«Я на́чал игра́ть в футбо́л семь лет наза́д».
«Я игра́л в футбо́л и в хокке́й в кома́нде «Зени́т».

3. Я спроси́л ма́льчика: «Ты лю́бишь спорт?»
«Ты занима́ешься спо́ртом?»
«Ты ката́ешься на лы́жах?»

4. Врач сказа́л Серге́ю: «Занима́йтесь спо́ртом».
«Бро́сьте кури́ть».
«Де́лайте у́треннюю гимна́стику».

IX. Соста́вьте вопро́сы, на кото́рые отвеча́ли бы сле́дующие предложе́ния.

1. — ...... ?
— Да, я давно́ занима́юсь спо́ртом.
2. — ...... ?
— Я игра́ю в те́ннис.
3. — ...... ?
— Мой друг игра́ет в футбо́л.
4. — ...... ?
— Он игра́ет в на́шей университе́тской кома́нде.
5. — ...... ?
— Да, я был на вчера́шнем ма́тче.
6. — ...... ?
— Вы́играла кома́нда «Спарта́к».
7. — ...... ?
— Игра́ ко́нчилась со счётом 3 : 1.

X. Соста́вьте расска́з, испо́льзуя сле́дующие слова́ и выраже́ния:

занима́ться спо́ртом, де́лать у́треннюю гимна́стику, увлека́ться футбо́лом (велосипе́дом), боле́ть за кома́нду, вы́играть (проигра́ть) со счётом, футбо́льный матч, уме́ть ката́ться на конька́х, смотре́ть соревнова́ния по телеви́зору.

XI. Переведи́те на ру́сский язы́к.

1. My brother has been keen on sport ever since childhood. He goes skiing and skating. He likes swimming best of all. He goes to the swimming-pool all the year round. I like swimming too. Sometimes I go to the pool with him.

2. Nina is good at tennis. She won the competition last year and became national tennis champion.

3. — Do you go in for sport?

— No, I don't now. When I was young I used to play football and volley-ball.

4. — Do you go in for gymnastics?

— Yes, I do. I'm very keen on (*lit.* like) gymnastics. I think this is the best kind of sport (there is).

5. — Do your children do physical exercises in the morning?

— Yes, they do. Every morning.

— And do you?

— No, I gave it up long ago.

6. — Do you often go to the skating-rink?

— No, not often, once a week, sometimes twice a week.

7. I went to the stadium yesterday. "Dynamo" and "Arsenal" were playing. It was a very interesting match. The final score was 1:0. The English team won.

8. I see you support "Dynamo". I do too.

9. — Do you like playing football?

— No, I don't. But I enjoy watching football on TV.

XII. Прочитáйте и расскажи́те текст.

Одна́жды молодо́й челове́к пригласи́л знако́мую де́вушку на футбо́льный матч. Та́к как де́вушка никогда́ ра́ньше не была́ на соревнова́ниях по футбо́лу, ю́ноша подро́бно объясни́л ей пра́вила игры́.

Во вре́мя игры́ де́вушка вела́ себя́, как все боле́льщики: аплоди́ровала, пры́гала, крича́ла.

По́сле оконча́ния ма́тча ю́ноша спроси́л де́вушку:

— Ну, как тебе́ понра́вилась игра́?

— О́чень, — воскли́кнула де́вушка. — Всё бы́ло о́чень интере́сно. То́лько я не понима́ю одного́: почему́ все игроки́ бе́гают за одни́м мячо́м? Неуже́ли нельзя́ дать им два́дцать два мяча́ — ка́ждому по мячу́?

15

В ТЕАТРЕ

Сего́дня мы идём в Большо́й теа́тр на «Евге́ния Оне́-гина». (1) Как всегда́, я немно́го волну́юсь, хотя́ мы ча́сто быва́ем в теа́тре.

Пе́ред теа́тром, как обы́чно, больша́я толпа́.

— У ва́с нет ли́шнего биле́та? — спра́шивают нас со всех сторо́н.

Мы вхо́дим в теа́тр, раздева́емся в гардеро́бе и прохо́дим в зал. На́ши места́ в парте́ре, в тре́тьем ряду́. Мы сади́мся и смо́трим програ́мму. Па́ртию Татья́ны сего́дня исполня́ет Со́фья Петро́ва, молода́я, о́чень тала́нтливая певи́ца. Евге́ния Оне́гина поёт Михаи́л Ле́бедев. Неда́вно мы слы́шали его́ (2) в «Пи́ковой да́ме».

Постепе́нно собира́ется пу́блика. В орке́стре настра́ивают инструме́нты. Звени́т после́дний звоно́к, в за́ле га́снет свет и наступа́ет тишина́.

Звучи́т уверти́ора. Поднима́ется за́навес, и в за́ле сра́зу же раздаю́тся гро́мкие аплодисме́нты, хотя́ на сце́не никого́ нет: э́то зри́тели оцени́ли прекра́сные декора́ции, кото́-рые перено́сят нас в сад ста́рой ру́сской уса́дьбы.

Сюда́, в семью́ провинциа́льной поме́щицы, приво́зит Ле́нский своего́ сосе́да и дру́га, го́стя из Петербу́рга Евге́ния Оне́гина. Здесь впервы́е Оне́гин встреча́ет Татья́ну. Любо́вь провинциа́льной де́вушки не волну́ет, не тро́гает его́. Татья́на страда́ет, ви́дя хо́лодность Оне́гина...

Во вре́мя антра́кта мы выхо́дим в фойе́. Здесь на сте-на́х вися́т портре́ты компози́торов, дирижёров, арти́стов. В одно́м из за́лов фойе́ больша́я фотовы́ставка расска́зы-вает об исто́рии теа́тра, о его́ наибо́лее интере́сных по-стано́вках.

Сце́на прохо́дит за сце́ной. С волне́нием следя́т зри́тели за де́йствием. Бал у Ла́риных, ссо́ра Оне́гина с Ле́нским, дуэ́ль и ги́бель молодо́го поэ́та...

Вот и после́дняя сце́на — после́дняя встре́ча Оне́гина с Татья́ной.

«Сча́стье бы́ло так возмо́жно,
Так бли́зко...» — поёт Оне́гин.

Конча́ется спекта́кль. Зри́тели до́лго аплоди́руют и не́сколько раз вызыва́ют арти́стов на сце́ну.

Мы выхо́дим из теа́тра и остана́вливаемся у афи́ши. Что идёт в Большо́м в сле́дующую суббо́ту? Бале́т Проко́фьева «Роме́о и Джулье́тта». И хотя́ мы с Па́влом не ра́з ви́дели э́тот бале́т, мы реша́ем посмотре́ть его́ ещё раз — ещё раз послу́шать волну́ющую му́зыку Проко́фьева, посмотре́ть прекра́сно поста́вленные та́нцы, полюбова́ться вели́ким иску́сством мастеро́в ру́сского бале́та.

КОММЕНТАРИИ

(1). Мы идём на «Евге́ния Оне́гина».
We are going to see "Eugene Onegin".

(2). Мы слы́шали его́...
We heard him...

Distinguish between **слы́шать** and **слу́шать**:

Я сижу́ и *слу́шаю* ра́дио.	I am sitting and listening to the radio.
Я сижу́ и *слы́шу* шум маши́н на у́лице.	I am sitting and can hear the noise of the traffic in the street.
Вы *слы́шали* э́ту но́вость?	Have you heard the news?
Вы *слы́шали* э́того певца́?	Have you heard this singer?
Мы внима́тельно *слу́шали* его́ расска́з.	We listened to his story attentively.

There is a similar distinction between **ви́деть** and **смот-
ре́ть. Слы́шать** and **ви́деть** denote:

a) the ability to hear and to see;
b) a statement of fact.

Слу́шать and **смотре́ть** denote a purposive act.
Speaking of films and plays you can say either **ви́дел** or
смотре́л.

ДИАЛОГИ

I

— Ни́на, ты свобо́дна ве́чером в э́ту пя́тницу?
— Да, свобо́дна.
— Ты не хо́чешь пойти́ в Ма́лый теа́тр на спекта́кль
«Колле́ги»?
— У тебя́ уже́ есть биле́ты?
— Нет, но я заказа́л два биле́та ещё неде́лю наза́д.
— А что́ э́то за вещь? (1) Ты что́-нибудь слы́шал о
ней?
— Это пье́са по по́вести Аксёнова. Я слы́шал ра́зные
мне́ния о спекта́кле — одни́ хва́лят, други́е руга́ют.
— Ну, что́ же, я пойду́.
— Тогда́ я зайду́ за тобо́й в пя́тницу без че́тверти
шесть. Хорошо́?
— Хорошо́.

II

— Что сто́ит посмотре́ть сейча́с в теа́трах Москвы́? (2)
— А что вас интересу́ет — о́пера, бале́т, дра́ма, опере́тта?
— Я люблю́ бале́т, но пре́жде всего́ мне хоте́лось бы
посмотре́ть что́-нибудь в драмати́ческом теа́тре.
— Сейча́с в Москве́ есть что посмотре́ть. (3) Очень
интере́сно поста́влена «Меде́я» в теа́тре и́мени Маяко́вско-
го. В теа́тре и́мени Вахта́нгова сове́тую посмотре́ть
«Ирку́тскую исто́рию» Арбу́зова. В э́том спекта́кле всё
хорошо́ — и сама́ пье́са, и постано́вка, и игра́ арти́стов.
— Скажи́те, пожа́луйста, а ку́кольный теа́тр Образцо́ва
сейча́с в Москве́?

— Да, недавно театр вернулся с гастролей. Посмотрите у них «Необыкновенный концерт». Вы получите огромное удовольствие.

— А билеты достать трудно? (4)

— Вообще москвичи — большие любители театра, но летом, в конце сезона, я думаю, можно купить билеты на любую вещь, попасть в любой театр. (5)

III

— У вас есть билеты на «Бориса Годунова»?

— Есть два билета.

— На какой день?

— На воскресенье, на утро.

— Нет, это не подойдёт. А что идёт в Большом в воскресенье вечером?

— Балет «Лебединое озеро».

— Билеты есть?

— Сейчас посмотрю. Да, есть два билета, но не в партер, а в бельэтаж. Это неплохие места: первый ряд, середина. Возьмёте?

— Да, возьму.

IV

— Скажи́те, где здесь ближа́йший кинотеа́тр?

— На сосе́дней у́лице два кинотеа́тра: «Ура́н» и «Хро́-ника».

— Вы не зна́ете, что идёт там сего́дня?

— В «Хро́нике» обы́чно иду́т документа́льные и нау́чно-популя́рные кинофи́льмы, киножурна́л «Но́вости дня».

— А что идёт в «Ура́не»?

— Не зна́ю. Посмотри́те в «Кинонеде́ле». Вот газе́та.

— Здесь напи́сано, что там иду́т два фи́льма: «Га́млет» (пе́рвая и втора́я се́рия) и «Серёжа». Ка́к э́то поня́ть?

— Э́то зна́чит, что у́тром идёт оди́н фильм, а ве́че-ром — друго́й. А иногда́ фи́льмы иду́т че́рез сеа́нс.

— Да, да, пра́вильно, здесь ука́зано, что в 15 и 17 часо́в идёт «Серёжа», а в 12 и в 19 — «Га́млет». Пожа́луй, сейча́с я зайду́ в ка́ссу и возьму́ биле́ты на после́дний сеа́нс.

КОММЕНТАРИИ

(1). А что́ э́то за ве́щь?	What kind of a play (*lit.* thing) is it?
Что́ э́то за кни́га?	What kind of a book is it?
Что́ он за челове́к?	What kind of a person is he?

(2). Что сто́ит посмотре́ть в театрах Москвы́?
What is worth seeing in the Moscow theatres?

Сто́ить meaning 'to be worth' only has the following forms:

сто́ит — не сто́ит (present)
сто́ило — не сто́ило (past)

After **сто́ить** the infinitive (perfective or imperfective) is used; after a negative verb—**не сто́ит, не сто́ило**—the imperfective infinitive is used.

Сравни́те:

Сто́ит *посмотре́ть* э́тот фильм.
This film is worth seeing.

Не сто́ит *смотре́ть* э́тот фильм.
This film is not worth seeing.

Сто́ило *купи́ть* э́ту вещь.
This thing was worth buying.

Не сто́ило *покупа́ть* э́ту вещь.
This thing was not worth buying.

(3). Есть что посмотре́ть.
There is something worth seeing.

The antonymous construction is **не́чего смотре́ть, не́куда..., не́где..., не́ о ком..., не́зачем...,** etc.

Сравни́те:

Не́чего смотре́ть.
There is nothing to see.

Есть что смотре́ть.
There is something worth seeing.

Не́куда пойти́.
There is nowhere to go.

Есть куда́ пойти́.
There is a place worth going to.

Не́где посиде́ть споко́йно.
There is no place where you can sit in peace.

Есть где посиде́ть споко́йно.
There is a place where you can sit in peace.

Не́ о чем говори́ть.
There is nothing to speak about.

Есть о чём говори́ть.
There is something to speak about.

(4). А биле́ты доста́ть тру́дно?
And is it difficult to get tickets?

достава́ть / доста́ть + *acc. (что?)* to get something

Купи́ть биле́ты (кни́гу) is a simple operation that presents no difficulty, while **доста́ть биле́ты (кни́гу)** means to obtain them with some difficulty.

Где вы доста́ли э́ту кни́гу? (Это о́чень ре́дкая кни́га.)

Where did you get this book? (This is a very rare book.)

Я ду́маю, мы не доста́нем биле́тов — сего́дня премье́ра.

I don't think we'll manage to get tickets as it's the première tonight.

(5). Мо́жно попа́сть в любо́й теа́тр.

You can get into any theatre.

попа́сть в теа́тр (на конце́рт)

to get into the theatre (in spite of difficulties in getting tickets)

Как ты попа́л на э́тот спекта́кль, ведь все биле́ты бы́ли давно́ про́даны?

How did you manage to get (a ticket) to this show with all the tickets sold out a long time ago?

Я хочу́ пойти́ в Большо́й теа́тр, но говоря́т, туда́ тру́дно попа́сть (тру́дно доста́ть биле́ты).

I want to go to the Bolshoi Theatre but they say it is hard to get in (to get tickets).

Compare one more meaning of **попа́сть** on p. 54.

ЗАПОМНИТЕ:

Вы ви́дели э́тот фильм, э́ту пье́су?

Have you seen this film, this play?

Вы слу́шали э́ту о́перу?

Have you heard this opera?

Что идёт сего́дня в Большо́м теа́тре?

What's on at the Bolshoi Theatre today?

В како́м теа́тре идёт э́та пье́са?

Where (in what theatre) is this play being shown?

Кто игра́ет (роль) Га́млета?

Who plays Hamlet?

Что́ э́то за ве́щь (пье́са, о́пера)?

What kind of a play (an opera) is it?

Эту вещь сто́ит посмотре́ть.

It's worth seeing.

Не стóит смотрéть эту вещь.	It's not worth seeing.
Где достáть билéты на «Чáйку»?	Where can I get tickets for "The Seagull"?
У вáс есть билéты на «Жизéль»?	Have you any tickets for "Giselle"?
Где нáши местá?	Where are our seats?
Дáйте, пожáлуйста, прогрáмму.	Give me a programme, please.
Как вам понрáвился этот балéт?	How did you like this ballet?
У вáс нет лúшнего билéта?	Have you a ticket to spare? (Have you got a spare ticket?)

УПРАЖНЕНИЯ

I. Отвéтьте на вопрóсы.

А. 1. Вы лю́бите теáтр?

2. Вы лю́бите ходúть в теáтр?

3. Вы чáсто хóдите в теáтр?

4. Вы чáсто бывáете в теáтре?

5. Что вы лю́бите бóльше — óперу, балéт úли дрáму?

6. Какáя вáша любúмая óпера?

7. Какáя вáша любúмая пьéса?

8. Какúе пьéсы вам бóльше нрáвятся — классúческие úли современные?

9. Какúе теáтры есть в вáшем гóроде?

10. Что интерéсного идёт в теáтрах вáшего гóрода в этом сезóне?

11. Что стóит посмотрéть в вáших теáтрах?

12. Что идёт сегóдня в óперном теáтре?

13. Какúе теáтры бы́ли на гастрóлях в вáшем гóроде в этом году́?

14. Где вы предпочитáете сидéть в теáтре?

15. Кто ваш любúмый óперный певéц?

16. Вы вúдели ру́сский балéт?

Б. 17. Вы чáсто бывáете в кинó?

18. Что вы предпочитáете — смотрéть фúльмы по телевúзору úли в кинотеáтре?

19. Какóй фильм нрáвится вам бóльше всегó?

20. Кто ваш любúмый киноартúст?

21. Кто вáша любúмая киноактрúса?

II. Поставьте глаголы в настоящем времени.

1. Петров хорошо пел. 2. Эту пьесу критиковали в печати. 3. В этом театре шла «Анна Каренина». 4. Зрители долго аплодировали. 5. Во всех кассах продавали билеты на эту пьесу. 6. Обычно я брал два билета в театр.

III. Закончите предложения. Слова, стоящие справа, употребите в нужном падеже и с нужным предлогом.

1. Сегодня мы идём	театр, балет «Золушка»
2. Вы были вчера ... ?	консерватория, концерт
3. Наши места	партер, пятый ряд
4. Где можно купить билеты ... ?	Большой театр, опера «Борис Годунов»
5. У вас есть билеты ... ?	воскресенье, вечер

IV. Вставьте глаголы с частицей -ся или без неё.

1. Эта опера ... сегодня впервые. Кто ... роль Бориса? Оркестр ... увертюру. (исполнять — исполняться) 2. Когда артист ... свою арию, в зале раздались аплодисменты. Спектакль ... в десять часов. (кончить — кончиться) 3. Во время антракта мы ... со своими друзьями. Я ... её сегодня на концерте. (встретить — встретиться) 4. Мы не могли пойти в театр и ... билеты в кассу. Мы ... из театра поздно. (вернуть — вернуться)

V. Дайте отрицательные ответы на следующие вопросы.

Образец: — У вас есть лишний билет? — Нет, у меня нет лишнего билета.

1. У вас есть новый учебник?
2. У вас есть старший брат?
3. У вас есть сегодняшняя газета?
4. У него есть англо-русский словарь?
5. У вас есть книги этого писателя?
6. У ваших соседей есть дети?
7. В вашем городе есть оперный театр?
8. В этом театре есть хорошие певцы?
9. В гостинице есть свободные номера?

VI. Вместо точек вставьте нужный глагол.

А. слышать — слушать.

1. Вчера мы ... оперу «Иван Сусанин». 2. Вы ... новость? 3. Каждое утро я ... радио. 4. Надо внимательно ... профессора. 5. Надо говорить громче — он плохо ... . 6. Я ничего не ... об этом и ничего не знаю.

Б. ви́деть / уви́деть — смотре́ть / посмотре́ть

1. — Вы ... но́вого преподава́теля? — Нет, я не ... его́. 2. Я услы́шал шум и ... в окно́, но на у́лице никого́ не́ было. 3. Он но́сит очки́, так как с де́тства пло́хо ... . 4. Вчера́ на факульте́те я ... знако́мое лицо́. Я до́лго ... на э́того челове́ка, но так и не вспо́мнил, где я его́ ... . 5. Вчера́ мы ходи́ли ... но́вый фильм. 6. Вы уже́ ... э́тот фильм?

VII. Соедини́те предложе́ния сою́зом хотя́.

1. Пье́са мне не понра́вилась. Я люблю́ э́того а́втора. 2. Арти́ст Ермако́в игра́ет о́чень хорошо́. Он неда́вно пришёл на сце́ну. 3. Конце́рт ко́нчился по́здно. Мы реши́ли идти́ домо́й пешко́м. 4. Я реши́л посмотре́ть «Меде́ю». (Я) ви́дел её ра́ньше. 5. Я не по́мню э́тот рома́н. (Я) чита́л его́ неда́вно. 6. Мой това́рищ пло́хо говори́т по-ру́сски. Он изуча́ет ру́сский язы́к уже́ не́сколько лет. 7. Мой това́рищ изуча́ет ру́сский язы́к всего́ не́сколько ме́сяцев. Он непло́хо говори́т по-ру́сски.

VIII. Соста́вьте вопро́сы, на кото́рые отвеча́ли бы сле́дующие предложе́ния.

1. — ...... ?
— Нет, мы хо́дим в теа́тр не о́чень ча́сто.
2. — ...... ?
— Вчера́ мы бы́ли в Большо́м теа́тре.
3. — ...... ?
— Мы смотре́ли «Лебеди́ное о́зеро».
4. — ...... ?
— Да, о́чень понра́вился.
5. — ...... ?
— Спекта́кль начина́ется в шесть три́дцать
6. — ...... ?
— Нет, не опозда́ем.
7. — ...... ?
— На́ши места́ в пя́том ряду́.

IX. Переведи́те на ру́сский язы́к.

1. When I was in Moscow I saw "Swan Lake" in the Bolshoi Theatre.
2. I like ballet best of all. I've seen all the ballets of the Bolshoi Theatre.
3. We'd wanted to see this play, but could not get tickets.
4. — What's on at the Art Theatre today?
— Chekhov's "Three Sisters".
— I saw that play last year.

5. — When is the opening night of Tolstoy's play "The Living Corpse"?

— On the twentieth of March.

— They say it's hard to get tickets for this play.

— Yes, that's true.

6. Anya, are you free on Saturday? I want to ask (*lit.* invite) you (to come) to the ballet "The Sleeping Beauty" at the Bolshoi.

7. — Have you got any tickets for "The Seagull"?

— I've got tickets for evening performance on the seventh of January.

— Give me two tickets, please.

8. — Have you any spare tickets?

— Yes, I've got one.

— I need two.

9. — Where are our seats?

— In the stalls, sixth row.

— Where are Lida and Victor's seats? (*lit.* Lida and Victor sitting?)

— In Box No. 3.

10. — When do performances begin in Moscow theatres?

— Matinées at 11 and evening performances at 6.30.

X. Расскажи́те об одно́м из спекта́клей, кото́рый вы ви́дели в после́днее вре́мя.

XI. Соста́вьте диало́ги

а) ме́жду челове́ком, жела́ющим пойти́ в теа́тр, и касси́ром (ticket-vendor);

б) ме́жду двумя́ люби́телями теа́тра.

XII. Прочита́йте и перескажи́те.

ВЕСЁЛАЯ ПЬЕ́СА

Верну́вшись домо́й, ма́льчик рассказа́л отцу́, что у них в шко́ле был о́чень интере́сный спекта́кль. Все ро́ли исполня́ли са́ми шко́льники. На спекта́кле бы́ло мно́го роди́телей.

— Пье́са им о́чень понра́вилась, — сказа́л ма́льчик, — хотя́, я ду́маю, они́ ви́дели её ра́ньше.

— Почему́ ты ду́маешь, что спекта́кль им понра́вился?

— Ты бы ви́дел, как они́ смея́лись, — с го́рдостью отве́тил сын.

— А кака́я была́ пье́са? — спроси́л оте́ц.

— «Га́млет», — отве́тил сын.

СМОТРÉТЬ И ВИ́ДЕТЬ

Инострáнцы, изучáющие рýсский язы́к, не всегдá понимáют рáзницу мéжду глагóлами «смотрéть» и «ви́деть». И вот однáжды преподавáтель рýсского языкá рассказáл свои́м студéнтам такýю истóрию.

Вчерá вéчером мы с дóчкой возвращáлись из гостéй. Мы стоя́ли на останóвке и ждáли автóбуса.

— Посмотри́, посмотри́, — сказáлɔ дóчка и показáла на фонáрь на противополóжной сторонé ýлицы. Я посмотрéл и ничегó осóбенного не уви́дел: дом, ми́мо котóрого я проходи́л мнóго раз, дéрево... Я пожáл плечáми.

— Да посмотри́ же! — повтори́ла дóчка. Я посмотрéл и уви́дел. Зá день на дéреве распусти́лись листóчки. Фонáрь, котóрый стоя́л ря́дом с дéревом, освети́л совсéм молодýю листвý, и дéрево свети́лось тепéрь среди́ ночнóй темноты́ зелёным свéтом. Мы смотрéли на э́то все, а уви́дела тóлько онá. Вы пóняли тепéрь, чем отличáются глагóлы «смотрéть» и «ви́деть»?

— Я пóнял, — сказáл оди́н из студéнтов. — «Смóтрят» взрóслые, а «ви́дят» дéти.

— А я дýмаю, что «ви́деть» — э́то знáчит «удивля́ться», — сказáл другóй.

— А по-мóему, ви́деть — э́то знáчит «смотрéть и замечáть», — сказáл трéтий.

Так постепéнно студéнты подошли́ к понимáнию рáзницы в значéнии э́тих слов.

возвращáться из гостéй *colloq.*	to return from a visit
Я пожáл плечáми.	I shrugged my shoulders.
распусти́лись	opened

16

ЛЕТНИЙ ОТДЫХ

Скоро лето. Вы уже решили, где вы будете отдыхать? (1) Поедете на юг или всё лето будете жить на даче? Ещё не решили?

А мы думаем провести свой отпуск (2) в Прибалтике. В прошлом году там отдыхали мои родители. Зимой отец перенёс тяжёлую болезнь, и врачи советовали ему отдохнуть в санатории. Санаторий им очень понравился. Он расположен на самом берегу Балтийского моря, в большом сосновом парке. Родители так много рассказывали о Прибалтике, что и нам захотелось побывать там. Захотелось полежать на прекрасных пляжах, подышать здоро-

вым сосно́вым во́здухом, посмотре́ть стари́нные лито́вские города́. Мы пое́дем туда́ на свое́й маши́не, бу́дем остана́вливаться в пансиона́тах и жить по не́сколько дней в одно́м ме́сте. В тако́е путеше́ствие на маши́не мы отправля́емся впервы́е. До сих пор ка́ждое ле́то мы проводи́ли в туристи́ческих похо́дах. Мы бы́ли на Алта́е, на Кавка́зе, в Карпа́тах, в Крыму́. После́днее ле́то мы провели́ на Кавка́зе, в путеше́ствии по Военно-Грузи́нской доро́ге. Мы броди́ли по гора́м, поднима́лись на ледники́, любова́лись сне́жными верши́нами, го́рными ре́ками и озёрами. Вечера́ми мы сиде́ли у костра́, пе́ли тури́стские пе́сни. Иногда́ ходи́ли в ла́герь альпини́стов потанцева́ть, посмотре́ть фильм. Пото́м мы спусти́лись с гор, вы́шли на побере́жье Чёрного мо́ря и две неде́ли жи́ли в ма́леньком куро́ртнсм городке́ Но́вом Афо́не. Там с утра́ до ве́чера мы бы́ли на мо́ре — купа́лись, ката́лись на ло́дке, загора́ли на пля́же, игра́ли в волейбо́л. И о́чень скуча́ли без гор, пала́ток и рюкзако́в... Мы хорошо́ отдохну́ли тем ле́том — попра́вились, загоре́ли, набрали́сь сил на це́лый год.

Я ду́маю, что в бу́дущем году́ мы опя́ть пое́дем на Кавка́з и́ли в Крым.

На́ши роди́тели собира́ются отдыха́ть э́тим ле́том на Во́лге. Они́ уже́ заказа́ли биле́ты на теплохо́д, кото́рый идёт по маршру́ту Москва́—Астрахань—Москва́. Им хо́чется навести́ть те места́, где роди́лся и провёл своё де́тство мой оте́ц. Теплохо́д идёт от Москвы́ до Астрахани де́сять су́ток. Он остана́вливается во всех кру́пных во́лжских города́х — в Го́рьком, в Каза́ни, в Улья́новске, в Волгогра́де — и стои́т там не́сколько часо́в, пока́ пассажи́ры осма́тривают го́род. Говоря́т, что така́я пое́здка на теплохо́де — исключи́тельно интере́сный, прия́тный и поле́зный о́тдых.

КОММЕНТАРИИ

(1). Где вы бу́дете отдыха́ть?   Where do you spend your holidays?

‘to be on holidays’ is the second meaning of .the verb **отдыха́ть.** The main meaning is ‘to rest, to have a rest’.

После обеда мы *отдыхаем*.	After dinner we have a rest.
Отдохни немного — у тебя усталый вид.	You have to rest a little — you look tired.
(2). Мы думаем провести свой отпуск...	We intend to spend our holidays...
проводить / провести отпуск	to spend one's holidays
быть в отпуске	to be on leave, on holiday
идти в отпуск	to go on leave

Каникулы indicates holidays (vacation) for students and schoolchildren. Holidays of people working at a job are expressed by **отпуск**.

ДИАЛОГИ

I

— Где вы думаете отдыхать в этом году?

— Я решил провести свой отпуск на юге, в Ялте. Я купил путёвку в дом отдыха. Буду купаться, загорать, бродить по горам.

— Вы едете туда впервые? Я несколько раз бывал в Ялте. (1) Это чудесный курортный город. В каком месяце вы поедете туда?

— Я буду там с середины июля до конца августа.

— Прекрасный сезон! Обычно в Крыму в это время стоит хорошая погода, море спокойное. И очень много фруктов. Вы хорошо отдохнёте там.

II

— Тебя совсем не видно. Где ты пропадаешь?

— Мы были на Кавказе. Мы проехали на машине по маршруту Москва—Тбилиси—Сочи—Москва. Путешествие было очень интересным.

— Я думаю! Сколько дней продолжалась ваша поездка?

— Месяц. Неделю мы были в горах, неделю в пути и две недели жили на берегу Чёрного моря, недалеко от Сочи. А ты уже отдыхал?

— Нет ещё. Мы с дру́гом че́рез два́ дня́ уезжа́ем в Карпа́ты.

— В дом о́тдыха?

— Нет, в туристи́ческой похо́д. Снача́ла немно́го побро́дим по леса́м и гора́м, а пото́м побыва́ем во Льво́ве и Ужгороде.

— Ну, что ж, счастли́вого пути́!

III

— Здра́вствуй, И́горь! Говоря́т, ты собира́ешься идти́ в о́тпуск? (2) Почему́ ты реши́л отдыха́ть зимо́й?

— Я пое́ду на́ две неде́ли на спорти́вную ба́зу. Хочу́ походи́ть на лы́жах.

— А пото́м всё ле́то бу́дешь рабо́тать?

— Нет, зимо́й я испо́льзую то́лько полови́ну своего́ о́тпуска — две неде́ли. А две неде́ли бу́ду отдыха́ть ле́том — пое́ду к роди́телям на Во́лгу.

IV

— Где вы бу́дете отдыха́ть в э́том году́?

— В до́ме о́тдыха в Со́чи.

— Вы пое́дете оди́н и́ли с жено́й?

— С жено́й.

— Э́то, наве́рное, сто́ит до́рого?

— Нет, мы пла́тим то́лько три́дцать проце́нтов сто́имости путёвок, осстально́е опла́чивает профсою́з.

— Путёвки на́ две неде́ли?

— Нет, на два́дцать четы́ре дня.

V

— Куда́ вы отправля́ете ле́том ва́ших дете́й?

— На ме́сяц в пионе́рский ла́герь и на ме́сяц к мои́м роди́телям в дере́вню. А где прово́дит кани́кулы ваш сын?

— Обы́чно ле́том он живёт у ба́бушки на да́че, недалеко́ от Москвы́. Но в э́том году́ он про́сится в ла́герь.

— Ну, и что́ же?

— Коне́чно, мы отпра́вим его́ в ла́герь. Он уже́ большо́й ма́льчик, и ему́ интере́сней быть с други́ми детьми́, чем с ба́бушкой.

КОММЕНТАРИИ

(1). Я не́сколько раз быва́л в Ялте.

I've been to Yalta several times.

Быва́ть is a frequentative form of **быть** 'to be, to visit', etc.

Мы ча́сто *быва́ли* в э́той семье́.

We often visited this family.

Он быва́л у нас.

He used to visit (to come to see) us.

(2). Ты собира́ешься идти́ в о́тпуск?

Are you going on holiday?

Собира́ться + *infinitive* means 'to be going to, to be about to'.

Он собира́ется поступа́ть в университе́т.

He is about to begin (to enter) University.

Я собира́юсь написа́ть об э́том статью́.

I am about to write an article about this.

УПРАЖНЕНИЯ

I. Ответьте на вопросы.

1. Когда вы обычно отдыхаете — летом или зимой?
2. Где вы обычно проводите свой отпуск?
3. Где вы отдыхали в прошлом году?
4. Вы отдыхаете один или с семьёй?
5. Вы любите туристические походы?
6. Что вы предпочитаете — отдыхать на одном месте или путешествовать?
7. Когда вы собираетесь пойти в отпуск в этом году?
8. У вас большой отпуск?
9. Где вы думаете отдыхать в этом году?
10. Где проводят лето ваши дети?

II. Ответьте на вопросы, поставив слова, стоящие справа, в нужной форме с нужным предлогом.

1. Куда вы ездили летом?	наши родители, Прибалтика
2. Где отдыхают ваши дети?	пионерский лагерь, берег Чёрного моря
3. С кем вы были в прошлом году на Кавказе?	мои коллеги, мои друзья
4. Кому вы рассказывали о поездке в Крым?	все мои друзья и знакомые
5. Где отдыхала в этом году ваша семья?	маленький курортный городок Новый Афон
6. Куда вы хотите поехать в будущем году?	Волга или Украина

III. Закончите предложения, вставив предлог *на* там, где это необходимо.

1. Мы поедем в санаторий ... . Мы будем жить в санатории	месяц
2. Зоя отправила детей в деревню ... . Дети будут жить в деревне	всё лето
3. Мы прожили на юге ... . Мы ездили на юг	два месяца
4. Я взял книгу ... . Я читал книгу	три дня
5. Мой друг уехал в Киев ... . Мой друг был в Киеве	неделя
6. Этот студент будет учиться в университете ... . Этот студент приехал в университет	три года

IV. Вместо точек вставьте глаголы, подходящие по смыслу.

1. Дети любят ... в море. 2. Мы ... всё лето на Чёрном море. 3. В этом году мы ... провести отпуск на Волге. 4. Вы любите ... на лодке? 5. Он хорошо ... и стал совсем чёрным. 6. Где вы обычно ... свой отпуск?

(проводить, провести, купаться, загореть, собираться, кататься)

V. Замените прямую речь косвенной.

1. Павел спросил меня: «Где вы будете отдыхать летом?» 2. Я ответил: «Мы собираемся поехать в Крым». 3. Павел сказал: «Мы тоже поедем на юг». 4. «В каком месте вы будете отдыхать?» — спросил я. 5. «Мы хотим поехать в Сочи», — ответил он. 6. «Мы будем жить недалеко от вас», — сказал я.

VI. Вместо точек вставьте глагол нужного вида.

1. Мы долго ..., куда мы поедем летом. Мы ... поехать в этом году в Болгарию. (решать — решить) 2. Две недели мы ... в деревне. Мы хорошо ... и вернулись в город с новыми силами. (отдыхать — отдохнуть) 3. В санатории я ... несколько писем из дома. Раз в неделю мы ходили на почту и ... там письма. (получать — получить) 4. Утром мы ... и пошли завтракать. Утром мы ... и шли завтракать. (купаться — искупаться) 5. Я уже ... вещи и ... их в чемодан. Когда я ... вещи и ... их в чемодан, вошла мама и спросила меня: «Ты всё ещё не готов?» (собирать — собрать, складывать — сложить) 6. Вчера мы были на вокзале — ... друзей в Крым. Вчера мы ... наших друзей в Крым. Через неделю и мы поедем туда. (провожать — проводить) 7. Когда туристы ... на вершину горы, им пришлось несколько раз останавливаться для отдыха. Когда туристы ... на вершину горы, вдали они увидели море. (подниматься — подняться)

VII. Напишите предложения, антонимичные данным.

Образец: Мать *вошла* в комнату. — Мать *вышла* из комнаты.

1. Наши соседи недавно уехали на Украину. 2. Он ушёл из дому рано утром. 3. Машина отъехала от нашего дома. 4. Кто-то вошёл в дом. 5. Они уехали в санаторий. 6. Мальчик подошёл к окну. 7. Они приехали к нам вечером. 8. Я вышел из вагона.

VIII. Замените предложения с деепричастными оборотами сложными предложениями. Союзы для вставки даны ниже.

Образец: Вернувшись домой, я нашёл на столе письмо. — *Когда я вернулся домой,* я нашёл на столе письмо.

1. Посмотрев на часы, я увидел, что пора ехать на вокзал. 2. Поднявшись на гору, туристы решили отдохнуть. 3. Уезжая в отпуск, я обещал часто писать домой. 4. Отдыхая на юге, я продолжал заниматься там русским языком. 5. Не зная русского языка, она не поняла, о чём мы говорили. 6. Слушая передачи на русском языке, я стараюсь понять всё, что говорит диктор. 7. Изучив русский язык, он решил заняться польским. 8. Попрощавшись с друзьями, мы вышли на улицу. 9. Выходя из университета, я обычно встречаю этого человека. 10. Позвонив на вокзал, я узнал, когда отходит поезд на Ленинград.

(*Союзы для вставки:* когда; после того, как; и; так как.)

IX. Вместо точек вставьте деепричастия совершённого или несовершённого вида.

1. ... дети громко смеялись.	купаясь
... дети вышли на берег.	искупавшись
2. ... мы говорили о своих делах.	обедая
... мы вышли в сад.	пообедав
3. ... туристы продолжали свой путь.	отдыхая
... я не мог забыть о своей работе.	отдохнув
4. ... домой, я узнал, что ко мне приходил мой товарищ.	возвращаясь
... домой, я встретил своего товарища.	возвратившись
5. ... на берегу моря, мы смотрели на купающихся.	сидя
... на берегу моря, мы пошли кататься на лодке.	посидев
6. ... письмо сына, мать отдала его отцу.	читая
... письмо сына, мать улыбалась.	прочитав

X. Составьте вопросы, на которые отвечали бы следующие предложения.

1. — ...... ?
   — Обычно мы проводим свой отпуск в деревне.
2. — ...... ?
   — В прошлом году мы отдыхали в Крыму.
3. — ...... ?
   — Мы жили в Крыму полтора месяца.
4. — ...... ?
   А родители — на Волге.
5. — ...... ?
   — В этом году мы поедем на Кавказ.

6. — ...... ?
   — У меня́ о́тпуск в а́вгусте.
7. — ...... ?
   — Да, де́ти пое́дут в пионе́рский ла́герь.

XI. Переведи́те на ру́сский язы́к.

1. — Where did you go for your summer holidays?
   — We went to the Crimea.
   — Did you have a good holiday?
   — Yes, a very good holiday.
2. Last year we spent our holiday in the South, at Yalta.
3. — This summer we want to go to the Baltic. We've never been there. They say there are wonderful beaches there and that it's not as hot as in the South.
   — If the weather is fine you can have a good holiday there.
4. We usually spend the summer in the mountains. We like walking.
5. — You are going to a sanatorium?
   — Yes, I've had an operation recently and now the doctors are sending me to a sanatorium.
6. — Where are your children going in the summer?
   — My eldest son — he's a student — is going to a mountaineering camp. He's a mountaineer and goes to the Caucasus every year. My youngest son is going to a Pioneer camp.
   — But won't he be lonely at camp?
   — No, he's a very lively boy and he always has lots of friends wherever he is.
7. — We've not made up our minds where we are going for our holidays this year.
   — When is your holiday?
   — In August.
   — It's nice to go to the South in August, to Moldavia, for example.
8. This year we're not going anywhere, we are going to stay at our dacha near Moscow. We're going to Bulgaria for two weeks in August, the rest of the time we'll be in Moscow as well.

XII. Расскажи́те, где и как вы отдыха́ли про́шлым ле́том.

17

СРЕДСТВА СООБЩЕНИЯ

Несколько лет назад мой друг Володя Петров, окончив горный институт, уехал работать на Север. Писал он редко, и мы знали о нём только то, что он жив и здоров. Мы знали, что он много работает и что работа у него интересная. И вот он снова появился в Москве.

— Сколько лет, сколько зим! (1) — встречали его друзья. — Давно тебя не было видно в Москве.

— А что делать геологу в столице? — спрашивал Володя. — Всего две недели я в Москве, а меня уже назад, в тайгу тянет (2).

Как-то вечером, сидя у нас дома, Володя рассказал нам, как он ехал в Москву.

— Из Берёзовки, где работает наша геологическая партия, до Дудинки, морского и речного порта, около трёхсот километров. Утром я сел в поезд и через несколько часов был уже в Дудинке. Моим соседом по купе оказался весёлый, разговорчивый старик. (3) Он называл себя местным, хотя прожил в этих краях всего несколько лет. Сейчас он ехал в Красноярск к своей дочери. В Дудинке мне надо было ехать на аэродром, а ему — на речной вокзал. Когда мы стали прощаться, он спросил меня:

— А почему ты не хочешь поехать до Красноярска пароходом, посмотреть Енисей? Ты никогда не видел этой реки? (4) Ну, сынок, значит, ты ещё не видел настоящей красоты.

И старик — его звали Иваном Романовичем — убедил меня. Мы вместе отправились на речной вокзал. Посмотрели расписание: пароход отходил через три часа. Мы взяли билеты и пошли обедать.

На при́стань мы верну́лись за два́дцать мину́т до отплы́тия парохо́да. Огро́мный бе́лый теплохо́д «Ле́рмонтов» уже́ стоя́л у при́стани. Мы нашли́ свою́ каю́ту, положи́ли ве́щи и вы́шли на па́лубу. Ско́ро теплохо́д дал после́дний гудо́к и ме́дленно отошёл от при́стани. Начало́сь на́ше трёхдне́вное путеше́ствие. Ива́н Рома́нович был прав: я не устава́л любова́ться суро́вой и могу́чей красото́й Енисе́я, его́ берего́в. Стоя́ла прекра́сная пого́да, и бо́льшую часть вре́мени мы проводи́ли на па́лубе. Ми́мо плыла́ тайга́, больши́е сёла и ма́ленькие дере́вни, а я всё смотре́л вокру́г и слу́шал расска́зы Ива́на Рома́новича об э́тих места́х и о замеча́тельных лю́дях, кото́рые живу́т и рабо́тают здесь. Я был о́чень благода́рен ему́ за э́то путеше́ствие.

В Красноя́рске мы расста́лись. Ива́н Рома́нович пое́хал к до́чери, а я — в аэропо́рт. Там я узна́л, что самолёт на Москву́ лети́т че́рез не́сколько часо́в. Я был рад э́тому, та́к как мне хоте́лось посмотре́ть го́род.

Наконе́ц я в самолёте. Огро́мный ИЛ-18 подня́лся и стал набира́ть высоту́. Че́рез де́сять мину́т мы уже́ лете́ли над облака́ми. Вы́шла бортпроводни́ца и предложи́ла нам чай, бутербро́ды, конфе́ты, а та́кже све́жие газе́ты и журна́лы. Самолёт лете́л со ско́ростью ты́сяча киломе́тров в час, и вре́мя прошло́ незаме́тно. Но в Москве́ нас ждала́ неприя́тность: была́ гроза́ и в тече́ние ча́са аэродро́м не мог приня́ть нас. Наконе́ц гроза́ ко́нчилась, ту́чи разошли́сь, и наш самолёт приземли́лся на родно́й моско́вской земле́.

КОММЕНТАРИИ

(1). Ско́лько лет, ско́лько зим! — I haven't seen you for ages.

This is a friendly, slightly familiar greeting. In full it would be: Ско́лько лет, ско́лько зим мы не ви́делись!

(2). Меня́ наза́д, в тайгу́ тя́нет. — I am anxious to return to the taiga.

(3). Мои́м сосе́дом по купе́ оказа́лся весёлый, разгово́рчивый стари́к. — My fellow-traveller was (turned out to be) a cheerful talkative old man.

Сравните:

Весёлый, разгово́рчивый стари́к оказа́лся мои́м сосе́дом по купе́. — The cheerful talkative old man was travelling in the same compartment.

The difference in meaning between these two sentences is conveyed by the difference in the word order; the new, unknown factor being placed last in the sentence.

Пе́рвым лётчиком-космона́втом стал *Юрий Гага́рин.* — The first spaceman was Yuri Gagarin.

Юрий Гага́рин стал *пе́рвым лётчиком-космона́втом.* — Yuri Gagarin was (became) the first spaceman.

These sentences are answers to different questions:

Кто стал пе́рвым лётчиком-космона́втом?
Кем стал Юрий Гага́рин?

(4). Ты никогда́ не ви́дел э́той реки́? — Haven't you ever seen this river?

In Russian, as distinct from English, in addition to negative pronouns and adverbs—**никто́, никогда́, нигде́, никому́, ни о чём,** etc.—the verb must be preceded by **не;** there is, in fact, a "double" negation.

Я *никогда́ не* лета́л на самолёте. — I've *never* travelled by plane.

Мы *никуда́ не* е́здили ле́том. — We *didn't* go *anywhere* this summer.

Он *никому́ не* говори́л об э́том. — He *didn't* tell *anyone* about this.

Ни with pronouns and adverbs does not replace the negative, it merely emphasizes it.

If a preposition is involved, it is preceded by **ни**.

— У *кого́* вы мо́жете спроси́ть об э́том?	— Whom can you ask about this?
— Я *ни у кого́ не* могу́ спроси́ть об э́том.	— I can't ask anyone about this.

ДИАЛОГИ

I

— Я слы́шал, вы е́дете в Оде́ссу?
— Да, я до́лжен пое́хать туда́ по дела́м.
— Вы пое́дете по́ездом и́ли полети́те самолётом?
— Пое́ду по́ездом. Я уже́ купи́л биле́т.
— Когда́ вы е́дете?
— За́втра в де́вять часо́в ве́чера.
— Ско́лько часо́в идёт по́езд до Оде́ссы?
— Два́дцать во́семь часо́в.
— И надо́лго вы е́дете?
— На неде́лю.
— Счастли́вого пути́!
— Спаси́бо. До свида́ния.

II

— Да́йте, пожа́луйста, оди́н биле́т до Каза́ни.
— На како́е число́?
— На послеза́втра, на 26 ма́рта.
— Како́й ваго́н?
— Купи́рованный. Если мо́жно, да́йте ни́жнее ме́сто. Ско́лько вре́мени идёт по́езд до Каза́ни?
— Восемна́дцать часо́в. Вот ваш биле́т.
— Спаси́бо.

III

— Това́рищ проводни́к, э́то деся́тый ваго́н?
— Да. Покажи́те, пожа́луйста, ва́ши биле́ты. Проходи́те. Ва́ше купе́ тре́тье от вхо́да.

— Скажи́те, пожа́луйста, наш по́езд отправля́ется ро́вно в семь?

— Да, по́езд отхо́дит то́чно по расписа́нию. А в чём де́ло?

— Я хоте́л бы сходи́ть в буфе́т.

— Вы не успе́ете до отхо́да по́езда. Чѐрез пятна́дцать мину́т я принесу́ чай. Или, е́сли хоти́те, мо́жете пойти́ в ваго́н-рестора́н и там поу́жинать.

IV

— Алло́, э́то Ка́тя?

— Да, э́то я.

— Здра́вствуй, Ка́тя. Это говори́т Па́вел. Ты зна́ешь, что за́втра уезжа́ет Воло́дя?

— Да, зна́ю.

— Ты прие́дешь на вокза́л провожа́ть его́?

— Прие́ду. То́лько я не зна́ю то́чно, како́й по́езд и когда́ отхо́дит.

— По́езд № 52 (но́мер пятьдеся́т два) Москва́ — Новосиби́рск, шесто́й ваго́н. Отхо́дит в 17. 45 (в семна́дцать со́рок пять). Не опа́здывай, пожа́луйста.

— Постара́юсь. До свида́ния.

— До· за́втра.

ЗАПОМНИТЕ:

Я жив и здоро́в.	I am safe and sound. (*lit.* I am alive and well).
Все мы жи́вы и здоро́вы.	We are all quite well.
Когда́ отхо́дит (отправля́ется) по́езд, парохо́д?	When does the train (or steamer) leave?
Когда́ отправля́ется самолёт?	When does the plane take off (leave)?
Я ничего́ не зна́ю.	I don't know anything.
Он нигде́ не́ был.	He hasn't been anywhere.
Мы ни с ке́м не говори́ли.	We didn't speak to anyone.
Она́ никого́ не ви́дела.	She didn't see anyone.

УПРАЖНЕНИЯ

I. Отве́тьте на вопро́сы.

1. Вам ча́сто прихо́дится е́здить?
2. Како́й вид тра́нспорта вы предпочита́ете — по́езд, парохо́д и́ли самолёт?
3. Каки́м ви́дом тра́нспорта по́льзуетесь вы, когда́ е́дете по дела́м?
4. Каки́м ви́дом тра́нспорта по́льзуетесь вы, когда́ е́дете отдыха́ть?
5. Вы лета́ли на самолёте?
6. Куда́ вы лета́ли после́дний раз?
7. Вам ча́сто прихо́дится лета́ть на самолёте?
8. Как вы себя́ чу́вствуете в самолёте?
9. Ско́лько часо́в лети́т самолёт от Ло́ндона до Москвы́?
10. Вы ча́сто е́здите на по́езде?
11. С како́й ско́ростью хо́дят поезда́ в ва́шей стране́?
12. Ско́лько часо́в идёт по́езд от Ло́ндона до Манче́стера?
13. Где покупа́ют биле́ты на по́езд, на самолёт, на парохо́д?
14. Как и куда́ вы е́здили после́дний раз?

II. Проспряга́йте сле́дующие глаго́лы:

е́хать, е́здить, идти́, лете́ть

III. Вме́сто то́чек вста́вьте оди́н из да́нных в ско́бках глаго́лов в проше́дшем вре́мени.

1. В э́том году́ я ... в Сиби́рь. По доро́ге, когда́ я ... туда́, я ви́дел мно́го интере́сного. (е́хать — е́здить) 2. В про́шлом ме́сяце мы ... в Минск. Когда́ мы ... обра́тно, была́ плоха́я пого́да. (лете́ть — лета́ть) 3. Когда́ я рабо́тал в институ́те, я всегда́ ... на рабо́ту пешко́м. Вчера́, когда́ я ... домо́й, я встре́тил знако́мого. (идти́ — ходи́ть) 4. Неда́вно мой оте́ц ... в Болга́рию. Туда́ он лете́л самолётом, а обра́тно ... на по́езде. (е́хать — е́здить)

IV. В сле́дующих предложе́ниях глаго́л *быть* замени́те одни́м из глаго́лов движе́ния, да́нных в ско́бках. Не забу́дьте измени́ть паде́ж существи́тельных.

Образе́ц: Мы бы́ли в Крыму́. — Мы е́здили в Крым.

1. Вчера́ мы бы́ли в теа́тре. (идти́ — ходи́ть) 2. В про́шлом году́ мы бы́ли на Кавка́зе. (е́хать — е́здить) 3. На про́шлой неде́ле он был в Ленингра́де. (лете́ть — лета́ть) 4. Неда́вно мой брат был в Ве́нгрии. (е́хать — е́здить) 5. Мы ча́сто быва́ем на стадио́не. (идти́ — ходи́ть) 6. — Где вы бы́ли? — Мы бы́ли в библиоте́ке. (идти́ — ходи́ть) 7. Он никогда́ не́ был в Сиби́ри. (е́хать — е́здить)

V. Вместо точек вставьте подходящий по смыслу глагол движения.

Каждый год наша семья ... на юг. В прошлом году мы ... на Кавказ. Туда мы ... поездом, обратно ... самолётом. Когда мы ... туда, в поезде было очень жарко и на каждой станции мы ... из вагона подышать свежим воздухом. На одной станции, где впервые рядом с железной дорогой мы увидели море, поезд стоял двадцать минут. Все пассажиры ... из вагонов и ... купаться. Через пятнадцать минут машинист дал свисток (сигнал), а ещё через пять минут мы ... дальше. На Кавказе мы жили в Сухуми, но мы часто ... и в другие города.

VI. Вместо точек вставьте подходящие глаголы движения с нужной приставкой.

В субботу вечером мы ... из дома, сели в автобус и ... на вокзал. Мы хотели успеть на поезд 19.05, но опоздали. Когда мы ... к кассам, было уже шесть минут восьмого и поезд только что ... . Следующий поезд ... в 19.15. Мы купили билеты и ... на перрон. Электричка уже стояла у платформы. Мы ... в вагон, разместили свои вещи и удобно разместились сами.

До станции «Турист» поезд ... около часа. Когда мы ... из вагона, было ещё светло. У дежурного по станции мы спросили, как ... к деревне Петровке. Он объяснил нам, как ..., и мы ... . Мы ... три часа. За это время мы ... приблизительно десять километров. В половине двенадцатого, когда было уже совсем темно, мы ... в деревню.

VII. Дайте отрицательные ответы на следующие вопросы.

Образец: Куда ты ездил летом? — Я никуда не ездил летом.

1. Куда вы пойдёте сегодня вечером? 2. К кому вы пойдёте в воскресенье? 3. Когда ты видел этого человека? 4. Когда вы были в Крыму? 5. Кому вы пишете письма? 6. Кому вы рассказали об этом? 7. Кого он ждёт? 8. У кого есть такой учебник? 9. У кого из вас есть машина? 10. С кем вы говорите по-русски?

VIII. Вставьте вместо точек отрицательные местоимения и наречия.

1. Я ... не мог найти ваш адрес. 2. В это воскресенье мы ... не поедем. 3. Он ... не переписывается. 4. Я ... не читал об этом. 5. Этот человек ... не интересуется. 6. Этот мальчишка ... не боится. 7. Вам сегодня ... не звонил. 8. Он ... не был в Москве. 9. Пожалуйста, ... не говорите об этом.

IX. Ответьте на следующие вопросы.

А. *Образец:* Кто был вашим первым учителем? — Моим первым учителем был студент университета.

1. Кто был вашим соседом, когда вы жили в деревне? 2. Кто был

вашим дру́гом в шко́ле? 3. Кто был ва́шим учи́телем ру́сского языка́? 4. Кто был дире́ктором шко́лы, в кото́рой вы учи́лись?

Б. *Образец:* Кем бу́дет ваш друг? — Мой друг бу́дет учи́телем ру́сского языка́.

1. Кем был в мо́лодости ваш отéц? 2. Кем был ваш дéдушка? 3. Кем был ваш друг? 4. Кем вы бу́дете по́сле оконча́ния университéта? 5. Кем хо́чет быть ва́ша сестра́? 6. Кем бу́дет ваш брат?

X. В сле́дующих предложéниях замени́те прямýю речь кóсвенной.

1. Я спроси́л дежу́рного: «Когда́ прихо́дит по́езд из Ки́ева?» Он отвéтил: «По́езд из Ки́ева прихо́дит в дéвять часо́в утра́». 2. Ни́на спроси́ла милиционéра: «Как пройти́ на Ленингра́дский вокза́л?» Милиционéр отвéтил: «Пешко́м идти́ далеко́, на́до сесть на седьмо́й трамва́й». 3. Я спроси́л сосéда по купé: «Когда́ отхо́дит наш по́езд?» 4. Сосéд по купé спроси́л меня́: «Вы не хоти́те пойти́ в ваго́н-рестора́н поу́жинать?» 5. В письмé мой друг спра́шивал меня́: «Когда́ ты приéдешь к нам?» Я отвéтил ему́: «Я приéду к вам в концé мéсяца». 6. На платфо́рме проводни́ца попроси́ла нас: «Покажи́те ва́ши билéты». 7. На вокза́ле незнако́мый человéк попроси́л нас: «Пожа́луйста, помоги́те мне найти́ спра́вочное бюро́».

XI. Соста́вьте вопро́сы, на кото́рые отвеча́ли бы сле́дующие предложéния.

1. — ...... ?
— От Москвы́ до Ленингра́да по́езд идёт во́семь часо́в.
2. — ...... ?
— Билéт от Москвы́ до Ленингра́да сто́ит дéвять рублéй.
3. — ...... ?
— Наш по́езд отхо́дит в оди́ннадцать часо́в.
4. — ...... ?
— Да, мы бу́дем в Ленингра́де в семь часо́в утра́.
5. — ...... ?
— Этот по́езд стои́т в Росто́ве пять мину́т.
6. — ...... ?
— Ва́ше мéсто в деся́том купé.
7. — ...... ?
— Поу́жинать мо́жно в ваго́не-рестора́не.

XII. Переведи́те на ру́сский язы́к.

1. I'm going to Leningrad tomorrow. The train leaves at 9.15.
2. — How long does the journey from Moscow to Leningrad take?
— Eight hours.

3. Give me two tickets to Minsk on the 27th, please.
4. — When are you going to Ķiev?
— The day after tomorrow.
— Are you going by train or by air?
— I'm going by air.
— How long is it to Ķiev by air?
— I don't know exactly, I think it's one or one and a half hours.
5. My parents are going to the Crimea tomorrow. We are going to the station to see them off.
6. When the train arrived (at the station) I saw my brother on the platform. He'd come to meet me.
7. — Attendant, where are our seats, please?
— Your seats are in compartment five.
8. — How long does the train stop at this station?
— Five minutes.
9. The diesel stops at Sochi for three hours. You can go down to the beach and have a look at the town.
10. — How do you feel in an aeroplane?
— All right.
11. The plane landed. The door opened and the passengers started going down the steps. There was my friend.

XIII. Расскажи́те, куда́ и как (каки́м ви́дом тра́нспорта) вы е́здили после́дний раз.

XIV. Соста́вьте диало́г ме́жду двумя́ знако́мыми, оди́н из кото́рых собира́ется куда́-нибудь е́хать.

XV. Прочита́йте и расскажи́те текст.

По́езд останови́лся на ма́ленькой ста́нции. Пассажи́р посмотре́л в окно́ и уви́дел же́нщину, кото́рая продава́ла бу́лочки. Она́ стоя́ла дово́льно далеко́ от ваго́на, и пассажи́р не хоте́л идти́ за бу́лочками сам. Ви́димо, он боя́лся отста́ть от по́езда. Он позва́л ма́льчика, кото́рый гуля́л по платфо́рме, и спроси́л его́, ско́лько сто́ит бу́лочка.

— Де́сять копе́ек, — отве́тил ма́льчик.

Мужчи́на дал ма́льчику два́дцать копе́ек и сказа́л:

— Возьми́ два́дцать копе́ек и купи́ две бу́лочки — одну́ мне, а другу́ю — себе́.

Че́рез мину́ту ма́льчик верну́лся. Он с аппети́том ел бу́лочку. Ма́льчик по́дал пассажи́ру де́сять копе́ек и сказа́л:

— К сожале́нию, там была́ то́лько одна́ бу́лочка.

18

МОСКОВСКИЙ ГОСУДАРСТВЕННЫЙ УНИВЕРСИТЕТ

Мой брат Николай у́чится на физи́ческом факульте́те МГУ. Сейча́с он студе́нт четвёртого ку́рса. Одна́жды он пригласи́л нас с Мари́ной в клуб университе́та на студе́нческий ве́чер (1). Мы пришли́ в университе́т за ча́с до нача́ла ве́чера. Мари́на никогда́ не была́ в но́вом зда́нии университе́та на Ле́нинских гора́х, и Николай обеща́л показа́ть нам его́.

Брат встре́тил нас у гла́вного вхо́да. Как настоя́щий экскурсово́д, он на́чал свой расска́з об университе́те с его́ исто́рии:

— Моско́вский госуда́рственный университе́т был откры́т 27 апре́ля 1755 го́да. Его́ основа́телем был вели́кий

ру́сский учёный Михаи́л Васи́льевич Ломоно́сов. Вы зна́ете, что наш университе́т но́сит и́мя Ломоно́сова. Снача́ла в университе́те бы́ло три факульте́та: медици́нский, юриди́ческий и филосо́фский. С да́вних пор университе́т был це́нтром ру́сской нау́ки и культу́ры. Здесь учи́лись Ге́рцен, Бели́нский, Ле́рмонтов, Турге́нев.

Сейча́с в университе́те четы́рнадцать факульте́тов: физи́ческий, хими́ческий, меха́нико-математи́ческий, биолого-по́чвенный, геологи́ческий, географи́ческий, истори́ческий, филосо́фский, филологи́ческий, юриди́ческий, экономи́ческий, факульте́т журнали́стики, факульте́т восто́чных языко́в и подготови́тельный факульте́т для иностра́нной молодёжи.

Здесь, в зда́нии на Ле́нинских гора́х, у́чатся студе́нты есте́ственных факульте́тов. Студе́нты гуманита́рных факульте́тов (2) у́чатся в ста́ром зда́нии в це́нтре Москвы́.

На скоростно́м ли́фте мы подняли́сь на два́дцать четвёртый эта́ж и вы́шли на балко́н. Вокру́г гла́вного ко́рпуса, в кото́ром мы находи́лись, раски́нулся университе́т-

ский городо́к: зда́ния факульте́тов, ботани́ческий сад, спорти́вные площа́дки, обсервато́рия. В я́сную пого́ду отсю́да, с са́мой высо́кой то́чки Москвы́, открыва́ется прекра́сный вид на го́род.

Мы спусти́лись вниз, на шесто́й эта́ж. Никола́й повёл нас в оди́н из двадцати́ двух чита́льных за́лов библиоте́ки. В за́лах занима́ются студе́нты, аспира́нты, преподава́тели и профессора́. Библиоте́ка университе́та — одна́ из богате́йших библиоте́к Сове́тского Сою́за. В её фо́ндах бо́льше пяти́ с полови́ной миллио́нов томо́в.

Из библиоте́ки мы пошли́ в общежи́тие. Никола́й показа́л нам, в каки́х ко́мнатах живу́т студе́нты. В небольшо́й, но удо́бной и све́тлой ко́мнате стои́т пи́сьменный стол, ма́ленький обе́денный стол, кни́жный шкаф, дива́н. На ка́ждом этаже́ есть ку́хни, где студе́нты мо́гут гото́вить обе́д. Но студе́нты ре́дко гото́вят до́ма. В зда́нии университе́та четы́ре столо́вых, не́сколько буфе́тов, магази́н, по́чта, телегра́ф, парикма́херская, поликли́ника.

— Е́сли студе́нт бои́тся моро́зов, он мо́жет всю зи́му прожи́ть в зда́нии, не выходя́ на у́лицу, — пошути́л я.

— У вас есть таки́е студе́нты? — пове́рила Мари́на.

— Коне́чно, нет, — оби́делся Никола́й. — Почти́ все на́ши студе́нты занима́ются спо́ртом. Пойдёмте, я покажу́ вам гимнасти́ческий зал и бассе́йн.

Когда́ мы пришли́ в клуб, зал был уже́ по́лон. Мы нашли́ свобо́дные места́, се́ли, и Никола́й рассказа́л нам немно́го о клу́бе.

В клу́бе, и́ли в До́ме культу́ры, как его́ называ́ют, рабо́тает о́коло тридцати́ кружко́в самоде́ятельности (3): студе́нты пою́т в хо́ре, танцу́ют, игра́ют в орке́стре; у них есть свой студе́нческий теа́тр. Зри́тельный зал клу́ба вмеща́ет восемьсо́т зри́телей. Почти́ ка́ждый день здесь мо́жно посмотре́ть что́-нибудь интере́сное: спекта́кль, но́вый фильм, конце́рт.

В тот ве́чер в клу́бе была́ встре́ча студе́нтов МГУ со студе́нтами Ленингра́дского университе́та. В за́ле пога́с свет, на сце́ну вы́шел студе́нт, и на э́том зако́нчилась на́ша экску́рсия по Моско́вскому университе́ту.

КОММЕНТАРИИ

(1). студе́нческий ве́чер   student evening

Ве́чер is used in the sense of a literary evening or social gathering.

За́втра у на́с в клу́бе бу́дет *ве́чер*.	Tomorrow there will be a social evening at our club.
Вчера́ мы бы́ли на *ве́чере* в университе́те.	Last night we were at a concert in the university.
(2). гуманита́рные факульте́ты	arts faculties
гуманита́рные нау́ки	arts
есте́ственные факульте́ты	science faculties
есте́ственные нау́ки	natural sciences
(3). кружо́к худо́жественной самоде́ятельности	student amateur societies which organize concerts and literary evenings where students themselves perform
худо́жественная самоде́ятельность	amateur cultural activities

ДИАЛОГИ

I

— Вы у́читесь в МГУ?
— Да.
— На како́м факульте́те?
— На физи́ческом.
— На како́м ку́рсе?
— На пя́том.
— Ско́лько лет у́чатся в университе́те?
— Пять лет.
— Зна́чит, вы ско́ро ко́нчите университе́т?
— Да, в э́том году́. Че́рез два́ ме́сяца я бу́ду защища́ть дипло́м, пото́м сдава́ть госуда́рственные экза́мены. И по́сле всего́ э́того я получу́ дипло́м об оконча́нии университе́та.

— Вы студе́нт?

— Да, я студе́нт.

— А где вы у́читесь?

— Я учу́сь в Моско́вском университе́те, на истори́ческом факульте́те.

— Я ви́жу, вы не москви́ч. (1)

— Да, я поля́к и до про́шлого го́да жил у себя́ на ро́дине, в По́льше.

— Ско́лько вре́мени вы живёте в Москве́?

— Уже́ семь ме́сяцев.

— Вы хорошо́ говори́те по-ру́сски. Вы давно́ изуча́ете ру́сский язы́к?

— До прие́зда в Сове́тский Сою́з я почти́ не зна́л языка́. Я уме́л то́лько чита́ть по-ру́сски. А сейча́с я свобо́дно говорю́, слу́шаю ле́кции на ру́сском языке́ и чѐрез два́ ме́сяца бу́ду сдава́ть экза́мены по исто́рии и литерату́ре вме́сте с ру́сскими студе́нтами.

— Каки́е предме́ты вы изуча́ете сейча́с?

— Исто́рию, литерату́ру, филосо́фию, ру́сский язы́к. Кро́ме ру́сского, я изуча́ю ещё и че́шский язы́к, та́к как хочу́ специализи́роваться по исто́рии славя́нских стран.

III

— Здра́вствуй, Ви́ктор!

— Здра́вствуй, Джон! Как твои́ дела́?

— Спаси́бо, хорошо́. У на́с сейча́с се́ссия. (2) Я уже́ сдал три экза́мена. За́втра сдаю́ после́дний. (3)

— Как сдаёшь?

— Пока́ всё на «отли́чно».

— А что сдаёшь за́втра?

— Матема́тику.

— Ну, ни пу́ха ни пера́! (4)

IV

— Ни́на, где рабо́тает ваш брат?

— И́горь? Он сейча́с не рабо́тает. В про́шлом году́ он поступи́л в аспиранту́ру.

— Он экономист?

— Да, он кончил экономический факультет. Сейчас он пишет диссертацию. Игорь очень много работает. Я уверена, что он успешно защитит её.

— Он получает стипендию?

— Конечно.

— Какая у него стипендия?

— Сто рублей.

КОММЕНТАРИИ

(1). — Я вижу, вы не москвич.

— Да, я поляк.

— I see you are not a Moscovite.

— No, I am not. I am a Pole.

When the question is in the negative (form), answers such as the following may be given:

— Вы не москвич?

1. — *Нет*, я не москвич. — *No*, I am not.
2. — *Да*, я не москвич. — *No*, I am not.
3. — *Нет*, я москвич. — *Yes*, I am.

In answer (1) the fact (of being a Moscovite) is negated. In answers (2), (3) the supposition made in the question is negated or confirmed:

       2. Да, (you are right) я не москвич.

       3. Нет, (you are wrong) я москвич.

When the question contains a negation there must be some negation in the answers. The answer to the question **Вы не москвич?** cannot be **Да, я москвич.**

— Вы никогда не были в Москве?

— *Нет*, никогда не был.

— *Да*, никогда *не* был.

— *Нет*, был в прошлом году.

— You have never been to Moscow?

— *No*, never.

— *No*, never.

— *Yes*, I have. I was there last year.

— Вы не говорите по-русски?

— *Нет*, не говорю.

— *Да*, *не* говорю.

— *Нет*, говорю.

— You don't speak Russian?

— *No*, I don't.

— *No*, I don't.

— *Yes*, I do.

(2). У нас сейчас сéссия.　　　It is now exam time.

(3). Завтра сдаю послéдний　　Tomorrow I shall take my
(экзáмен).　　　　　　　　　last examination.

In Russian the present tense is often used loosely for the future:

Завтра *сдаю*.　　　　　instead of　　Завтра *буду сдавáть*.

Вы *идёте* в суббóту　　instead of　　Вы *пойдёте* в суббóту
на вéчер?　　　　　　　　　　　　　на вéчер?

Вы *éдете* в Ленин-　　instead of　　Вы *поéдете* в Ленингрáд зáвтра или　　　　　　　　　　грáд зáвтра или
послезáвтра?　　　　　　　　　　　послезáвтра?

(4). Ни пýха ни перá!　　　　Good luck!

ЗАПОМНИТЕ:

учúться в университéте	to study at the University
— на факультéте	at the faculty
— на пéрвом кýрсе	in the first year
поступáть ⎫ в университéт поступúть ⎭	to enter (to begin) University
кончáть ⎫ университéт кóнчить ⎭	to graduate from the University
сдавáть ⎫ экзáмен сдать ⎭	to take ⎫ examination to pass ⎭
защищáть ⎫ диплóм, защитúть ⎭ диссертáцию	to defend a diploma, a degree thesis

---

УПРАЖНЕНИЯ

I. Отвéтьте на вопрóсы.

A. 1. Когдá был оснóван Москóвский университéт?

2. Скóлько факультéтов в Москóвском университéте?

3. Где нахóдится нóвое здáние Москóвского университéта?

4. Какúе факультéты называются гуманитáрными?

5. Какúе факультéты называются естéственными?

6. Где занимáются студéнты?

7. Где онú слýшают лéкции?

8. Где отдыхáют студéнты?

9. Где онú занимáются спóртом?

10. Где живýт студéнты-немосквичú?

Б.
1. В како́м университе́те вы у́читесь?
2. Когда́ был осно́ван ваш университе́т?
3. Каки́е факульте́ты есть в ва́шем университе́те?
4. На како́м факульте́те вы у́читесь?
5. Кака́я у вас специа́льность?
6. Каки́е предме́ты вы изуча́ете?
7. Кем вы бу́дете по́сле оконча́ния университе́та?
8. Где́ бы вы хоте́ли рабо́тать по́сле оконча́ния университе́та?

II. Переде́лайте предложе́ния, замени́в вы́деленные слова́ сочета́нием *оди́н из + роди́тельный паде́ж.*

Образец: Это *наш преподава́тель.* — Это *оди́н из на́ших преподава́телей.*

1. В университе́те я встре́тил *своего́ знако́мого.* 2. В за́ле я увидел *на́шего студе́нта.* 3. Я вспо́мнил о *своём това́рище.* 4. Джон — *англи́йский студе́нт,* обуча́ющийся в *Моско́вском университе́те.* 5. На́ша библиоте́ка — *са́мая больша́я и бога́тая университе́тская библиоте́ка.* 6. Ко мне подошёл *оди́н преподава́тель.* 7. Я взял в библиоте́ке *но́вую кни́гу.*

III. Замени́те акти́вные констру́кции пасси́вными.

Образец: Моско́вский университе́т *основа́л* М. В. Ломоно́сов. — Моско́вский университе́т *осно́ван* М. В. Ломоно́совым.

1. Это зда́ние постро́или две́сти лет наза́д. 2. В на́шем райо́не ско́ро откро́ют но́вую библиоте́ку. 3. Все студе́нты успе́шно сда́ли экза́мены. 4. В лаборато́рии всё пригото́вили для заня́тий. 5. На собра́нии объяви́ли, что экза́мены начну́тся 25 ма́я. 6. Письмо́ посла́ли то́лько вчера́.

IV. Вме́сто то́чек вста́вьте местоиме́ние *свой* **йли други́е притяжа́тельные местоиме́ния.**

1. В ... университе́те четы́рнадцать факульте́тов. 2. Студе́нты лю́бят ... университе́т. Студе́нты — патрио́ты ... университе́та. 3. Аспира́нт показа́л профе́ссору ... диссерта́цию. Профе́ссору понра́вилась .. диссерта́ция. 4. Ле́ктор заинтересова́л нас ... докла́дом. Я внима́тельно слу́шал ... докла́д. По́сле ... докла́да ле́ктор отвеча́л на ... вопро́сы. 5. Я взял кни́гу у ... това́рища. Я потеря́л ... кни́гу. 6. Профе́ссор Гро́мов прекра́сно зна́ет ... специа́льность и о́чень интере́сно чита́ет ле́кции. На ... ле́кциях всегда́ мно́го наро́ду.

V. Вместо точек вставьте глаголы в нужной форме. Перескажите текст.

Вчера в Москву ... делегация английских преподавателей русского языка. Сегодня утром делегаты ... в Московский университет. Они ... туда на автобусе. Автобус ... к главному входу. Все ... из автобуса. Многие начали фотографировать здание университета. Когда делегаты ... в здание, к ним ... молодая девушка. «Вы преподаватели из Англии? Я ваш экскурсовод».

(ехать, поехать, приехать, подъехать, войти, выйти, подойти)

VI. Замените сложные предложения простыми.

Образец: До того как я приехал в Лондон, я жил в Бристоле. —
До приезда в Лондон я жил в Бристоле.

1. До того как я поступил в университет, я работал на заводе. 2. Я никогда не говорил по-русски, до того как встретил вас. 3. Он стал работать в библиотеке, после того как окончил школу. 4. После того как я окончу университет, я буду работать преподавателем. 5. Я много слышал о вас ещё до того, как познакомился с вами. 6. До того как начнутся экзамены, осталось две недели. 7. После того как вы поужинаете, приходите в клуб.

VII. Вставьте союз *что* или *чтобы*.

1. Я знаю, ... завтра у вас экзамен. 2. Я думаю, ... мы хорошо сдадим этот экзамен. 3. Я хочу, ... наши студенты хорошо сдали этот экзамен. 4. Вы знаете, ... сегодня у нас не будет лекции по биохимии? 5. Вы думаете, ... наш преподаватель заболел? 6. Мы заметили, ... на последнем занятии наш преподаватель плохо себя чувствовал. 7. Мы хотим, ... завтра у нас было занятие по биохимии. 8. Мне кажется, ... я уже читал эту книгу. 9. Мне хочется, ... вы прочитали эту книгу.

VIII. Замените прямую речь косвенной.

1. Преподаватель сказал нам: «Завтра мы начнём изучать новую тему». Один студент спросил: «Какую тему мы начнём изучать?» 2. Студентка попросила преподавателя: «Объясните, пожалуйста, это правило ещё раз». 3. Преподаватель спросил: «Когда у вас было последнее занятие по русскому языку?» Мы ответили: «В прошлую пятницу». 4. Профессор сказал нам: «Обязательно прочитайте эту книгу». 5. Мой сосед спросил меня: «Ты понял последнюю лекцию?» 6. Один студент спросил меня: «Вы всё поняли в последней лекции?» 7. В общежитии я спросил: «Мне нет письма?» Дежурный ответил: «Вам есть письмо». 8. В письме мой друг пишет: «Мне очень хочется приехать в Москву».

IX. Прочитайте даты:

а) 27 апреля 1755 года, 14 июля 1789 года, 7 ноября 1917 года, 1 января 1930 года, 18 марта 1942 года, 12 апреля 1961 года;

б) 10/II-1830 г., 15/IV-1924 г., 31/VII-1951 г., 2/IX-1893 г., 23/XII-1755 г., 6/VI-1963 г.

X. Составьте вопросы, на которые отвечали бы следующие предложения.

1. — ...... ?
— Московский университет был основан Ломоносовым.

2. — ...... ?
— В новом здании учатся студенты естественных факультетов.

3. — ...... ?
— Мой брат учится на философском факультете.

4. — ...... ?
— Да, он получает стипендию.

5. — ...... ?
— Послезавтра мы сдаём экзамен по истории.

6. — ...... ?
— Обычно я занимаюсь в библиотеке университета.

7. — ...... ?
— После окончания университета я буду преподавателем русского языка.

XI. Переведите на русский язык.

1. There are six faculties in our university. I'm in the history faculty. I'm reading (*lit.* studying) Russian history. When I leave the university I'm going to teach history.

2. My brother is a second year student (*lit.* in his second year) at the university. He's doing Russian language and literature. He wants to be a teacher.

3. — Are you a student or are you working?
— I'm studying.
— Where?
— At the university.

4. There are students from 65 countries at Moscow University.

5. A university course lasts five years (*lit.* They study for five years at the university).

6. — What subjects do students take in their first year in the Arts Faculty?
— History, Old Russian Literature and History of the Russian Language.

7. This student works very hard.

8. — Where do you like to work, at home or in the library?
— I like working in the library.

9. Our students are fond of sports. Some play football or volley-ball, others do gymnastics, others go swimming.

10. There are amateur societies in the students' union (*lit.* university club). I'm a member of the Dramatic Society.

11. — I've not seen you for a long time.
— We've got exams.
— How are you getting on?
— All right, so far.
— How many exams have you done?
— Three.
— How many more are there?
— One.
— What are you doing after the exams?
— I'm going home to my parents.

XII. Расскажи́те о ва́шем университе́те.

XIII. Соста́вьте диало́г ме́жду студе́нтами, сдаю́щими экза́мены.

XIV. Прочита́йте и расскажи́те шу́тки.

Оди́н челове́к прие́хал к го́род навести́ть сы́на, кото́рый учи́лся в университе́те. Он подошёл к до́му, где жил его́ сын, и позвони́л.

Дверь откры́ла пожила́я же́нщина, хозя́йка кварти́ры.

— Здесь живёт студе́нт Джон Смит?

— Он студе́нт? А я ду́мала, что он ночно́й сто́рож, — отве́тила хозя́йка.

* * *

— У меня́ сего́дня экза́мен, а я ничего́ не зна́ю.

— О чём же ты ду́мал вчера́?

— Вчера́ я ду́мал о том, что за́втра у меня́ экза́мен, а я ничего́ не зна́ю.

* * *

Оди́н профе́ссор отдыха́л на берегу́ мо́ря. Одна́жды он реши́л поката́ться на ло́дке. Си́дя в ло́дке, он заговори́л с матро́сом.

— Скажи́, мой друг, — спроси́л он, — ты хорошо́ зна́ешь фи́зику?

— Извини́те, — сказа́л матро́с, — я не зна́ю фи́зики.

— Несча́стный, — воскли́кнул профе́ссор, — ты потеря́л треть жи́зни.

Чѐрез не́сколько мину́т профе́ссор спроси́л:

— Но ты, наве́рное, хорошо́ зна́ешь астроно́мию?

— Нет, — отве́тил матро́с, — я никогда́ не изуча́л астроно́мии.

— Несча́стный, — повтори́л профе́ссор, — ты потеря́л две тре́ти свое́й жи́зни.

В э́то вре́мя подня́лся си́льный ве́тер и ло́дка ста́ла тону́ть.

— Вы уме́ете пла́вать? — спроси́л матро́с профе́ссора.

— Нет, не уме́ю, — жа́лобно простона́л профе́ссор.

— Держи́тесь за меня́, да кре́пче. Ина́че вы потеря́ете три тре́ти свое́й жи́зни сра́зу.

19

ЭКСКУРСИЯ ПО МОСКВЕ

Дорогие читатели!

Предлагаем вам совершить небольшую экскурсию по Москве. Представьте себе, что мы с вами находимся в самом центре Москвы — на Красной площади. Перед нами Кремль — старинная крепость, окружённая стеной с высокими башнями. В Кремле заседает Верховный Совет СССР и РСФСР, собираются съезды Коммунистической партии Советского Союза, проходят всесоюзные совещания работников промышленности, сельского хозяйства, науки и культуры.

Налево от нас — храм Василия Блаженного, памятник русской архитектуры XVI века. Направо — Исторический музей. Перед Кремлёвской стеной — Мавзолей В. И. Ленина. Ежедневно тысячи москвичей и гостей Москвы приходят сюда, чтобы почтить память великого человека и вождя.

Отсюда по тихим улицам Замоскворечья и новому широкому Ленинскому проспекту мы с вами поедем на Ленинские горы. В 1953 году здесь было построено огромное здание Московского государственного университета. С балкона двадцать четвёртого этажа открывается прекрасная панорама Москвы. Внизу, прямо перед нами, Лужники — Центральный стадион имени В. И. Ленина. Это целый комплекс спортивных сооружений: стадион на сто тысяч человек, Дворец спорта, бассейн, десятки спортивных площадок. Сюда на соревнования и дружеские спортивные встречи часто приезжают спортсмены из разных концов Советского Союза и других стран мира.

Немного правее стадиона вы видите двухъярусный мост через Москву-реку для пешеходов, автотранспорта и метро.

За мостом вдоль Москвы-реки тянется сплошная зелёная полоса Парка культуры и отдыха имени Горького. Справа от университета вы видите кварталы больших жилых домов. Это новый район Москвы, выросший на юго-западе столицы за последние пять-шесть лет. На примере этого района видно, как меняется облик нашего города. Сегодняшняя Москва — город широких проспектов, набережных, зелёных бульваров, красивых мостов, новых многоэтажных зданий. Отсюда, с Ленинских гор, по набережной Москвы-реки мы проедем к гостинице «Украина». Это одно из семи высотных зданий Москвы. Затем мы выезжаем на Садовое кольцо, широкой лентой опоясывающее центральную часть города.

Мы едем по кольцу мимо высотного жилого дома на площади Восстания, мимо дома-музея Чехова, мимо концертного зала имени Чайковского.

На площади Маяковского мы поворачиваем направо и выезжаем на центральную улицу Москвы — улицу Горького. Мы едем к центру города. Слева остаётся памятник Пушкину, памятник основателю Москвы — князю Юрию Долгорукому, справа — музей Революции, здание Московского Совета, Центральный телеграф. Мелькают витрины

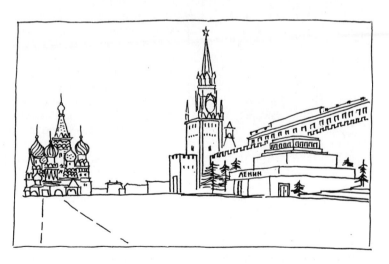

Москва. Красная площадь.

магази́нов, назва́ния кинотеа́тров, гости́ниц, рестора́нов, кафе́.

Впереди́ видны́ ба́шни Кремля́, но мы свернём нале́во — на пло́щадь Свердло́ва. Здесь мы выхо́дим из авто́буса и остана́вливаемся пе́ред зда́нием, кото́рое, наве́рное, уже́ знако́мо вам. Это Большо́й теа́тр — го́рдость москвиче́й, теа́тр, заслу́женно по́льзующийся сла́вой не то́лько в на́шей стране́, но и за рубежо́м. На э́той же пло́щади нахо́дятся Ма́лый теа́тр и Центра́льный де́тский теа́тр, поэ́тому до сих пор иногда́ э́ту пло́щадь называ́ют Театра́льной.

Напро́тив Большо́го теа́тра, в скве́ре, стои́т па́мятник Ка́рлу Ма́рксу. А немно́го да́льше, на пло́щади Револю́ции, нахо́дится зда́ние, в кото́ром стреми́тся побыва́ть ка́ждый, кто приезжа́ет в Москву́. Это музе́й Влади́мира Ильича́ Ле́нина.

Москва́. Пу́шкинская пло́щадь.

На́ша экску́рсия подхо́дит к концу́. Коне́чно, мы с ва́ми ви́дели лишь небольшу́ю часть из того́ интере́сного, что сто́ит посмотре́ть в Москве́. Одни́х музе́ев в Москве́ о́коло восьми́десяти, среди́ них Третьяко́вская галере́я, Музе́й изобрази́тельных иску́сств и́мени Пу́шкина, дом-музе́й Льва Толсто́го, Политехни́ческий музе́й, Музе́й исто́рии и реконстру́кции Москвы́. Но са́мое интере́сное в Москве́ — э́то москвичи́, энерги́чные, жизнера́достные, интере́сные и гостеприи́мные лю́ди. В э́том вы мо́жете убеди́ться са́ми. Приезжа́йте в Москву́ — посмотри́те го́род, познако́мьтесь с москвича́ми, поговори́те с ни́ми по-ру́сски.

APPENDIX

КАК МЫ ГОВОРИМ В РАЗНЫХ СЛУЧАЯХ
WHAT WE SAY ON DIFFERENT OCCASIONS

При встрече мы говорим:

Доброе утро!
Добрый день!
Добрый вечер!
Здравствуй(те)!
Очень рад вас видеть!
Сколько лет, сколько зим!
Какая приятная встреча!

On meeting people we say:

Good morning!
Good afternoon!
Good evening!
How do you do!
I am very glad to see you.
I haven't seen you for ages!
How wonderful meeting you!

При расставании мы говорим:

До свидания!
До завтра (до вечера, до субботы, до следующей недели).
До скорой встречи.
Надеюсь, скоро увидимся.
Всего хорошего.
Привет всем.
Передайте привет всем знакомым.
Привет и наилучшие пожелания вашей семье.
Счастливого пути!
Приятного путешествия!
Спокойной ночи!

When taking leave we say:

Good-bye!
Till tomorrow (tonight, Saturday, next week).

See you soon.
Hope to see you soon.
All the best.
My regards to all.
My regards to all our friends.

Remember me to your family.
I wish you a happy journey!
A happy journey to you!
Good night!

Когда́ мы хоти́м кого́-нибудь поздра́вить, мы говори́м:

Поздравля́ю вас с пра́здником (с днём рожде́ния, с Но́вым го́дом)!
С пра́здником!
С днём рожде́ния!

С Но́вым го́дом!
Поздравля́ю вас с... и жела́ю вам успе́хов в рабо́те (учёбе) и сча́стья.

Жела́ю успе́хов во всём и сча́стья!

При знако́мстве мы говори́м:

Вы не знако́мы?
Познако́мьтесь.
Разреши́те   предста́вить }
вам...
Разреши́те предста́вить вас ...
Очень рад познако́миться с ва́ми.

Если мы хоти́м обрати́ться с про́сьбой, мы говори́м:

Скажи́те, пожа́луйста...
Бу́дьте добры́...
Не ска́жете ли вы...?
Вы не ска́жете мне...?
Разреши́те спроси́ть вас...?

Мо́жно спроси́ть вас...?
Мо́жно вас попроси́ть...?

Если мы хоти́м попроси́ть извине́ния, мы говори́м:

Прости́те, пожа́луйста.
Извини́те, пожа́луйста.

When we want to congratulate a person we say:

I congratulate you on the occasion (of your birthday, of the New Year)!
Best wishes of the season!
Many happy returns of the day!
A happy New Year to you!
I congratulate you on ... and I wish you success in your work (studies) and happiness.

I wish you every success and happiness!

When we have been introduced we say:

Have you met before?

May I introduce ... to you?

May I introduce you to ...?
I am pleased to meet you.

When we want to ask a person for a favour we say:

Please tell me ...
Will you be so kind as ...?
Would you kindly tell me ...?
Can you tell me ...?
Would you mind telling me ...?
May I ask you ...?
May I ask you ...?

When we want to apologize we say:

I am sorry.
Excuse me.

Прошу́ прости́ть меня́. ⎫ Прошу́ извине́ния. ⎭	I beg your pardon.

В отве́т на извине́ние мы говори́м:

In reply to an apology we say:

Ничего́, пожа́луйста.	Don't mention it.
Ничего́, не беспоко́йтесь.	It's all right.
Пустяки́, ничего́ стра́шного.	It doesn't matter.

Если мы хоти́м поблагода- ри́ть кого́-нибудь, мы говори́м:

When we want to express our gratitude we say:

Спаси́бо.	Thanks.
Большо́е (огро́мное) спаси́бо.	Thank you very much indeed.
Благодарю́ вас.	Thank you.
Я вам о́чень благода́рен (благода́рна).	I am very grateful to you.
Я вам так благода́рен (благо- да́рна).	I am so grateful to you.
Я вам о́чень призна́телен (призна́тельна).	I am extremely grateful to you.

В отве́т на благода́рность мы говори́м:

In reply to an expression of gratitude we say:

Пожа́луйста.	It's all right.
Не сто́ит говори́ть об э́том.	Don't mention it.

Если мы хоти́м вы́разить на́ше согла́сие, мы говори́м:

When we want to express our agreement we say:

Да.	Yes.
Хорошо́.	All right.
Да, коне́чно.	Yes, of course.
Разуме́ется.	Certainly.
Ду́маю, что э́то так.	I think so.
По-мо́ему, вы пра́вы.	I think you are right.
Я с ва́ми вполне́ согла́сен (согла́сна).	I quite agree with you.
Соверше́нно ве́рно.	Quite right.
Без сомне́ния.	Undoubtedly.

Если мы хотим выразить несогласие, мы говорим:	When we want to express disagreement we say:
Я не согласен (согласна) с вами.	I can't agree with you.
Боюсь, что вы не правы.	I am afraid you are wrong.
К сожалению, я не могу согласиться с вами.	I am sorry, but I can't agree with you.
Я думаю иначе.	I think differently.
Нет, я не могу.	No, I can't.
Спасибо, я не хочу.	Thank you, but I don't want (that).

Мы очень часто задаём следующие вопросы:	We very often ask these questions:
Что это?	What is that?
Что с вами?	What is the matter with you?
Что случилось?	What has happened?
Что это значит?	What does that mean?
Что нового?	What is the news?
Простите, что вы сказали? ⎫ Как вы сказали? ⎭	I beg your pardon (I didn't catch what you said).
Что вы имеете в виду?	What do you mean?
Что бы вы хотели (купить, заказать)?	What would you like (to buy, to order)?
Что идёт (в кино, в театре)?	What is on (at the cinema, at the theatre)?
Что сегодня в программе?	What is on the programme?
Кто это?	Who is that (he, she)?
Кто этот человек?	Who is that person?
Кто это был? ⎫ Кто приходил? ⎭	Who was that?
Кто вам сказал об этом?	Who told you that?
Как вас зовут? ⎫ Как ваше имя? ⎭	What is your name?
Как поживаете?	How are you getting on?
Как дела?	How are things?
Как вы себя чувствуете? ⎫ Как (ваше) здоровье? ⎭	How are you?

Как семья?	How are your family?
Как дети?	How are your children?
Как вы провели праздники (каникулы)?	How did you spend the holiday (vacation)?
Как называется эта книга (этот фильм, эта улица)?	What is the title of that book? What is the name of this film (of this street)?
Как вам нравится...?	How do you like ...?
Как по-русски...?	What is the Russian for ...?
Как проехать...? Как пройти...? Как доехать до...?	How do I get to ...?
Как долго вы ждали нас?	How long have you been waiting for us?
Как часто вы ходите в театр?	How often do you go to the theatre?
Сколько раз вы были в Советском Союзе?	How many times did you visit the Soviet Union?
Сколько стоит...?	How much is ...?
Сколько вам билетов?	How many tickets do you need?
Сколько лет вашему сыну (вашей дочери)?	How old is your son (daughter)?
Какой сегодня день (недели)?	What day of the week is today?
Какое сегодня число?	What is today's date?
Который час?	What time is it?
Какая разница между...?	What is the difference between ...?
Какая это остановка?	What stop is this?
В чём дело?	What is the matter?
О чём идёт речь?	What is it all about?

VOCABULARY

Abbreviations

acc. — accusative case
adj. — adjective
adv. — adverb
colloq. — colloquial
comp. — comparative
conj. — conjunction
dat. — dative case
f — feminine gender
fut. — future
gen. — genitive case
gen. pl. — genitive plural
imp. — imperfective aspect
impers. — impersonal
instr. — instrumental case

m — masculine gender
n — neuter gender
not decl. — not declined
num. — numeral
p — perfective aspect
part. — participle
pers. — person
pl. — plural
pred. — predicate
prep. — preposition
prepos. — prepositional case
pron. — pronoun
I — 1st conjugation
II — 2nd conjugation

А, а

а *conj.* while, and; but
авиапо́чта *f* airmail; (посыла́ть) ~ой send by airmail
авто́бусн|ый, -ая, -ое; -ые bus; ~ая остано́вка bus stop
автомаши́на *f* or маши́на *f* motor-car
авторучка *f* (*gen. pl.* авторучек) fountain-pen
адреса́т *m* addressee
англи́йск|ий, -ая, -ое; -ие English; ~ язы́к English
англича́нин *m* (*pl.* англича́не, англича́н) Englishman •
апте́ка *f* chemist's (shop); drug-store
арти́ст *m* actor
арти́стка *f* (*gen. pl.* арти́сток) actress

аспира́нт *m* post-graduate (student)
аспиранту́ра *f* post-graduate course
аудито́рия *f* room, lecture-hall

Б, б

ба́бушка *f* (*gen. pl.* ба́бушек) grandmother, granny
бакале́я *f* grocery
балери́на *f* ballet-dancer
бандеро́ль *f* book and small parcel post; посыла́ть ~ю send by book-post
ба́нка *f* (*gen. pl.* ба́нок) jar; tin
бассе́йн *m* swimming-pool
ба́шня *f* (*gen. pl.* ба́шен) tower
бе́гать *I imp.* run
бе́дн|ый, -ая, -ое; -ые poor
бежа́ть *imp.* (бегу́, бежи́шь... бегу́т) run
бе́жев|ый, -ая, -ое; -ые beige

без *prep.* (+ *gen.*) without
бел|ый, -ая, -ое; -ые white
бельё *n* linen; underclothes
бе́рег *m* (*prep.* о бе́реге ‖ на бе-
регу́; *pl.* берега́) bank; shore;
coast
бесе́довать *I imp.* (бесе́дую, бе-
се́дуешь) talk
беспоко́ить *II imp.* worry, trouble,
disturb
беспоко́йство *n* anxiety, uneasi-
ness, trouble
бессо́нница *f* sleeplessness
биле́т *m* 1. ticket; 2. card
био́лого-по́чвенный: ~ факульте́т
biology and soil faculty
бифште́кс *m* beefsteak
благода́рен, благода́рн|а, -о; -ы
short adj. grateful
благодари́ть *II imp.* thank
благодаря́ *prep.* (+ *dat.*) thanks
to
бланк *m* form
блестя́щ|ий, -ая, -ее; -ие brilliant
ближа́йш|ий, -ая, -ее; -ие nearest,
next
бли́же (*comp. of* бли́зкий & бли́з-
ко) nearer
бли́зко near, close
блокно́т *m* notebook
блю́до *n* 1. dish; 2. course
богате́йш|ий, -ая, -ее; -ие very
rich
бога́т|ый, -ая, -ое; -ые rich; ~
вы́бор wide choice
бодр|ый, -ая, -ое; -ые cheerful;
brisk
бока́л *m* glass
болга́рск|ий, -ая, -ое; -ие Bul-
garian
бо́лее more
боле́льщик *m* fan
бо́лен, больн|а́; -ы́ *short adj.* ill;
я ~ I am ill
боле́ть[1] *I imp.* 1. чем (боле́ю, бо-
ле́ешь) be ill; be down (with);
2. за кого́ support (a team or
sportsman) enthusiastically
боле́ть[2] *II imp.* (боли́т, боля́т;
3rd pers. only) hurt, ache, be
sore; у меня́ боли́т голова́ I
have a headache

боль *f* pain; головна́я ~ headache
больни́ца *f* hospital
бо́льно *predic. impers.* it is pain-
ful; мне ~ it hurts me
больн|о́й, -а́я, -о́е; -ы́е sick; sore
больно́й *m* sick person
бо́льше (*comp. of* большо́й & мно́-
го) bigger, larger; more
бо́льш|ий, -ая, -ее; -ие (*comp. of*
большо́й) greater; ~ая часть
the greater/most part
больш|о́й, -а́я, -о́е; -и́е big, large;
great
бортпроводни́ца *f* air stewardess
борщ *m* (*gen.* борща́) borshch
(*beetroot and cabbage soup*)
борьба́ *f* struggle; fight
ботани́ческ|ий, -ая, -ое; -ие bo-
tanical
боти́нки *pl.* (*sing.* боти́нок *m*)
boots
боя́ться *II imp.* be afraid
брат *m* (*pl.* бра́тья, бра́тьев)
brother
брать *I imp.* (беру́, берёшь; *past*
брал, -о, -и, брала́) take
бри́ться *I imp.* (бре́юсь, бре́ешься)
shave
броди́ть *II imp.* (брожу́, бро́дишь)
wander
броса́ть *I imp.* throw; give up
брю́ки *only pl.* (*gen.* брюк) trousers
бу́дничн|ый, -ая, -ое; -ые every-
day, prosaic
бу́дущее *n* future
бу́дущ|ий, -ая, -ее; -ие future
бу́лочка *f* (*gen. pl.* бу́лочек) roll,
bun
бу́лочная [-шн-] *f* baker's
бульо́н *m* broth
бума́га *f* paper
бума́жник *m* wallet
бу́сы *only pl.* (*gen.* бус) beads
бутербро́д *m* sandwich
буты́лка *f* (*gen. pl.* буты́лок)
bottle
быва́ть *I imp.* be, visit, stay; happen
бы́стро quickly; fast
быть *imp.* (*present* есть *usually
is omitted; fut.* бу́ду, бу́дешь...
бу́дут; *past* был, -о, -и, была́)

be; **В комнате было много стульеев.** There were many chairs in the room. **У меня была книга.** I had a book.

бюро *n* (*not decl.*) bureau, office; ~ **обслуживания** service bureau

В, в

в, во *prep.* (+ *prepos. & acc.*) in, into; to, at

важн|ый, -ая, -ое; -ые important

ванная *f* bathroom

варён|ый, -ая, -ое; -ые boiled

вдвоём two (together)

вдоль *prep.* (+ *gen.*) along

вдруг suddenly

ведь *particle* you see, you know

везти *I impers.* (везёт; везло) be lucky; **ему везёт** he is lucky

век *m* (*pl.* века) century, age

велеть *II imp. & p.* order

велик, велик|а, -о; -й (*short form of* большой) too big, too large

велик|ий, -ая, -ое; -ие great

велосипед *m·*bicycle; **кататься на ~e** cycle

велосипедист *m* cyclist

верить *II imp.* believe

верно right, correctly; **это ~** it is true

вернуться *I p* (вернусь, вернёшься) return

Верховный Совет the Supreme Soviet

вес *m* weight

весело *adv.* gaily, merrily; **мне ~** *predic. impers.* I am enjoying myself

весёл|ый, -ая, -ое; -ые merry, gay

весенн|ий, -яя, -ее; -ие spring

весна *f* spring

весной in spring

вести *I imp.* (веду, ведёшь... ведут; *past* вёл, вел|а, -о; -й) lead

весь, вся, всё; все all, whole; **всё** everything; **все** everybody; all

ветер *m* (*gen.* ветра) wind

вечер *m* (*pl.* вечера) evening; evening party, social gathering

вечером in the evening; **сегодня ~** this evening, tonight

вещь *f* (*gen. pl.* вещей) thing

взвесить *II p* (взвешу, взвесишь) weigh

взять *I p* (возьму, возьмёшь; *past* взял, -о, -и, взяла) take

вид[1] *m* sight, view; look, aspect

вид[2] *m* kind, sort

видеть *II imp.* (вижу, видишь) see

видеться *II imp.* (вижусь, видишься) *с кем* see each other

видно *predic. impers.* one can see

вилка *f* (*gen. pl.* вилок) fork

вино *n* (*pl.* вина) wine

виноград *m* vine, grapes

висеть *II imp.* (вишу, висишь) hang

витрина *f* shop window

вкус *m* taste

вкусно *predic. impers:* **это ~** it's tasty

вкусн|ый, -ая, -ое; -ые tasty

вместе together

вместо *prep.* (+ *gen.*) instead of, in place of

вмещать *I imp.* contain, hold; seat

внешн|ий, -яя, -ее; -ие outward, external

вниз (*куда?*) down, downwards

внизу (*где?*) below

внимание *n* attention, notice

внимательно attentively, carefully

вничью: сыграть ~ draw

внук *m* grandson

внутренн|ий, -яя, -ее; -ие inside, interior, inner

внутри *adv. & prep.* (+ *gen.*) inside, in

внутрь *adv. & prep.* (+ *gen.*) inside, in(to)

внучка *f* (*gen. pl.* внучек) granddaughter

во время *prep.* (+ *gen.*) during

вовремя in time

вода *f* (*acc.* воду; *pl.* воды) water

водить *II imp.* (вожу, водишь) lead, conduct

водопровод *m* water-main, running-water

вождь *m* (*gen.* вождя) leader

возвращаться *I imp.* return

воздух *m* air; **на** ~**е** in the open air

война *f* (*pl.* войны) war

войти *I p* (войду, войдёшь, *past* вошёл, вошл|а, -о, -и) enter

вокзал *m* railway-station

вокруг *adv.* & *prep.* (+ *gen.*) round, around

волнение *n* agitation

волноваться *I imp.* (волнуюсь, волнуешься) be agitated; be nervous

волнующ|ий, -ая, -ее; -ие exciting, moving

вообще in general

вопрос *m* question

воспаление *n* inflammation; ~ лёгких pneumonia

восток *m* east

восточн|ый, -ая, -ое; -ые east, eastern; oriental

впервые for the first time

вперёд (*куда?*) forward

впереди (*где?*) in front, before

впечатление *n* impression

вратарь *m* (*gen.* вратаря) goal-keeper

врач *m* (*gen.* врача) physician, doctor

временн|ый, -ая, -ое; -ые temporary

время *n* (*gen.* времени, *instr.* временем; *pl.* времена, времён, временам, *etc.*) time

вручать *I imp.* hand in

всегда always

всего [-во] in all, all together; only

всего хорошего good-bye

всемирн|ый, -ая, -ое; -ые world, world-wide

всё-таки nevertheless

вскоре soon

вспомнить *II p* remember

вставать *I imp.* (встаю, встаёшь) get up, rise

встать *I p* (встану, встанешь) get up, rise

встреча *f* meeting; reception; welcome; match

встречать *I imp.* meet, receive; greet; welcome

встречаться *I imp.* meet

всюду everywhere

в течение *prep.* (+ *gen.*) in the course of; during

втор|ой, -ая, -ое; -ые second; ~ое блюдо *or* второе second course

втроём three (together)

вход *m* entrance

входить *II imp.* (вхожу, входишь) enter

вчера yesterday

вчерашн|ий, -яя, -ее; -ие yesterday's

выбирать *I imp.* choose

выбор *m* choice; большой ~ товаров large variety of goods

выбрать *I p* (выберу, выберешь) choose

выдающ|ийся, -аяся, -ееся; -иеся outstanding

выехать *I p* (выеду, выедешь) go out, leave

вызов *m* call

вызывать *I imp.* call, send for; ~ врача на дом call the doctor, send for the doctor

выигрывать *I imp.* win, gain

вылечить *II p* cure

выписать *I p* (выпишу, выпишешь): ~ рецепт write out a prescription

выпить *I p* (выпью, выпьешь) drink

выполнять *I imp.* carry out, fulfil

выражать *I imp.* express

выражение *n* expression

вырасти *I p* (вырасту, вырастешь; *past* вырос, -ла, -ло; -ли) grow

высок|ий, -ая, -ое; -ие high; tall

высоко high

высота *f* (*pl.* высоты) height

высотн|ый, -ая, -ое; -ые multi-storeyed

выставка *f* (*gen. pl.* выставок) exhibition

высш|ий, -ая, -ее; -ие higher, highest; superior

выходить *II imp.* (выхожу, выходишь) 1. go out; 2. open on(to)

Г, г

газе́та *f* newspaper
газе́тн|ый, -ая, -ое; -ые: ~ кио́ск
news-stand
галантере́я *f* haberdashery
га́лстук *m* tie
гардеро́б *m* 1. cloak-room;
2. wardrobe
гарни́р *m* garnish
га́снуть *I* *imp.* (га́снет; *past* гас,
-ла, -ло; -ли) go out, die out
гастро́ли *pl.* (*gen.* *pl.* гастро́лей)
tour
гастроно́м *m* foodstore
где where
геро́й *m* (*gen.* геро́я; *pl.* геро́и)
hero
ги́бель *f* death
глава́[1] *m* (*pl.* гла́вы) head, chief
глава́[2] *f* (*pl.* гла́вы) chapter
гла́вн|ый, -ая, -ое; -ые main;
~ым о́бразом chiefly, mainly
гла́дк|ий, -ая, -ое; -ие smooth
глаз *m* (*prepos.* в глазу́; *pl.* гла-
за́, глаз, глаза́м, *etc.*) eye
глота́ть *I* *imp.* swallow
глубо́к|ий, -ая, -ое; -ие deep
глу́п|ый, -ая, -ое; -ые foolish,
stupid
гляде́ть *II* *imp.* (гляжу́, гляди́шь)
look (at)
-оворить *II* *imp.* speak; say, tell
од *m* (*prepos.* о го́де ‖ в году́;
pl. го́ды, года́, *gen.* *pl.* лет)
year
гол *m* (*pl.* голы́, голо́в) goal
голова́ *f* (*acc.* го́лову; *pl.* го́ловы,
голо́в, голова́м, *etc.*) head
головн|о́й, -а́я, -о́е; -ы́е: ~а́я
боль headache
голо́дн|ый, -ая, -ое; -ые hungry
го́лос *m* (*pl.* голоса́) voice
голуб|о́й, -а́я, -о́е; -ы́е light-blue
гора́ *f* (*acc.* го́ру; *pl.* го́ры) moun-
tain; Ле́нинские го́ры Lenin
Hills
горди́ться *II* *imp.* (горжу́сь, гор-
ди́шься) *чем* be proud (of)
го́рдость *f* pride
горе́ть *II* *imp.* burn
го́рло *n* throat

го́рничная *f* chambermaid
го́рн|ый, -ая, -ое; -ые mountain;
mining; ~ институ́т Mining
Institute
го́род *m* (*pl.* города́) city, town
городск|о́й, -а́я, -о́е; -и́е city,
town
го́рьк|ий, -ая, -ое; -ие bitter
горя́ч|ий, -ая, -ее; -ие hot; ardent,
passionate
гостеприи́мн|ый, -ая, -ое; -ые
hospitable
гости́ница *f* hotel
гость *m* (*pl.* го́сти, госте́й, гостя́м)
guest, visitor
госуда́рственн|ый, -ая, -ое; -ые
state
госуда́рство *n* state
гото́в, -а, -о; -ы (*short form of*
гото́вый) ready
гото́вить *II* *imp.* (гото́влю, гото́-
вишь) prepare, make ready; cook
гото́виться *II* *imp.* (гото́влюсь,
гото́вишься) get/make ready
гото́в|ый, -ая, -ое; -ые ready,
ready-made, finished
граждани́н *m* (*pl.* гра́ждане,
гра́ждан) citizen
гражда́нка *f* (*gen.* *pl.* гражда́нок)
citizen
грамма́тика *f* grammar
грани́ца *f* border; за ~у (*куда́?*),
за ~ей (*где?*) abroad, из-за ~ы
(*отку́да?*) from abroad
греть *I* *imp.* warm, heat
гриб *m* (*gen.* гриба́) mushroom
грипп *m* influenza
гроза́ *f* (*pl.* гро́зы) thunderstorm
гро́мк|ий, -ая, -ое; -ие loud
гро́мче (*comp. of* гро́мкий & гро́м-
ко) louder
груб|ый, -ая, -ое; -ые rough; rude
грузи́нск|ий, -ая, -ое; -ие Georgian
грустн|ый, -ая, -ое; -ые sad
гря́зно *predic.* *impers.* (it is)
dirty; (it is) muddy
гудо́к *m* (*gen.* гудка́) whistle;
horn; buzz
гуля́ть *I* *imp.* go for a walk
гуманита́рн|ый, -ая, -ое; -ые hu-
manitarian; ~ые нау́ки arts
густ|о́й, -а́я, -о́е; -ы́е thick, dense

Д, д

да yes

давáйте *particle* let us; ~ игрáть let us play

давáть *I imp.* (даю́, даёшь) 1. give; 2. let

давнó for a long time, long ago

дáже even

далёк|ий, -ая, -ое; -ие distant, remote; far

далекó far off, far (from)

дáльше 1. *comp.* of далёкий & далекó farther, further; 2. *adv.* further; then

дáмск|ий, -ая, -ое; -ие ladies'

дáнн|ый, -ая, -ое; -ые *part.* given; present

дари́ть *II imp.* (дарю́, дáришь) give as a gift

дáром for nothing; in vain

дать *p* (дам, дашь, даст, дади́м, дади́те, даду́т; *past* дал, -о, -и, далá) 1. give; 2. let

дáча *f* summer house

дверь *f* (*gen. pl.* дверéй) door

дви́гаться *I imp.* move

движéние *n* 1. motion; 2. traffic

двóе two (together)

двор *m* (*gen.* дворá) courtyard

дéвочка *f* (*gen. pl.* дéвочек) (little) girl

дéвушка *f* (*gen.* дéвушек) girl

дед *m* grandfather

дéдушка *m* (*gen. pl.* дéдушек) grandfather, grandpa

дежу́рн|ый, -ая, -ое; -ые on duty

дéйствие *n* 1. action; 2. act

действи́тельно really, indeed

декорáции *only pl.* scenery

дéлать *I imp.* make, do

делегáт *m* delegate

делегáция *f* delegation

дéло *n* (*pl.* делá) matter; deed; business; В чём ~? What is the matter?; по ~áм on business; Как ~á? How are things?

демисезóнн|ый, -ая, -ое; -ые spring/autumn (overcoat)

дéнежн|ый, -ая, -ое; -ые money; ~ перевóд money order, postal order

день *m* (*gen.* дня) day

дéньги *only pl.* (*gen. pl.* дéнег) money

дерéвня *f* (*gen. pl.* деревéнь) village, country

дéрево *n* (*pl.* дерéвья) tree

деревя́нн|ый, -ая, -ое; -ые wooden

держáть *II imp.* (держу́, дéржишь) hold; keep

деся́ток *m* (*gen.* деся́тка) ten

дéти *pl.* (*sing.* ребёнок) children

дéтск|ий, -ая, -ое; -ие child's, children's; ~ сад kindergarten

дéтство *n* childhood

дешёв|ый, -ая, -ое; -ые cheap

дéятель *m*: госудáрственный ~ statesman

джаз *m* jazz-band

джем *m* jam

диáгноз *m* diagnosis; стáвить ~ diagnose

дивáн *m* divan, sofa, settee

дирижёр *m* conductor

диссертáция *f* thesis, dissertation

дли́нн|ый, -ая, -ое; -ые long

для *prep.* (+ *gen.*) for; to

дневн|óй, -áя, -óе; -ы́е: ~ спектáкль matinée

днём in the day-time, in the afternoon

до *prep.* (+ *gen.*) to; till; before

добивáться *I imp.* чегó obtain, achieve

добр, -á; -ы́ (*comp.* of дóбрый) kind, good; бу́дьте дóбры Will you be so kind as...?

дóбр|ый, -ая, -ое; -ые kind, good

довóлен, довóльн|а, -о; -ы (*short form of* довóльный) чем content, pleased

довóльно rather; enough

до вострéбования poste restante

догадáться *I p* guess

договáриваться *I imp.* come to an agreement

доéхать *I p* (доéду, доéдешь) reach the place, arrive

дождли́в|ый, -ая, -ое; -ые rainy, wet

дождь *m* (*gen.* дождя́) rain; идёт ~ it rains

дойти́ *I p* (дойду́, дойдёшь; *past* дошёл, дошл|а́, -о́; -й) reach a place (on foot)

докла́д *m* report

до́ктор *m* (*pl.* доктора́) doctor

документа́льн|ый, -ая, -ое; -ые documentary

до́лг|ий, -ая, -ое; -ие long

до́лго (for) a long time

до́лжен, должн|а́, -о́; -ы́ *short adj.* 1. must, have to; я ~ (+ *inf.*) I must; 2. owe; Он ~ мне 3 рубля́. He owes me three roubles.

дом *m* (*pl.* дома́) home, house; building

до́ма (*где?*) at home

дома́шн|ий, -яя, -ее; -ие home, house, domestic

домо́й (*куда?*) home

дописа́ть *I p* (допишу́, допи́шешь) finish writing

доро́га *f* road

дорог|о́й, -а́я, -о́е; -и́е dear; expensive; valuable

до свида́ния good-bye

доска́ *f* (*acc.* до́ску; *pl.* до́ски, досо́к, доска́м, *etc.*) board; ша́хматная ~ chess-board

доставáть *I imp.* (достаю́, достаёшь) 1. take out; 2. get, obtain

доставля́ть *I imp.* deliver, supply

доста́точно sufficiently; enough

доста́ть *I p* (доста́ну, доста́нешь) 1. take out; 2. get, obtain

достига́ть *I imp.* reach; achieve

доходи́ть *II imp.* (дохожу́, дохо́дишь) reach a place (on foot)

до́чка *f* (*gen. pl.* до́чек) *colloq.* (!little) daughter

дочь *f* (*gen., dat., prepos.* до́чери; *pl.* до́чери, дочере́й, дочеря́м, дочерьми́, о дочеря́х) daughter

дошко́льник *m* child under school age

дре́вн|ий, -яя, -ее; -ие ancient

друг¹ *m* (*pl.* друзья́, друзе́й, друзья́м, *etc.*) friend

друг²: ~ дру́га each other, one another

друг|о́й, -а́я, -о́е; -и́е another; other; different

дру́жба *f* friendship

дру́жеск|ий, -ая, -ое; -ие friendly

дружи́ть *II imp.* (дружу́, дру́жишь) *с кем* be on friendly terms (with)

дру́жн|ый, -ая, -ое; -ые friendly; harmonious; united

ду́мать *I imp.* think

дупло́ *n* cavity

духи́ *only pl.* perfume

душ *m* shower

душ|а́ *f* (*acc.* ду́шу; *pl.* ду́ши) soul; мне э́то не по ~é I don't like it

дыша́ть *II imp.* (дышу́, ды́шишь) breathe

дя́дя *m* uncle

Е, е

еда́ *f* food; meal

еди́нственн|ый, -ая, -ое; -ые only

ежего́дно yearly

ежедне́вно daily

е́здить *II imp.* (е́зжу, е́здишь) go; ride; drive; travel

е́ле hardly

е́сли *conj.* if

есте́ственн|ый, -ая, -ое; -ые natural

есть¹ (ем, ешь, ест, еди́м, еди́те, едя́т; *past* ел, е́ла, е́ли) eat

есть² (*present of* быть) is, are

е́хать *I imp.* (е́ду, е́дешь) go; ride; drive; travel

ещё still, some more, again; ~ раз once more; ~ не... not yet; Он прие́хал ~ вчера́. He came yesterday.

Ж, ж

жа́дн|ый, -ая, -ое; -ые greedy

жале́ть *I imp.* feel sorry, pity; regret

жа́лко *predic. impers:* мне ~, что... I'm sorry that...

жа́ловаться *I imp.* (жа́луюсь, жа́луешься) *на что* complain of

жаль *predic. impers.* it is a pity; мне ~, что... I'm sorry that...

жа́рен|ый, -ая, -ое; -ые fried; roasted

жа́рк|ий, -ая, -ое; -ие hot

жа́рко *predic. impers.* it is hot

ждать *I imp.* (жду, ждёшь; *past* ждал, -о, -и, ждала́) *кого́, что or чего́* wait for, expect

же *particle* then, indeed; всё ~ yet

жела́ние *n* wish

жела́тельно *predic. impers.* it is desirable

жела́ть *I imp. чего́ (себе́)* wish

желе́зн|ый, -ая, -ое; -ые iron; ~ая доро́га railway

жёлт|ый, -ая, -ое; -ые yellow

желу́док *m (gen.* желу́дка) stomach

жена́ *f (pl.* жёны) wife

жена́т|ый; -ые married

жени́ться *II p & imp.* (женю́сь, же́нишься) *на ком* marry

же́нск|ий, -ая, -ое; -ие female; feminine

же́нщина *f* woman

жёстк|ий, -ая, -ое; -ие hard

жив, -о, -ы, жива́ (*short form of* живо́й) alive; living; ~ и здоро́в safe and sound

жив|о́й, -а́я, -о́е; -ы́е alive

жи́вопись *f* painting

живо́т *m (gen.* живота́) stomach

жизнера́достн|ый, -ая, -ое; -ые cheerful,· joyous

жизнь *f* life

жил|о́й, -а́я, -о́е; -ы́е dwelling

жи́рн|ый, -ая, -ое; -ые fat, rich

жи́тель *m* inhabitant

жить *I imp.* (живу́, живёшь; *past* жил, -о, -и, жила́) live

журна́л *m* magazine, periodical, journal

З, з

за *prep.* 1. (+ *acc.*) (*куда́?*) behind; ~ два дня до (*чего́*) two days before... 2. (+ *instr.*) (*где?*) behind, over, at; after; идти́, посыла́ть ~ *кем, чем* go, send for

заби́ть *I p* (забью́, забьёшь): ~ гол score a goal

заблуди́ться *II p* (заблужу́сь, заблу́дишься) lose one's way

заболе́ть *I p* (заболе́ю, заболе́ешь) fall ill

забо́титься *II imp.* (забо́чусь, забо́тишься) *о ком, о чём* take care

забо́тлив|ый, -ая, -ое; -ые thoughtful, careful

забыва́ть *I imp.* forget

забы́ть *I p* (забу́ду, забу́дешь) forget

заведе́ние *n*: уче́бное ~ educational establishment

заверну́ть *I p* (заверну́, завернёшь) wrap up

завёртывать *I imp.* wrap up

заво́д *m* plant, works

за́втра tomorrow

за́втрак *m* breakfast; lunch

за́втракать *I imp.* have breakfast

за́втрашн|ий, -яя, -ее; -ие tomorrow's

загла́вие *m* title, heading

загора́ть *I imp.* sunbathe

за́городн|ый, -ая, -ое; -ые out-of-town, country; ~ая прогу́лка country walk; trip in (to) the country

задава́ть *I imp.* (задаю́, задаёшь) give; ~ вопро́сы ask questions

зада́ча *f* problem; task

заже́чь *I p* (зажгу́, зажжёшь... зажгу́т; *past* зажёг, зажгл|а́, -о́, -и́) light, switch on

зайти́ *I p* (зайду́, зайдёшь; *past* зашёл, зашл|а́, -о́; -и́) call on / at; drop in

зака́з *m* order

заказа́ть *I p* (закажу́, зака́жешь) order; book

заказн|о́й, -а́я, -о́е; -ы́е: ~о́е письмо́ registered letter

зака́зывать *I imp.* order; book

зако́нчить *II p* finish; complete

зако́нчиться *II p* end

закрыва́ть *I imp.* close; cover

закры́т, -а, -о; -ы (*short form of part.* закры́тый) (is) closed

закры́т|ый, -ая, -ое; -ые closed

закури́ть II p (закурю́, заку́ришь) light a cigarette

закуси́ть II p (закушу́, заку́сишь) have a snack

заку́ска f (gen. pl. заку́сок) hors d'œuvre, snack

заку́сочная f snack-bar

заку́сывать I imp. have a snack

зал m hall

замени́ть II p (заменю́, заме́нишь) replace, substitute

заме́тить II p (заме́чу, заме́тишь) notice; note

замеча́тельн|ый, -ая, -ое; -ые remarkable

замеча́ть I imp. notice; note

замолча́ть II p (замолчу́, замолчи́шь) become silent, stop speaking or singing

за́муж: выходи́ть ~ за кого́ marry

за́мужем: быть ~ за ке́м be married

за́навес m curtain

занима́ть I imp. 1. occupy; 2. take; ~ пе́рвое ме́сто take the first place

занима́ться I imp. чем study; be occupied; be engaged; go in for

за́нят, -о, -ы, занята́ (short form of part. за́нятый) busy; occupied, engaged

заня́тие n business, occupation; заня́тия pl. lessons, studies

заня́ть I p (займу́, займёшь... займу́т; past за́нял, -о, -и, заняла́) 1. occupy; 2. take; ~ пе́рвое ме́сто take the first place

за́пад m west

за́падн|ый, -ая, -ое; -ые west, western

записа́ть I p (запишу́, запи́шешь) write down; note

заплати́ть II p (заплачу́, запла́тишь) pay

запо́лнить II p fill in; crowd

запо́мнить II p memorize, bear in mind

запреща́ть I imp. forbid, ban

зара́нее in advance

зарубе́жн|ый, -ая, -ое; -ые foreign

заря́дк|а f P.T. exercises, gymnastics; де́лать ~у do one's morning exercises

заседа́ть I imp. sit (in session)

заслу́женно deservedly; ~ по́льзоваться успе́хом enjoy well-earned success

засмея́ться I p begin to laugh

зате́м then

зато́ conj. in return

заходи́ть II imp. (захожу́, захо́дишь) call on/at; drop in

захоте́ть p (захочу́, захо́чешь, захо́чет, захоти́м, захоти́те, захотя́т) want

захоте́ться impers. p (захо́чется, захоте́лось) кому́ чего́ want; мне захоте́лось I wanted

заче́м what for, why

защища́ть I imp. defend

зва́ние n title; rank

звать I imp. (зову́, зовёшь; past звал, -о, -и, звала́) call; ask; invite; его́ (её) зову́т... his (her) name is ...

звезда́ f (pl. звёзды) star

звене́ть II imp. ring

звоно́к m (gen. звонка́) bell

звук m sound

звуча́ть II imp. sound; ring; be heard

зда́ние n building

здесь here

здоро́в, -а, -о; -ы (short form of здоро́вый) healthy; sound

здоро́ваться I imp. с кем greet

здоро́вье n health

здра́вствуй(те) how do you do; good morning/evening

зелён|ый, -ая, -ое; -ые green

земля́ f (acc. зе́млю; pl. зе́мли, земе́ль, зе́млям, etc.) earth; land; ground

зе́ркало n (pl. зеркала́, зерка́л) mirror

зима́ f (acc. зи́му, на́ зиму; pl. зи́мы) winter

зи́мн|ий, -яя, -ее; -ие winter, wintry

зимо́й in winter

знако́м, -а, -о; -ы (short form of

знако́мый) known, familiar; я с
ним ~ I know him
знако́мить II imp. (знако́млю,
знако́мишь) кого́ с кем acquaint,
introduce
знако́миться II imp. (знако́млюсь,
знако́мишься) с кем, с чем meet,
make acquaintance
знако́м|ый, -ая, -ое; -ые familiar;
whom/which one knows
знамени́т|ый, -ая, -ое; -ые famous
зна́ние n knowledge
знать I imp. know
зна́чит it means
значи́тельн|ый, -ая, -ое; -ые con-
siderable, important
зна́чить II imp. mean; signify
золот|о́й, -а́я, -о́е; -ы́е gold, gold-
en
зо́нтик m umbrella
зре́ние n sight
зри́тель m spectator; зри́тели pl.
audience
зри́тельн|ый, -ая, -ое; -ые: ~ зал
hall, auditorium
зря to no purpose
зуб m (pl. зу́бы, зубо́в) tooth
зубн|о́й, -а́я, -о́е; -ы́е dental; ~
врач dentist

И, и

и conj. and
игра́ f (pl. и́гры) play; game;
match; performance; acting
игра́ть I imp. play; ~ в волейбо́л
play volley-ball; ~ на роя́ле
play the piano
игро́к m (gen. игрока́) player
игру́шка f (gen. pl. игру́шек) toy
идти́ I imp. (иду́, идёшь; past
шёл, шла, шло, шли) go, walk;
suit
из, изо prep. (+ gen.) from; out
of; of
изве́стие n news
изве́стн|ый, -ая, -ое; -ые well-
known, noted
извини́ть II p excuse
извини́ться II p apologize
и́здали from a distance
изда́ние n publication

изде́лие n article, ware
из-за prep. (+ gen.) from; from
behind; because of
излю́бленн|ый, -ая, -ое; -ые favor-
ite; pet
измени́ть II p (изменю́, изме́нишь)
change
изме́рить II p measure; ~ темпе-
рату́ру take one's temperature
изобража́ть I imp. depict; picture;
paint
изобрази́тельн|ый, -ая, -ое; -ые
imitative; Музе́й ~ых иску́сств
Museum of Fine Arts
из-под prep. (+ gen.) from under
изуча́ть I imp. study; learn
икра́ f caviar
и́ли conj. or; и́ли... и́ли either...
or
и́мени named after; теа́тр ~ Мая-
ко́вского Mayakovsky Theatre
име́ть I imp. have
име́ться I: име́ется there is (are)
и́мя n (gen. и́мени; pl. имена́,
имён, имена́м) name
ина́че otherwise, or (else)
инициа́лы only pl. initials
иногда́ sometimes
ин|о́й, -а́я, -о́е; -ы́е different;
other; some
иностра́нец m (gen. иностра́нца)
foreigner
иностра́нн|ый, -ая, -ое; -ые for-
eign
инструме́нт m instrument, tool;
музыка́льный ~ musical instrument
интере́с m interest
интере́сн|ый, -ая, -ое; -ые inter-
esting
интересова́ть I imp. (интересу́ю,
интересу́ешь) interest
интересова́ться I imp. (интересу́-
юсь, интересу́ешься) кем, чем
be interested
иска́ть I imp. (ищу́, и́щешь) look
for
иску́сственн|ый, -ая, -ое; -ые
artificial
иску́сство n art; skill; craftsman-
ship
испа́нск|ий, -ая, -ое; -ие Spanish

исполня́ть *I imp.* perform; execute; carry out; fulfil
испо́льзовать *I p* (испо́льзую, испо́льзуешь) use
исправля́ть *I imp.* correct
иссле́довать *I imp. & p* (иссле́дую, иссле́дуешь) study, investigate, explore
исто́рия *f* history
истори́ческ|ий, -ая, -ое; -ие history, historical
исчеза́ть *I imp.* disappear, vanish
ита́к *conj.* thus; so
и т. д. (= и так да́лее) etc., and so on

К, к

к, ко *prep.* (+ *dat.*) to, towards; for
кабине́т *m* study; consulting-room
каблу́к *m* (*gen.* каблука́) heel
Кавка́з *m* Caucasus
ка́жд|ый, -ая, -ое; -ые each, every; everyone
ка́жется *see* каза́ться
каза́ться *I imp.* 1. (кажу́сь, ка́жешься) seem; appear; 2. *impers. & parenth. word* (ка́жется; каза́лось) it seems that; I believe that
как *adv. & conj.* how, what, like, as, when, since; ~ бу́дто as if, as though; ~ раз just; быть ~ раз *colloq.* fit; ~ сле́дует in a proper way
как|о́й, -а́я, -о́е; -и́е what, which
како́й-нибудь some, some kind of
како́й-то some, a
календа́рь *m* (*gen.* календаря́) calendar
ка́мера *f* chamber; ~ хране́ния cloak-room
кани́кулы *only pl.* holidays, vacation
капита́н *m* captain
ка́пля *f* (*gen. pl.* ка́пель) drop
капу́ста *f* cabbage
каранда́ш *m* (*gen.* карандаша́) pencil
карма́н *m* pocket
карти́на *f* picture; scene

карто́фель *m* potatoes
каса́ться *I imp.* touch; concern
ка́сса *f* booking-office; cashdesk
касси́р *m* cashier
кастрю́ля *f* pan; saucepan
ката́ться *I imp.* go for a drive; ~ на конька́х skate; ~ на лы́жах ski; ~ на ло́дке boat; go boating
като́к *m* (*gen.* катка́) skating-rink
ка́федра *f* chair
ка́чество *n* quality
ка́шель *m* (*gen.* ка́шля) cough
каю́та *f* cabin
квадра́тн|ый, -ая, -ое; -ые square
кварта́л *m* block (*of buildings*)
кварти́ра *f* flat; apartment
квита́нция *f* receipt; бага́жная ~ luggage ticket
кило́ (*not decl.*) *n colloq.* kilogramme
кино́ (*not decl.*) *n* cinema
киноактёр *m* film actor
киножурна́л *m* newsreel
кинотеа́тр *m* cinema
кинофи́льм *m* film
класс *m* class; classroom
класси́ческ|ий, -ая, -ое; -ие classical
класть *I imp.* (кладу́, кладёшь; *past* клал, -а, -о; -и) lay, put
кли́мат *m* climate
ключ *m* (*gen.* ключа́) key
кни́га *f* book
кни́жный, -ая, -ое; -ые book, bookish; ~ шкаф bookcase
ковёр *m* (*gen.* ковра́) carpet
когда́ *adv. & conj.* when
когда́-нибудь ever; some time, some day
ко́жа *f* leather
ко́жан|ый, -ая, -ое; -ые leather
колбаса́ *f* sausage
коли́чество *n* quantity
кольцо́ *n* (*pl.* ко́льца, коле́ц) ring
кома́нда *f* team
командиро́вк|а *f* business trip; е́здить в ~у make a business trip, go away on business
комбина́т *m*: ~ бытово́го обслу́живания personal service shop
ко́мната *f* room

ко́мплекс *m* complex; ~ упраж-
не́ний set of exercises
конве́рт *m* envelope
конди́терск|ий, -ая, -ое; -ие con-
fectionery
конду́ктор *m* conductor; guard
коне́ц *m* (*gen.* конца́) end
коне́чно [-шн-] of course, naturally
коне́чн|ый, -ая, -ое; -ые final,
terminal
консервато́рия *f* conservatoire
консе́рвы *only pl.* canned food
конфе́та *f* sweet
конча́ть *I imp.* end, finish
ко́нчить *II p* end, finish
ко́нчиться *II p* end
конькй *pl.* (*sing.* конёк *m*) skates
конькобе́жн|ый, -ая, -ое; -ые skat-
ing
копе́йка *f* (*gen. pl.* копе́ек) copeck
кора́бль *m* (*gen.* корабля́) ship
коренно́й: ~ зуб molar
кори́чнев|ый, -ая, -ое; -ые brown
коро́бка *f* (*gen. pl.* коро́бок) box,
case
коро́тк|ий, -ая, -ое; -ие short
ко́рпус *m* building
корреспонде́нция *f* mail
корт *m* court
косми́ческ|ий, -ая, -ое; -ие space
космона́вт *m* spaceman
ко́смос *m* space
косну́ться *I p* (косну́сь, коснёшь-
ся) touch
костёр *m* (*gen.* костра́) bonfire,
campfire
кость *f* (*pl.* ко́сти, косте́й, костя́м,
etc.) bone
костю́м *m* suit; costume
котле́та *f* cutlet; chop
кото́р|ый, -ая, -ое; -ые which;
who; that
ко́фе *m* (*not decl.*) coffee
ко́фточка *f* (*gen. pl.* ко́фточек)
blouse, cardigan
край *m* (*pl.* края́) region; land;
territory
краси́вее (*comp. of* краси́вый &
краси́во) more beautiful(ly)
краси́в|ый, -ая, -ое; -ые beautiful
кра́сн|ый, -ая, -ое; -ые red
красота́ *f* beauty

Кремль *m* (*gen.* Кремля́) Kremlin
кре́пк|ий, -ая, -ое; -ие strong;
firm
кре́пость *f* fortress
кре́сло *n* (*gen. pl.* кре́сел) armchair
крестья́нин *m* (*pl.* крестья́не,
крестья́н) peasant
крив|о́й, -а́я, -о́е; -ы́е curved;
wrong
крик *m* shout
критикова́ть *I imp.* (критику́ю,
критику́ешь) criticize
крича́ть *II imp.* shout
крова́ть *f* bed
кроль *m* crawl
кро́ме *prep.* (+ *gen.*) 1. besides;
2. except; ~ того́ besides that
кру́гл|ый, -ая, -ое; -ые round;
whole; ~ год the whole year
round
круго́м round, around
кружи́ться *II imp.* (кружу́сь,
кру́жишься) go round; whirl
кружо́к *m* (*gen.* кружка́) circle;
~ худо́жественной самоде́ятель-
ности amateur art club
крупне́йш|ий, -ая, -ее; -ие largest
кру́пн|ый, -ая, -ое; -ые large, big,
great, prominent
крут|о́й, -а́я, -о́е; -ы́е steep; sharp
Крым *m* (*prepos.* о Кры́ме ‖ в
Крыму́) Crimea
кста́ти to the point
кто who
кто́-нибудь somebody, someone;
anybody, anyone
кто́-то somebody
куда́ where (to)
куда́-нибудь somewhere, anywhere
куда́-то somewhere
ку́кла *f* (*gen. pl.* ку́кол) doll
культу́рн|ый, -ая, -ое; -ые cultural
купа́ние *n* bathing
купа́ться *I imp.* bathe
купе́ *n* (*not decl.*) compartment
купи́рованн|ый, -ая, -ое; -ые: ~
ваго́н carriage with compart-
ments
купи́ть *II p* (куплю́, ку́пишь) buy
ку́пол *m* (*pl.* купола́, куполо́в)
cupola, dome

кури́ть *II imp.* (курю́, ку́ришь) smoke

ку́рица *f* (*pl.* ку́ры, кур, *etc.*) hen; chicken

куро́рт *m* health-resort

курс *m* course

кусо́к *m* (*gen.* куска́) piece

ку́хня *f* (*gen. pl.* ку́хонь) 1. kitchen; 2. cooking

ку́хонн|ый, **-ая**, **-ое**; **-ые** kitchen

Л, л

лаборато́рия *f* laboratory

ла́герь *m* camp

латви́йск|ий, **-ая**, **-ое**; **-ие** Latvian

ле́в|ый, **-ая**, **-ое**; **-ые** left

лёгкие *pl.* (*sing.* лёгкое *n*) lungs

лёгк|ий, **-ая**, **-ое**; **-ие** light; easy

легко́ *adv.* easily; lightly; *predic. impers.* it is easy

лёд *m* (*gen.* льда) ice

ледни́к *m* (*gen.* ледника́) glacier

лежа́ть *II imp.* (лежу́, лежи́шь) lie

лека́рство *n* medicine

ле́ктор *m* lecturer

ле́кция *f* lecture

ле́нта *f* ribbon

лес *m* (*prepos.* о ле́се ‖ в лесу́; *pl.* леса́) forest, wood(s)

лесн|о́й, **-а́я**, **-о́е**; **-ы́е** wooden, forest

ле́стница *f* stairs, staircase

лет *gen. pl. of* год (*see*)

лета́ть *I imp.* fly

лете́ть *II imp.* (лечу́, лети́шь) fly, take off

ле́тн|ий, **-яя**, **-ее**; **-ие** summer

ле́то *n* summer

ле́том in summer

лётчик *m* flier, pilot; **~-космона́вт** spaceman

лече́бн|ый, **-ая**, **-ое**; **-ые** medicinal

лечи́ть *II imp.* (лечу́, ле́чишь) treat

лечь *I imp.* (ля́гу, ля́жешь... ля́гут; *past* лёг, легл|а́, **-о́**; **-и́**) lie down

ли *interrogative particle* whether

ли́бо *conj.* or, either; **ли́бо... ли́бо...** either... or

лимо́н *m* lemon

ли́ния *f* line

лист[1] *m* (*gen.* листа́; *pl.* ли́стья) leaf

лист[2] *m* (*gen.* листа́; *pl.* листы́) sheet

лито́вск|ий, **-ая**, **-ое**; **-ие** Lithuanian

лить *I imp.* (лью, льёшь; *past* лил, **-о**, **-и**, лила́) pour

лифт *m* lift

лицо́ *n* (*pl.* ли́ца) face

ли́чн|ый, **-ая**, **-ое**; **-ые** personal; private

ли́шн|ий, **-яя**, **-ее**; **-ие** spare; unnecessary

лишь only

лоб *m* (*gen.* лба) forehead

лови́ть *II imp.* (ловлю́, ло́вишь) catch

ло́дка *f* (*gen. pl.* ло́док) boat

ло́жа *f* box

ложи́ться *II imp.* (ложу́сь, ложи́шься) lie down; **~ спать** go to bed

ло́жка *f* (*gen. pl.* ло́жек) spoon

Ло́ндон *m* London

ло́шадь *f* (*gen. pl.* лошаде́й) horse

луг *m* (*prepos.* о лу́ге ‖ на лугу́) meadow

луна́ *f* moon

лу́чше (*comp. of* хоро́ший & хорошо́) better; **~ всех** best of all; **~ всего́** it is best

лу́чш|ий, **-ая**, **-ее**; **-ие** best; better

лы́ж|и *pl.* (*sing.* лы́жа *f*) skis; ходи́ть на **~ах** ski; ката́ться на **~ах** ski

лы́жник *m* skier

люби́м|ый, **-ая**, **-ое**; **-ые** beloved, favorite

люби́тель *m* amateur; lover

люби́ть *II imp.* (люблю́, лю́бишь) love, be fond of

любова́ться *I imp.* (любу́юсь, любу́ешься) *чем* admire

любо́вь *f* (*gen.* любви́) love

люб|о́й, **-а́я**, **-о́е**; **-ы́е** any

лю́ди *pl.* (*gen.* люде́й, *dat.* лю́дям, *instr.* людьми́, *prepos.* о лю́дях; *sing.* челове́к *m*) people

лю́стра *f* chandelier

М, м

мавзоле́й *m* (*gen.* мавзоле́я) mausoleum

мал, -а́, -о́; -ы́ (*short form of* ма́ленький, ма́лый) too small

ма́леньк|ий, -ая, -ое; -ие small; little; slight; young

ма́ло little; few; not enough

ма́льчик *m* boy

ма́ма *f* mummy

ма́рка *f* (*gen. pl.* ма́рок) postage stamp

маршру́т *m* route

ма́сло *n* butter; oil

ма́стер *m* (*pl.* мастера́, мастеро́в, *etc.*) master; ~ спо́рта master of sport

материа́л *m* material

мать *f* (*gen., dat., prepos.* ма́тери; *pl.* ма́тери, матере́й, матеря́м, *etc.*) mother

маши́на *f* 1. machine; engine; 2. *colloq.* motor-car

машини́ст *m* engine-driver

ме́бель *f* (*only sing.*) furniture

медици́на *f* medicine

медици́нск|ий, -ая, -ое; -ие medical

ме́дленн|ый, -ая, -ое; -ые slow

медсестра́ *f* (*pl.* медсёстры, медсестёр, медсёстрам, *etc.*) nurse

ме́жду *prep.* (+ *gen. or instr.*) between, among

междунаро́дн|ый, -ая, -ое; -ые international

ме́лк|ий, -ая, -ое; -ие small; ~ая таре́лка dinner plate

мелька́ть *I imp.* flash; gleam; appear for a moment

ме́ньше (*comp. of* ма́ленький & ма́ло) smaller; less

ме́ньш|ий, -ая, -ее; -ие smaller, lesser

меня́ть *I imp.* change

меня́ться *I imp.* change

ме́рить *II imp.* measure; try on

ме́стн|ый, -ая, -ое; -ые local

ме́сто *n* (*pl.* места́) place; seat

ме́сяц *m* month

мета́лл *m* metal

метро́ *n* (*not decl.*) underground

мех *m* (*pl.* меха́) fur

меха́нико-математи́ческий: ~ факульте́т mechanics and mathematics faculty

мечта́ *f* (*gen. pl.* мечта́ний) dream; day dream

мечта́ть *I imp. о ко́м, о чём* dream

меша́ть *I imp. кому́, чему́* prevent; hinder; disturb

милиционе́р *m* militiaman

ми́л|ый, -ая, -ое; -ые nice, sweet; dear

ми́мо *prep.* (+ *gen.*) past; by

минера́льн|ый, -ая, -ое; -ые: ~ая вода́ mineral water

мину́та *f* minute

мир[1] *m* (*pl.* миры́) world; universe

мир[2] *m* peace

ми́рн|ый, -ая, -ое; -ые peaceful

миров|о́й, -а́я, -о́е; -ы́е world

мла́дш|ий, -ая, -ее; -ие junior

мне́ние *n* opinion

мно́го many, much

мно́гие *pl.* (*gen.* мно́гих) many (people)

мно́гое *n* (*gen.* мно́гого) a great deal; many things

многочи́сленн|ый, -ая, -ое; -ые numerous

многоэта́жн|ый, -ая, -ое; -ые multistoreyed

мо́дн|ый, -ая, -ое; -ые fashionable

мо́жет быть perhaps, may be

мо́жно *кому́ impers. predic.* one can / may; **Мне мо́жно войти́?** May I come in?

мо́кр|ый, -ая, -ое; -ые wet

молда́вск|ий, -ая, -ое; -ие Moldavian

молоде́ц! fine fellow!

молодёжь *f* youth, young people

молод|о́й, -а́я, -о́е; -ы́е young

мо́лодост|ь *f* youth; в ~и in one's youth

моло́же (*comp. of* молодо́й) younger

молоко́ *n* milk

моло́чн|ый, -ая, -ое; -ые milk

мо́лча silently, without a word

молчали́в|ый, -ая, -ое; -ые silent

молча́ть II imp. be silent

моне́та f coin

мо́ре n (pl. моря́) sea

моро́женое n ice-cream

моро́з m frost

морск|о́й, -а́я, -о́е; -и́е sea

москви́ч m (gen. москвича́) Moscovite

моско́вск|ий, -ая, -ое; -ие (of) Moscow

мост m (gen. мо́ста ‖ моста́; prepos. о мо́сте ‖ на мосту́; pl. мосты́) bridge

мочь I imp. (могу́, мо́жешь... мо́гут; past мог, могл|а́, -о́; -и́) 1. can; 2. may

муж m (pl. мужья́, муже́й, мужья́м, etc.) husband

мужск|о́й, -а́я, -о́е; -и́е male; men's; masculine

мужчи́на m man

музе́й m (gen. музе́я) museum

му́зыка f music

музыка́льный, -ая, -ое; -ые musical

мусоропрово́д m refuse chute

мы́ло n soap

мыть I imp. (мо́ю, мо́ешь) wash

мы́ться I imp. (мо́юсь, мо́ешься) wash

мы́шца f muscle

мя́гк|ий, -ая, -ое; -ие soft

мя́со n meat

мясн|о́й, -а́я, -о́е; -ы́е meat

мяч m (gen. мяча́) ball

Н, н

на prep. (+ acc. & prepos.) on; at; upon; to; for

на́бережная f embankment

набира́ть I imp.: ~ высоту́ gain height; ~ но́мер телефо́на dial

наблюда́ть I imp. observe; watch

набо́р m set; collection

набра́ть I p (наберу́, наберёшь; past набра́л, -и, набрала́) see набира́ть

набра́ться I p (наберу́сь, наберёшься): ~ сил recuperate

наве́рно(е) most likely

наве́рх (куда́?) above, upstairs

наверху́ (где?) above, upstairs

навеща́ть I imp. visit

над, надо prep. (+ instr.) at, over, above

надева́ть I imp. put on

наде́яться I imp. на кого́, на что́ hope, rely

на днях the other day, in a day or two

на́до predic. impers. (кому́?) it is necessary, one must; мне ~ рабо́тать I must work

надоеда́ть I imp. bore

надо́лго for a long time

на́дпись f inscription

наза́д 1. (куда́?) back; 2. ago; неде́лю ~ a week ago

назва́ние n name; title

называ́ть I imp. call; name

называ́ться I imp. be called, be named

наибо́лее most; ~ удо́бный the most convenient

наизу́сть by heart

найти́ I p (найду́, найдёшь; past нашёл, нашл|а́, -о́; -и́) find; come across; consider

найти́сь I p (найдётся; past нашёлся, нашл|а́сь, -о́сь; -и́сь) be found; turn up

накану́не the day before, on the eve

накле́ить II p stick

наконе́ц at last

накрыва́ть I imp. cover; lay (the table)

накры́ть I p (накро́ю, накро́ешь) cover, lay (the table)

нале́во to the left, on the left

нали́ть I p (налью́, нальёшь; past нали́л, -о, -и, налила́) pour out

намно́го by far

наоборо́т on the contrary

напеча́тать I p print; type

написа́ть I p (напишу́, напи́шешь) write

напо́мнить II p remind; recall

напра́виться II p (напра́влюсь, напра́вишься) make / head for, be bound for

направле́ние n direction

напра́во to the right, on the right

напра́сно in vain, to no purpose; (you) should not have done so

наприме́р for example

напро́тив *adv. & prep.* (+ *gen.*) opposite

нарисова́ть *I p* (нарису́ю, нарису́ешь) draw

наро́д *m* people

наро́дн|ый, -ая, -ое; -ые people's; popular; folk

наро́чно [-шн-] purposely

наруша́ть *I imp.* violate

наря́дн|ый, -ая, -ое; -ые smart, well-dressed

населе́ние *n* population

на́сморк *m* cold (*in the head*)

наста́ть *I p* (наста́нет) come

насто́йчив|ый, -ая, -ое; -ые persistent

насто́льн|ый, -ая, -ое; -ые table; ~ая ла́мпа desk-lamp

настоя́щ|ий, -ая, -ее; -ие 1. present; 2. real, genuine

настра́ивать *I p* tune

настрое́ние *n* mood

наступа́ть *I imp.* come, set in; ensue

наступи́ть *II p* (насту́пит) come; set in

нау́ка *f* science

научи́ть *II p* (научу́, нау́чишь) *кого́ чему́* teach

научи́ться *II p* (научу́сь, нау́чишься) *чему́* learn

нау́чн|ый, -ая, -ое; -ые scientific

находи́ть *II imp.* (нахожу́, нахо́дишь) find; come upon

находи́ться *II imp.* (нахожу́сь, нахо́дишься) be; be situated, be found, turn up

национа́льн|ый, -ая, -ое; -ые national

нача́ло *n* start; beginning

нача́льник *m* head, chief; superior

нача́ть *I p* (начну́, начнёшь; *past* на́чал, -о, -и, начала́) begin; start

нача́ться *I p* (начнётся; *past* начался́, начал|а́сь, -о́сь, -и́сь) begin, start

начина́ть *I imp.* begin, start

не *particle* not, по

не́бо *n* (*pl.* небеса́, небе́с, небеса́м, etc.) sky, heaven

небольш|о́й, -а́я, -о́е; -и́е small

нева́жн|ый, -ая, -ое; -ые unimportant; bad; indifferent

неве́ста *f* bride, fiancée

невозмо́жно impossible; э́то ~ it is impossible

не́где (*где?*) there is nowhere; мне ~ взять there is nowhere I could get it from

неда́вно recently

недалеко́ not far

неде́ля *f* (*gen. pl.* неде́ль) week

недоста́ток *m* (*gen.* недоста́тка) lack (of), shortage (of); defect

не́жн|ый, -ая, -ое; -ые tender, delicate

незаме́тно imperceptibly

нездоро́виться *impers.* (нездоро́вится, нездоро́вилось) *кому́*: мне нездоро́вится I am unwell

незнако́мец *m* (*gen.* незнако́мца) stranger

незнако́м|ый, -ая, -ое; -ые strange; unknown

не́когда *predic. impers.* there is no time; мне ~ I have no time

не́котор|ый, -ая, -ое; -ые some

не́куда (*куда́?*) *predic. impers.* nowhere; мне ~ идти́ I have nowhere to go

нелёгк|ий, -ая, -ое; -ие not easy

нельзя́ *predic. impers.* (it is) impossible; one cannot; must not; Неуже́ли нельзя́? Can't one?

нема́ло (*чего́*) not little, much, not few, many

немно́го a little, some

необходи́мо *predic. impers.* necessarily, (it is) necessary

необыкнове́нн|ый, -ая, -ое; -ые unusual, extraordinary

неожи́данно unexpectedly; suddenly

неожи́данность *f* surprise, suddenness

неохо́тно unwillingly; reluctantly

неплохо́ not bad(ly)

неплох|о́й, -а́я, -о́е; -и́е not bad, good

непра́вильно wrong

неприя́тность f unpleasantness
неприя́тн|ый, -ая, -ое; -ые unpleas-
ant
нерв m nerve
не́рвн|ый, -ая, -ое; -ые nervous
нере́дко often, not infrequently
не́сколько some, several
несмотря́ на prep. (+ acc.) in
spite of
нести́ I imp. (несу́, несёшь; past
нёс, несл|а́, -о́; -и́) carry, bring;
bear
несча́стн|ый, -ая, -ое; -ые unhappy,
unfortunate; ~ слу́чай accident
несча́стье n misfortune
нет no, not; there is (are) no; у
меня́ ~ кни́ги I have no book
неуже́ли particle really, is it possible?
не хвата́ть see хвата́ть
неча́янно accidentally
не́чего [-во] there is nothing
ни not a; ни... ни... neither... nor
нигде́ nowhere
ни́жн|ий, -яя, -ее; -ие lower
ни́зк|ий, -ая, -ое; -ие low
ника́к in no way; by no means
никак|о́й, -а́я, -о́е; -и́е no (what-
ever), none
никогда́ never
никто́ nobody, no one
ничего́ [-во́] 1. gen. of никто́; 2.
adv. so-so, passably; 3. particle
it doesn't matter, never mind
нич|е́й, -ья́, -ьё; -ьи́ nobody's, no
one's
но conj. but
нового́дн|ий, -яя, -ее; -ие new-
year's
новосе́лье n house-warming; справ-
ля́тв ~ give a house-warming
party
но́вость f (gen. pl. новосте́й)
news
но́в|ый, -ая, -ое; -ые new; modern;
fresh
нога́ f (acc. но́гу; pl. но́ги, ног,
нога́м, etc.) leg, foot
нож m (gen. ножа́) knife
но́мер m (pl. номера́) number;
size; apartment, room; сего́д-
няшний ~ газе́ты today's issue

норма́льно normally
нос m (prepos. на носу́; pl. носы́)
nose
носи́ть II imp. (ношу́, но́сишь)
carry; bear
носки́ pl. (sing. носо́к m) socks
ночн|о́й, -а́я, -о́е; -ы́е night
ноч|ь f night; споко́йной ~и!
good night
но́чью at night; by night
нра́виться II imp. (нра́влюсь, нра́-
вишься) like, please
ну interjection well
нужда́ться I imp. в ком, в чём
need, require
ну́жен, нужна́, нужны́ (short form
of ну́жный) кому́ need, want;
мне ~ каранда́ш I want a pencil
ну́жно predic. impers. (it is) necessary; need; one should
ну́жн|ый, -ая, -ое; -ые necessary
ны́нешн|ий, -яя, -ее; -ие present,
today

О, о

о, об, обо prep. (+ prepos.) of,
about; on
о́ба m, n (f о́бе) both
обду́мывать I imp. think over
обе́д m dinner; lunch
обе́дать I imp. have dinner, dine
обе́денн|ый, -ая, -ое; -ые dinner;
~ переры́в dinner break
обеща́ть I imp. promise
обзо́р m review
оби́деться II p (оби́жусь, оби́дишь-
ся) на кого́, на что́ take of-
fence, feel hurt
оби́дно predic. impers. it is a pity;
мне ~ I feel hurt
оби́льн|ый, -ая, -ое; -ые plentiful;
abundant
о́блако n (pl. облака́, облако́в)
cloud
о́бласть f (gen. pl. областе́й) region; sphere; field
о́блик m look; aspect
обме́ниваться I imp. чем с кем
exchange; share
обнима́ться I imp. embrace

обня́ть I p (обниму́, обни́мешь; past о́бнял, -о, -и, обняла́) embrace

обозначе́ние n designation

обойти́ I p (обойду́, обойдёшь; past обошёл, обошл|а́, -о́; -и́) go round

обра́доваться I p (обра́дуюсь, обра́дуешься) be glad, happy, rejoice

образе́ц m (gen. образца́) model, pattern

образова́ние n education

обрати́ться II p (обращу́сь, обрати́шься) address, turn to

обра́тно back; идти́, е́хать ∼ go back, return; туда́ и ∼ there and back

обра́тн|ый, -ая, -ое; -ые reverse; ∼ путь return journey; ∼ а́дрес sender's address

обраща́ться I imp. address, turn to

обслу́живание n service

обслу́живать I imp. attend (to), serve

обстано́вка f conditions, situation

обстоя́тельство n circumstance

обсужда́ть I imp. discuss, talk over

о́бувь f footwear

обходи́ть II imp. (обхожу́, обхо́дишь) go round

общежи́тие n hostel

обще́ственн|ый, -ая, -ое; -ые social; public; ∼ де́ятель public man / figure

о́бщество n society

о́бщ|ий, -ая, -ее; -ие general; common

объяви́ть II p (объявлю́, объя́вишь) declare, announce

объявле́ние n announcement

объясне́ние n explanation

объясня́ть I imp. explain

обыкнове́нн|ый, -ая, -ое; -ые usual, ordinary

обы́чай m (gen. обы́чая) custom

обы́чно usually; as a rule

обы́чн|ый, -ая, -ое; -ые usual; ordinary

обяза́тельно without fail

овладе́ть I p чем master

о́вощи pl. (gen. pl. овоще́й; sing. о́вощ m) vegetables

овощн|о́й, -а́я, -о́е; -ы́е vegetable

огляну́ться I p (огляну́сь, огля́нешься) turn (back), look at something, glance back / behind

ого́нь m (gen. огня́; pl. огни́, огне́й) 1. no pl. fire; 2. light

огро́мн|ый, -ая, -ое; -ые huge, great, vast

огуре́ц m (gen. огурца́) cucumber

одева́ть I imp. dress

оде́жда f clothes

оде́ть I p (оде́ну, оде́нешь) dress

оде́ться I p (оде́нусь, оде́нешься) dress (oneself)

одея́ло n blanket

одна́жды once, one day

одна́ко conj. however; though; but

одновреме́нно simultaneously

одобря́ть I imp. approve

оживлённо animatedly

ожида́ть I imp. wait (for), expect

о́зеро n (pl. озёра, озёр) lake

оказа́ться I p (окажу́сь, ока́жешься) find (oneself); turn out, prove (to be)

ока́нчивать I imp. finish, end; graduate

океа́н m ocean

окно́ n (pl. о́кна, о́кон) window

о́коло prep. (+ gen.) by, at; about

оконча́ние n ending

око́нчить II p finish, end

око́нчиться II p finish, end; be over

око́шко n (pl. око́шки, око́шек) colloq. window (usu. not very large)

окра́ина f outskirts

окре́пнуть I p (окре́пну, окре́пнешь; past окре́п, -ла, -ло; -ли) get stronger, healthier

окружа́ть I imp. surround

опа́здывать I imp. be / get late

опа́сность f danger

опа́сн|ый, -ая, -ое; -ые dangerous

опера́ци|я f operation; де́лать ∼ю operate

о́перн|ый, -ая, -ое; -ые opera

описа́ние n description

описа́ть *I* *p* (опишу́, опи́шешь) describe

опозда́ть *I* *p* *на что́* be late

определе́ние *n* definition; attribute

определя́ть *I* *imp.* define, determine; diagnose

опуска́ть *I* *imp.* lower, drop

опусти́ть *II* *p* (опущу́, опу́стишь) lower; drop

о́пытн|ый, -ая, -ое; -ые experienced

опя́ть again

организова́ть *I* *imp.* & *p.* (организу́ю, организу́ешь) organize; arrange

оригина́льн|ый, -ая, -ое; -ые original

осе́нн|ий, -яя, -ее; -ие autumn

о́сень *f* autumn

осетри́на *f* sturgeon

осма́тривать *I* *imp.* see (*museum, etc.*), examine

осмотре́ть *II* *p* (осмотрю́, осмо́тришь) look over, examine

осмотре́ться *II* *p* (осмотрю́сь, осмо́тришься) look round

основа́тель *m* founder

основа́ть *I* *p* (*only past*) found

основн|о́й, -а́я, -о́е; -ы́е basic

осо́бенно especially; particularly

осо́бенн|ый, -ая, -ое; -ые special; particular

остава́ться *I* *imp.* (остаю́сь, остаёшься) 1. remain; 2. be left

оставля́ть *I* *imp.* leave

остальн|о́й, -а́я, -о́е; -ы́е the rest; the others

остана́вливать *I* *imp.* stop

остана́вливаться *I* *imp.* stop; put up; stay

останови́ть *II* *p* (остановлю́, остано́вишь) stop

остано́вка *f* (*gen. pl.* остано́вок) stop

оста́ться *I* *p* 1. (оста́нусь, оста́нешься) remain; 2. (*only:* оста́нется; оста́лось): мне оста́лось учи́ться год I still have a year to study

осторо́жно carefully; ~ ! be careful!

остроу́мн|ый, -ая, -ое; -ые witty

о́стр|ый, -ая, -ое; -ые sharp; keen; strong; piquant

осуществи́ться *II* *p* come true, come to be

от, ото *prep.* (+ *gen.*) from; away from; of; for

отвезти́ *I* *p* (отвезу́, отвезёшь; *past* отвёз, отвезл|а́, -о́; -и́) take / drive away; take / drive back

отве́т *m* answer

отве́тить *II* *p* (отве́чу, отве́тишь) answer, reply

отве́тн|ый, -ая, -ое; -ые reciprocal; in answer, in return

отвеча́ть *I* *imp.* answer

отдава́ть *I* *imp.* (отдаю́, отдаёшь) give back

отда́ть *p* (отда́м, отда́шь, отда́ст, отдади́м, отдади́те, отдаду́т; *past* о́тдал, -о, -и, отдала́) give back

отде́л *m* department; section; office

отделе́ние *n* department; почто́вое ~ post office

отде́льно separately

о́тдых *m* rest

отдыха́ть *I* *imp.* rest; have a rest

оте́ц *m* (*gen.* отца́) father

отказа́ться *I* *p* (откажу́сь, отка́жешься) refuse; give up

откла́дывать *I* *imp.* postpone; set aside

открыва́ть *I* *imp.* open; discover

откры́тка *f* (*gen. pl.* откры́ток) postcard

откры́ть *I* *p* (откро́ю, откро́ешь) open; discover

отку́да where from; from which; whence

отлича́ться *I* *imp.* differ

отли́чно (it is) fine; excellent

отмени́ть *II* *p* (отменю́, отме́нишь) abolish; call off

отнима́ть *I* *imp.* *у кого́ что* take away

относи́ться *II* *imp.* (отношу́сь, отно́сишься) treat; regard; concern

отплы́ть *I* *p* (отплыву́, отплывёшь) sail

отпра́вить *II* *p* (отпра́влю, отпра́вишь) send

отпра́виться *II* *p* (отпра́влюсь, отпра́вишься) set out, go, start; ~ в путь set out

отправля́ть *I* *imp.* send

отправля́ться *I* *imp.* set out; start; ~ в путь set out

о́тпуск *m* (*pl.* отпуска́) leave; идти́ в ~ go on leave; быть в ~e be on leave

отстава́ть *I* *imp.* (отстаю́, отстаёшь) lag behind; часы́ отстаю́т the watch is slow

отста́ть *I* *p* (отста́ну, отста́нешь) lag behind

отсю́да from here

отту́да from there

отходи́ть *II* *imp.* (отхожу́, отхо́дишь) move away; step aside

о́тчество *n* patronymic

отчи́зна *f* fatherland, native country

отъе́зд *m* departure

отъезжа́ть *I* *imp.* move away

официа́нт *m* waiter

охо́тно willingly; readily

охраня́ть *I* *imp.* guard, protect

оцени́ть *II* *p* (оценю́, оце́нишь) appraise, evaluate

о́чень very; very much; ~ хорошо́ very well; я ~ люблю́... I like... very much

о́чередь *f* 1. *no pl.* turn; 2. (*gen. pl.* очереде́й) queue

очки́ *only pl.* (*gen. pl.* очко́в) apectacles

ошиби́ться *I* *p* (ошибу́сь, оши́бёшься) make a mistake

оши́бка *f* (*gen. pl.* оши́бок) mistake

П, п

па́дать *I* *imp.* fall; drop

па́луба *f* deck

пальто́ *n* (*not decl.*) coat, overcoat

па́мятник *m* monument

па́мять *f* memory

пансиона́т *m*: ~ для автомоби-ли́стов motel

папиро́са *f* cigarette

па́пка *f* (*gen. pl.* па́пок) file

па́ра *f* pair, couple

парикма́херская *f* barber's shop; hair-dressing saloon

парохо́д *m* steamer

партер *m* stalls

па́ртия *f* party; group

пассажи́р *m* passenger

пассажи́рск|ий, -ая, -ое; -ие passenger

пацие́нт *m* patient

па́чка *f* (*gen. pl.* па́чек) packet; pack

певе́ц *m* (*gen.* певца́) singer

певи́ца *f* singer

педагоги́ческ|ий, -ая, -ое; -ие pedagogical

пе́нсия *f* pension

первокла́сс|ный, -ая, -ое; -ые first-class

пе́рв|ый, -ая, -ое; -ые first; ~ое блю́до *or* пе́рвое first course; (в) пе́рвое вре́мя at first

перево́д *m* 1. postal order; 2. translation

переводи́ть *II* *imp.* (перевожу́, перево́дишь) 1. transfer; 2. translate

перево́дчик *m* interpreter

пе́ред(о) *prep.* (+ *instr.*) before; in front of

передава́ть *I* *imp.* (передаю́, передаёшь) pass; convey; broadcast

переда́ть *p* (переда́м, переда́шь, переда́ст, передади́м, передади́-те, передаду́т; *past* пе́редал, -о, -и, передала́) pass; convey; broadcast

переда́ча *f* broadcast

передн|ий, -яя, -ее; -ие front, fore

пере́дняя *f* entrance hall

переезжа́ть *I* *imp.* move to a new place

перее́хать *I* *p* (перее́ду, перее́дешь) move to a new place

перейти́ *I* *p* (перейду́, перейдёшь; *past* перешёл, перешл|а́, -о́; -и́) cross

перенести́ *I* *p* (перенесу́, перенесёшь; *past* перенёс, перенесл|а́, -о́; -и́) carry over; transfer, bear; ~ боле́знь have an illness

переодева́ться *I* *imp.* change one's clothes

перепи́ск|а *f* correspondence; вести́ ~у correspond

перепи́сываться *I imp.* correspond, write to each other

переры́в *m* interval; обе́денный ~ dinner break

переса́дк|а *f* change (*train, etc.*); де́лать ~у change (*trains, etc.*)

пересе́сть *I p* (переся́ду, переся́дешь; *past* пересе́л, -а, -о; -и) change (*one's seat*)

пересказа́ть *I p* (перескажу́, переска́жешь) retell

переставать *I imp.* (перестаю́, перестаёшь) stop

переста́ть *I p* (переста́ну, переста́нешь) stop

переу́лок *m* (*gen.* переу́лка) by-street, lane

пе́рец *m* (*gen.* пе́рца) pepper

перо́ *n* (*pl.* пе́рья, пе́рьев) pen

перро́н *m* platform

перча́тка *f* (*gen. pl.* перча́ток) glove

пе́сня *f* (*gen. pl.* пе́сен) song

песо́к *m* (*gen.* песка́ ‖ песку́) sand

петь *I imp.* (пою́, поёшь) sing

печа́льн|ый, -ая, -ое; -ые sad

печа́тать *I imp.* print; type

печа́ть *f* (*only sing.*) press

пече́нье *n* pastry, biscuits

пешехо́д *m* pedestrian

пешко́м on foot

пиани́но *n* (*not decl.*) piano

пи́во *n* beer

пиро́г *m* (*gen.* пирога́) pie

писа́тель *m* writer; author

писа́ть *I imp* (пишу́, пи́шешь) write

пи́сьменн|ый, -ая, -ое; -ые writing; ~ стол desk

письмо́ *n* (*pl.* пи́сьма, пи́сем) letter

пита́ться *I imp.* чем feed (on); have food

пить *I imp.* (пью, пьёшь... пьют; *past* пил, -о, -и, пила́) drink

пи́ща *f* food

пла́вание *n* swimming

пла́вательн|ый, -ая, -ое; -ые: ~ бассе́йн swimming-pool

пла́вать *I imp.* swim

пла́кать *I imp.* (пла́чу, пла́чешь) cry, weep

пласти́нка *f* (*gen. pl.* пласти́нок) record

пластма́сса *f* plastic

плати́ть *II imp.* (плачу́, пла́тишь) pay

плато́к *m* (*gen.* платка́) handkerchief

платфо́рма *f* platform

пла́тье *n* 1. clothes; 2. (*pl.* пла́тья, пла́тьев) dress

плащ *m* (*gen.* плаща́) raincoat

племя́нник *m* nephew

плечо́ *n* (*pl.* пле́чи, плеч, плеча́м, *etc.*) shoulder

пло́тн|ый, -ая, -ое; -ые compact, thick

пло́хо *adv.* badly; *predic. impers.* (it is) bad

плох|о́й, -а́я, -о́е; -и́е bad

площа́дка *f* (*gen. pl.* площа́док) pitch, ground; site

пло́щадь *f* (*gen. pl.* площаде́й) 1. square; 2. territory

плыть *I imp.* (плыву́, плывёшь; *past* плыл, -о, -и, плыла́) swim

по *prep.* 1. (+ *dat.*) along, on; by; according to; through; in; at; 2. (+ *acc.*) to, till

побе́да *f* victory

победи́тель *m* winner

побере́жье *n* coast

поблагодари́ть *II p* thank

побли́зости near at hand, in the vicinity

побри́ться *I p* (побре́юсь, побре́ешься) have a shave

побродить *II p* (поброжу́, побро́дишь) roam

побыва́ть *I p* где, у кого be, visit

повезти́ *I p* 1. (повезу́, повезёшь; *past* повёз, повезл|а́, -о́; -й) *see* везти́; 2. *impers.* (повезёт; повезло́) be lucky; ему́ (ей) повезло́ he (she) was lucky

пове́рить *II p* believe

пове́сить *II p* (пове́шу, пове́сишь) hang

по́весть *f* (*gen. pl.* повесте́й) story

повора́чивать *I imp.* turn

поворо́т *m* turn

повтори́ть *II p* repeat

повторя́ть *I imp.* repeat

погаси́ть II p (погашу́, пога́сишь) switch off; put out

пога́снуть I p (пога́снет; past пога́с, пога́сл|а, -о, -и) go out; become dim

погла́дить II p (погла́жу, погла́дишь) iron, press

погляде́ть II p (погляжу́, погляди́шь) have a look

поговори́ть II p have a talk

пого́да f weather

погуля́ть I p go for a walk

под, подо prep. 1. (+ instr.) under, by; near; 2. (+ acc.) to, towards

подава́ть I imp. (подаю́, подаёшь) give; serve; hand

пода́льше a little farther on

подари́ть II p (подарю́, пода́ришь) give as a present

пода́рок m (gen. пода́рка) gift, present

пода́ть p (пода́м, пода́шь, пода́ст, подади́м, подади́те, подаду́т; past по́дал, -о, -и, подала́) give; serve; hand

подво́дн|ый, -ая, -ое; -ые underwater

подготови́тельн|ый, -ая, -ое; -ые: ~ факульте́т preparatory faculty

подго́товиться II p (подгото́влюсь, подгото́вишься) prepare

подде́рживать I imp. support; second; keep up

подзе́мн|ый, -ая, -ое; -ые underground

Подмоско́вье n the environs of Moscow

поднима́ть I imp. lift; raise; pick up

поднима́ться I imp. go up, rise

подня́ться I p (подниму́сь, подни́мешься; past подня́лся, подня́л|ась, -о́сь; -и́сь) go up, rise

подожда́ть I p (подожду́, подождёшь; past подожда́л, -о, -и, подождала́) wait (for)

подойти́ I p (подойду́, подойдёшь; past подошёл, подошл|а́, -о́; -и́) 1. come up; 2. (3rd pers. only) fit, suit

подписа́ть I p (подпишу́, подпи́шешь) sign

по́дпись f signature

подро́бно in detail

подру́га f friend

подружи́ться II p (подружу́сь, подру́жишься) make friends

поду́мать I p think

подходи́ть II imp. (подхожу́, подхо́дишь) 1. come (up), approach; 2. (3rd pers. only) fit, suit

подходя́щ|ий, -ая, -ее; -ие suitable

подчеркну́ть I p (подчеркну́, подчеркнёшь) underline; emphasize

подъе́зд m entrance; porch

подъезжа́ть I imp. к чему́ drive up (to)

по́езд m (pl. поезда́) train

пое́здка f (gen. pl. пое́здок) journey, trip

пое́хать I p (пое́ду, пое́дешь) куда́ go (in a vehicle)

пожале́ть I p be sorry

пожа́луй perhaps; very likely

пожа́луйста please

пожела́ние n wish

пожени́ться II p (поже́нимся) get married

пожива́ть I imp. get on; Как пожива́ете? How are you getting on?

пожил|о́й, -а́я, -о́е; -ы́е elderly

поза́втракать I p have breakfast

позавчера́ the day before yesterday

позва́ть I p (позову́, позовёшь; past позва́л, -о, -и, позвала́) call

позво́лить II p allow

позвони́ть II p ring; ring up

поздне́е (comp. of по́здно) later

по́здн|ий, -яя, -ее; -ие late

по́здно predic. impers. (it is) late

поздоро́ваться I p greet

поздрави́тельн|ый, -ая, -ое; -ые complimentary, congratulatory

поздра́вить II p (поздра́влю, поздра́вишь) с чем congratulate

поздравле́ние n congratulation

поздравля́ть I imp. с чем congratulate; ~ с Но́вым го́дом wish somebody a happy New Year

по́зже (*comp. of* по́здно) later, later on

познако́мить *II p* (познако́млю, познако́мишь) introduce

познако́миться *II p* (познако́млюсь, познако́мишься) get acquainted, meet

пойма́ть *I imp.* catch

пойти́ *I p* (пойду́, пойдёшь; *past* пошёл, пошл|а́, -о́; -й) go; come

пока́ *conj.* 1. while; 2. until, till; пока́ не... until, till

показа́ть *I p* (покажу́, пока́жешь) show

пока́зывать *I imp.* show

поката́ться *I p see* ката́ться

покупа́тель *m* customer, buyer

покупа́ть *I imp.* buy

поку́пка *f* (*gen. pl.* поку́пок) purchase

покури́ть *II p* (покурю́, поку́ришь) have a smoke

пол *m* (*pl.* полы́) floor

по́ле *n* (*pl.* поля́, поле́й) field

полежа́ть *II p* (полежу́, полежи́шь) lie

поле́зн|ый, -ая, -ое; -ые useful

полете́ть *II p* (полечу́, полети́шь) fly

полёт *m* flight

по́лка *f* (*gen. pl.* по́лок) shelf

по́лн|ый, -ая, -ое; -ые full, complete

полови́на *f* half

положи́ть *II p* (положу́, поло́жишь) lay, put

по́лон, полна́, по́лно; по́лны *short form of* по́лный (*see*)

полоса́ *f* (*acc.* по́лосу; *pl.* по́лосы, поло́с, полоса́м, *etc.*) stripe, strip; zone

полоска́ть *I imp.* (полощу́, поло́щешь) gargle

полтор|а́, *for m and n;* ~ы́ *for f* one and a half

получа́ть *I imp.* receive, get, obtain

получи́ть *II p* (получу́, полу́чишь) receive, get, obtain

по́льза *f* use

по́льзоваться *I imp.* (по́льзуюсь, по́льзуешься) use; enjoy; ~ успе́хом be a success

по́льск|ий, -ая, -ое; -ие Polish

полюби́ть *II p* (полюблю́, полю́бишь) come to love

полюбова́ться *I p* (полюбу́юсь, полюбу́ешься) admire

поля́к *m* Pole

поме́рить *II p* try on

помести́ть *II p* (помещу́, помести́шь) place; accommodate

помеша́ть *I p* prevent; hinder; disturb

помеща́ть *I imp.* place; accommodate

помеще́ние *n* room, premises

поме́щик *m* landowner

помидо́р *m* tomato

по́мнить *II imp.* remember, bear in mind

помога́ть *I imp.* help

помо́чь *I p* (помогу́, помо́жешь; *past* помо́г, -могла́, -ло́; -ли́) help

по́мощь *f* help

пони́зиться *II p* fall, go down

понима́ть *I imp.* understand

понра́виться *II p* (понра́влюсь, понра́вишься) like, please

поня́тно clearly, plainly

поня́ть *I p* (пойму́, поймёшь; *past* по́нял, -о, -и, поняла́) understand

пообе́дать *I p* have dinner

пообеща́ть *I p* promise

попада́ть *I imp.* (*куда́?*) get to; manage to get to

попа́сть *I p* (попаду́, попадёшь; *past* попа́л, -а, -о; -и (*imp.* попада́ть) get to; manage to get to

попо́зже a little later

попола́м in two; half-and-half

по-по́льски Polish, (in) Polish; à la Polonaise

попра́виться *II p* (попра́влюсь, попра́вишься) recover

по-пре́жнему as before

попро́бовать *I p* (попро́бую, попро́буешь) try; test; taste

попроси́ть *II p* (попрошу́, попро́сишь) ask (for), request

популя́рн|ый, -ая, -ое; -ые popular

порá *predic. impers.* (it is) time; до сих пóр up to now

порабóтать *I p* do some work

по-рáзному differently; in different ways

порошóк *m (gen.* порошкá) powder

порт *m (prepos.* о пóрте ‖ в портý) port, harbour

портфéль *m* briefcase

по-рýсски (in) Russian; in the Russian style

поручéние *n* errand; mission

пóрция *f* portion; helping

порядок *m (gen.* порядка) order

посадить *II p* (посажý, посáдишь) 1. plant; 2. land

посáдка *f* landing; embarkation

послáть *I p* (пошлю, пошлёшь) send

пóсле *prep.* (+ *gen.*) after

послéдн|ий, -яя, -ее; -ие last, latter, latest

послезáвтра the day after tomorrow

послýшать *I p* listen

послýшаться *I p кого, чего* listen to; obey; ~ совéта take somebody's advice

посмеяться *I p* (посмеюсь, посмеёшься) laugh

посмотрéть *II p* (посмотрю, посмóтришь) look

посóбие *n* text-book

посовéтоваться *I p* (посовéтуюсь, посовéтуешься) *с кем* consult

поспóрить *II p* argue

посреди *prep.* (+ *gen.*) in the middle (of)

поссóриться *II p* quarrel

постáвить *II p* (постáвлю, постáвишь) put; place

постанóвка *f (gen. pl.* постанóвок) staging; production

постарáться *I p* try

по-стáрому as before; as of old

постéль *f* bed

постепéнно gradually, little by little

постоянн|ый, -ая, -ое; -ые permanent

постоять *II p* (постою, постоишь) stand a while

построить *II p* build

поступить *II p* (поступлю, постýпишь) *кудá, во чтó* enter; join

постучáть *II p* knock

посýда *f* plates and dishes; kitchen utensils

посылáть *I imp.* send

посылка *f (gen. pl.* посылок) parcel

потанцевáть *I p* (потанцýю, потанцýешь) dance

потерять *I p* lose

потолóк *m (gen.* потолкá) ceiling

потóм then

потомý что *conj.* because

потрéбовать *I p* (потрéбую, потрéбуешь) demand; require

потрóгать *I p* touch

по-турéцки Turkish; (in) Turkish

поýжинать *I p* have supper

по-францýзски French; (in) French

похóд *m* hike; trip; ходить в туристический ~ go on a hiking trip

походить *II p* (похожý, похóдишь) have a walk, go, walk

похóж, -а, -е; -и (*short form of* похóжий) *на кого, на чтó* alike; like; resembling; похóже, что... it looks as if...

поцеловáть *I p* (поцелýю, поцелýешь) kiss

почемý why

почемý-нибудь for some reason or other

починить *II p* (починю, починишь) repair

почистить *II p* (почищу, почистишь) clean

пóчта *f* post

почтальóн *m* postman

почти almost

почтить *II p* (почтý, почтишь... почтят) honour

почтóв|ый, -ая, -ое; -ые post; postal

почýвствовать *I p* (почýвствую, почýвствуешь) feel

пошутить *II p* (пошучý, пошýтишь) joke

поэтому *conj.* that is why

появи́ться // р (появлю́сь, по-я́вишься) appear, make one's appearance

по́яс m (pl. пояса́) belt

прав, -а́; -ы (short form of пра́вый) right; она́ была́ права́ she was right

пра́вда f truth

пра́вило n rule

пра́вильн|ый, -ая, -ое; -ые correct

пра́в|ый, -ая, -ое; -ые right

пра́здник m holiday, festival

пра́здничн|ый, -ая, -ое; -ые holiday, festive

предлага́ть I imp. offer; suggest

предложе́ние n 1. offer, suggestion; 2. sentence, clause

предложи́ть // р (предложу́, предло́жишь) offer; suggest

предме́т m thing; object

предполага́ть I imp. suppose

предпочита́ть I imp. prefer

представи́тель m representative

предста́вить // р (предста́влю, предста́вишь) 1. imagine; 2. introduce; represent

предупрежда́ть I imp. let know beforehand; warn

предъявля́ть I imp. show; produce

пре́жде всего́ [-во́] above all

пре́жн|ий, -яя, -ее; -ие previous, former

прекра́сно (it is) fine

прекра́сн|ый, -ая, -ое; -ые beautiful; fine

прекраща́ть I imp. stop, put an end

прекраща́ться I imp. end, cease

преодолева́ть I imp. overcome

преподава́тель m teacher

преподава́ть I imp. (преподаю́, преподаёшь) teach

преподнести́ I р (преподнесу́, преподнесёшь; past преподнёс, преподнесл|а́; -и́) present

при prep. (+ prepos.) attached to; in the time of; by; about; of

приближа́ться I imp. approach; ~ к концу́ come to an end

приблизи́тельно approximately; roughly

прибо́р m instrument; столо́вый ~ cover

прибыва́ть I imp. arrive

прибы́ть I р (прибу́ду, прибу́дешь; past при́был, -о, -и, прибыла́) arrive

прива́л m halt; де́лать ~ halt

привезти́ I р (привезу́, привезёшь; past привёз, привезл|а́, -о́, -и́) carry

приве́т m greeting, regards; переда́ть ~ convey greetings

приве́тлив|ый, -ая, -ое; -ые friendly

приве́тствовать I imp. (приве́тствую, приве́тствуешь) welcome, greet

привлека́ть I imp. attract, draw

привле́чь I р (привлеку́, привле-чёшь; past привлёк, привлекла́, -о́; -и́) attract, draw

приводи́ть // imp. (привожу́, приво́дишь) lead; bring

привози́ть // imp. (привожу́, приво́зишь) bring

привыка́ть I imp. get used to, get accustomed

привы́чка f (gen. pl. привы́чек) habit

пригласи́ть // р (приглашу́, при-гласи́шь) invite

приглаша́ть I imp. invite

при́городн|ый, -ая, -ое; -ые suburban

пригото́вить // р (пригото́влю, пригото́вишь) prepare

приду́мать I р think of; devise

прие́зд m arrival

приезжа́ть I imp. arrive, come

приём m reception

прие́хать I р (прие́ду, прие́дешь) arrive, come

приз m (pl. призы́) prize

приземли́ться // р land

призна́ться I р admit

прийти́ I р (приду́, придёшь... приду́т; past пришёл, пришл|а́, -о́; -и́) come

прийти́сь impers. (придётся, при-шло́сь): мне придётся I'll have to; мне пришло́сь I had to

прика́зывать I imp. order, command

приключе́ние *n* adventure
приме́р *m* example
приме́рить *II p* try on; fit
приме́рно approximately
принадлежа́ть *II imp.* belong
принести́ *I p* (принесу́, принесёшь; *past* принёс, принесл|а́, -о́; -и́) bring; fetch
принима́ть *I imp.* take; receive, accept
приноси́ть *II imp.* (приношу́, прино́сишь) bring
приня́ть *I p* (приму́, при́мешь; *past* при́нял, -о, -и, приняла́) take; receive, accept
приня́ться *I p* (приму́сь, при́мешься; *past* принялся́, приня́л|ась, -о́сь; -и́сь) *за что́* set to; begin
приро́да *f* nature
присла́ть *I p* (пришлю́, пришлёшь) send
при́стань *f* landing-stage; pier
прису́тствовать *I imp.* (прису́тствую, прису́тствуешь) be present, assist
приходи́ть *II imp.* (прихожу́, прихо́дишь) come, arrive
приходи́ться *II imp. impers.* (прихо́дится; приходи́лось) have to
причёсываться *I imp.* do one's hair; comb one's hair
причи́на *f* cause, reason
прия́тно *adv.* pleasantly; *predic. impers.* it is pleasant
прия́тн|ый, -ая, -ое; -ые pleasant, good, nice
про́бовать *I imp.* (про́бую, про́буешь) try; taste, test
пробы́ть *I p* (пробу́ду, пробу́дешь; *past* про́был, -о, -и, пробыла́) stay, remain
прове́рить *II p* check
провести́ *I p* (проведу́, проведёшь; *past* провёл, провел|а́, -о́; -и́): ~ вре́мя spend time
проводи́ть *II imp.* (провожу́, прово́дишь) spend; conduct; show
проводи́ться *II imp.* (прово́дится) be done
проводни́к *m* (*gen.* проводника́) guide, conductor

провожа́ть *I imp.* accompany; see off
проголода́ться *I p* feel/get hungry
прогу́лка *f* (*gen. pl.* прогу́лок) walk; drive; ride
продава́ть *I imp.* (продаю́, продаёшь) sell
продаве́ц *m* (*gen.* продавца́) shop assistant
прода́ж|а *f* sale; в ~е on sale
прода́ть *p* (прода́м, прода́шь, прода́ст, продади́м, продади́те, продаду́т; *past* про́дал, -о, -и, продала́) sell
продово́льственн|ый, -ая, -ое; -ые food, provision; ~ магази́н foodstore
продолжа́ть *I imp.* continue; go on
продолжа́ться *I imp.* continue; go on
проду́кты *pl.* (*sing.* проду́кт *m*) food, provisions; products
проезжа́ть *I imp.* go, cover; pass by
прое́хать *I p* (прое́ду, прое́дешь) go, cover; pass by
прожи́ть *I p* (проживу́, проживёшь; *past* про́жил, -о, -и, прожила́) live
прозра́чн|ый, -ая, -ое; -ые transparent
прои́грывать *I imp.* lose
произведе́ние *n* work; composition
произноше́ние *n* pronunciation
происходи́ть *II imp.* (происхо́дит) take place
пройти́ *I p* (пройду́, пройдёшь; *past* прошёл, прошл|а́, -о́; -и́) pass
пролета́ть *I imp.* fly (over)
промы́шленность *f* industry
пропада́ть *I imp.* get lost; disappear
пропуска́ть *I imp.* let pass; omit; miss
проси́ть *II imp.* (прошу́, про́сишь) *чего́* ask (for)
прослу́шать *I p* hear; listen to; attend
просма́тривать *I imp.* look over/through

просмотре́ть *II p* (просмотрю́, просмо́тришь) look through

просну́ться *I p* (просну́сь, проснёшься) awake

проспе́кт *m* avenue

прости́ть *II p* (прощу́, прости́шь) forgive

прости́ться *II p* (прощу́сь, прости́шься) *с кем, с чем* say goodbye

про́сто simply

прост|о́й, -а́я, -о́е; -ы́е simple; common; plain

простуди́ться *II p* (простужу́сь, просту́дишься) catch cold

просту́живаться *I imp.* catch cold

про́сьба *f* request

про́тив *prep.* (+ *gen.*) against; opposite

проти́вник *m* opponent, adversary

протяну́ть *I p* (протяну́, протя́нешь) stretch; extend; reach out

профе́ссор *m* (*pl.* профессора́) professor

прохла́дн|ый, -ая, -ое; -ые cool

проходи́ть *II imp.* (прохожу́, прохо́дишь) 1. pass; 2. take place

прохо́жий *m* passer-by

проце́нт *m* per cent

проце́сс *m* process

прочита́ть *I p* read

про́чн|ый, -ая, -ое; -ые durable; solid; firm

проше́дш|ий, -ая, -ее; -ие past

прошлого́дн|ий, -яя, -ее; -ие last year's

про́шлое *n* the past

про́шл|ый, -ая, -ое; -ые past; last

проща́ть *I imp.* forgive

проща́ться *I imp.* *с кем, с чем* say good-bye

пры́гать *I imp.* jump

прыжо́к *m* (*gen.* прыжка́) jump

пря́мо directly, straight

прям|о́й, -а́я, -о́е; -ы́е straight, through

пря́тать *I imp.* (пря́чу, пря́чешь) hide

пти́ца *f* 1. bird; 2. *only sing.* fowl

пу́блика *f* public; audience

пуска́ть *I imp.* 1. let (go) 2. set in motion

пусте́ть *I imp.* become empty

пуст|о́й, -а́я, -о́е; -ы́е empty; deserted

пусть *particle* let

путёвка *f* accommodation card (*for a sanatorium or tourist centre*)

путеше́ственник *m* traveller

путеше́ствие *n* trip; journey

путеше́ствовать *I imp.* (путеше́ствую, путеше́ствуешь) travel

путь *m* (*instr.* путём, *gen.*, *dat.*, *prepos.* пути́; *pl.* пути́, путе́й, путя́м, *etc.*) way, means

пыль *f* (*prepos.* о пы́ли ‖ в пыли́) dust

пыта́ться *I imp.* try

пя́тница *f* Friday

Р, р

рабо́та *f* work, labour

рабо́тать *I imp.* work

рабо́тник *m* worker

рабо́тница *f* worker

рабо́ч|ий, -ая, -ее; -ие working; labour

рабо́чий *m* worker

ра́вен, равн|а́, -о́; -ы́ (*short form of* ра́вный) equal; всё ~о́ all the same

ра́вн|ый, -ая, -ое; -ые equal

рад, -а, -о; -ы *short adj.* glad

радиоприёмник *m* radio-set

ра́доваться *I imp.* (ра́дуюсь, ра́дуешься) *чему* be glad, rejoice

ра́достн|ый, -ая, -ое; -ые glad; joyful

ра́дость *f* joy; gladness

раз *m* time; ещё ~ once more; как ~ just; мно́го ~ many times; два, три, четы́ре ра́за twice, three, four times; не ~ repeatedly; ни ра́зу not once

разби́ть *I p* (разобью́, разобьёшь) break

разбуди́ть *II p* (разбужу́, разбу́дишь) wake up

ра́зве *particle* really?

развива́ться I imp. develop
разгова́ривать I imp. talk; converse
разгово́р m talk; conversation
разгово́рчив|ый, -ая, -ое; -ые talkative
раздава́ться I imp. (раздаётся) sound, resound; be heard
раздева́ться I imp. undress
раздели́ть II p (разделю́, разде́лишь) divide
разде́ться I p (разде́нусь, разде́нешься) undress
разжига́ть I imp light
разли́чие n difference; distinction
разли́чн|ый, -ая, -ое; -ые different; various
разме́р m size
размести́ть II p (размещу́, размести́шь) put up; accommodate
размеща́ть I imp. put up; accommodate
ра́зница f difference
разнообра́зн|ый, -ая, -ое; -ые various; diverse
разноцве́тн|ый, -ая, -ое; -ые multicoloured
ра́зн|ый, -ая, -ое; -ые different; various
разойти́сь I p (разойдёмся) depart, go away in different directions
разреша́ть I imp. allow
разреши́ть II p allow
разуме́ется of course
разъе́хаться i p (разъе́демся) depart, go away in different directions
райо́н m district
ра́нн|ий, -яя, -ее; -ие early
ра́но early
ра́ньше 1. (comp. of ра́но) earlier; 2. before, formerly, previously
раски́нуться I p spread out / over
раскрыва́ть I imp. open; discover; disclose
раскры́ть I p (раскро́ю, раскро́ешь) open; discover; disclose
расписа́ние n time-table, schedule
расплати́ться II p (расплачу́сь, распла́тишься) pay off

располо́жен, -а, -о; -ы (short form of располо́женный) situated
рассерди́ться II p (рассержу́сь, рассе́рдишься) get angry
расска́з m tale; short story
рассказа́ть I p (расскажу́, расска́жешь) tell; narrate
расска́зывать I imp. tell; narrate
рассма́тривать I imp. look, discern; consider
расста́ться I p (расста́нусь, расста́нешься) с кем, чем part from/with
расстоя́ние n distance
расстра́иваться I imp. fell/be upset; be disappointed
расте́ние n plant
расти́ I imp. (расту́, растёшь; past рос, -ла́, -ло́; -ли́) grow, grow up
расходи́ться II imp. (расхо́димся) depart
расши́рить I p widen
рвать I imp. (рву, рвёшь; past рвал, -о, -и, рвала́) pick; tear
ребёнок m (gen. ребёнка; pl. де́ти, дете́й) child; baby
револю́ция f revolution
регуля́рно regularly
ре́дк|ий, -ая, -ое; -ие гаге; uncommon
ре́дко rarely, seldom
ре́же comp. of ре́дко (see)
ре́зать I imp. (ре́жу, ре́жешь) cut; slice
ре́зко sharply
река́ f (acc. ре́ку; pl. ре́ки) river
реце́пт prescription
речн|о́й, -а́я, -о́е; -ы́е river
реша́ть I imp. decide; solve
реше́ние n solution; decision
реши́ть II p decide; solve
рис m rice
рискова́ть I imp. (рискую́, риску́ешь) risk
рисова́ть I imp. (рису́ю, рису́ешь) draw
ри́сов|ый, -ая, -ое; -ые rice
рису́нок m (gen. рису́нка) drawing; picture; design
ро́вно exactly; ~ в час at one o'clock sharp

ровн|ый, -ая, -ое; -ы́е flat, even
род *m* gender
ро́дина *f* motherland
роди́тели *pl.* (*gen.* роди́телей) parents
роди́ться *II p* be born
родн|о́й, -а́я, -о́е; -ы́е kindred; own; native; ~ язы́к native language
ро́дственник *m* relative
рожде́ни|е *n* birth; день ~я birthday
ро́зов|ый, -ая, -ое; -ые pink; rosy
роль *f* (*gen. pl.* роле́й) role, part
росси́йск|ий, -ая, -ое; -ие Russian
рост *m* height
рот *m* (*gen.* рта, *prepos.* во рту́) mouth
роя́ль *m* grand piano
руба́шка *f* (*gen. pl.* руба́шек) shirt
рубе́ж *m* (*gen.* рубежа́) border; за ~о́м abroad
руга́ть *I imp.* scold; rail
рука́ *f* (*acc.* ру́ку; *pl.* ру́ки, рук, рука́м, *etc.*) hand; arm
руководи́тель *m* leader
руководи́ть *II imp.* (руковожу́, руководи́шь) lead
ру́копись *f* manuscript
румы́нск|ий, -ая, -ое; -ие Rumanian
ру́сск|ий, -ая, -ое; -ие Russian
ру́сский *m* Russian
ру́чка *f* (*gen. pl.* ру́чек) pen (holder); fountain-pen
ры́ба *f* fish
ры́бн|ый, -ая, -ое; -ые fish
ры́нок *m* (*gen.* ры́нка) market
рю́мка *f* (*gen. pl.* рю́мок) wine-glass
ряд *m* (*gen.* ря́да ‖ 2, 3, 4 ряда́; *prepos.* о ря́де ‖ в ряду́; *pl.* ряды́) row; line
ря́дом quite near, side-by-side, next to

С, с

с, со *prep.* 1. (+ *instr.*) with, and; 2. (+ *gen.*) from, at, on; since

сад *m* (*prepos.* о са́де ‖ в саду́; *pl.* сады́) garden; orchard; де́тский ~ kindergarten
сади́ться *II imp.* (сажу́сь, сади́шься) sit down; sit up; take a seat; land; set
сала́т *m* 1. salad; 2. lettuce
салфе́тка *f* (*gen. pl.* салфе́ток) napkin
сам, сама́, само́; са́ми himself, herself, itself, themselves
самоде́ятельность *f* amateur art activities
самолёт *m* aircraft, aeroplane
самостоя́тельн|ый, -ая, -ое; -ые independent
са́м|ый, -ая, -ое; -ые the very; the same; most; ~ большо́й the greatest, the biggest; тот ~ this (that) very
санато́рий *m* sanatorium
са́хар *m* sugar
сбо́рная кома́нда selected team
све́ж|ий, -ая, -ее; -ие fresh; latest
сверну́ть *I p* turn
све́рху from above; from the top
свет *m* (*prepos.* о све́те ‖ на свету́) light
светло́ *predic. impers.* (it is) light
све́тл|ый, -ая, -ое; -ые light, bright; fair
свида́ние *n* meeting; appointment, rendez-vous
свиде́тель *m* witness
свист *m* whistling
свисто́к *m* (*gen.* свистка́) whistle
сви́тер *m* sweater
свобо́ден, свобо́дн|а, -о; -ы (*short form of* свобо́дный) free; vacant
свобо́дно freely; fluently
свобо́дн|ый, -ая, -ое; -ые free; vacant
сво́йство *n* property
свы́ше *prep.* (+ *gen.*) over, beyond
свя́зывать *I imp.* tie together; connect
связь *f* communication; connection
сдава́ть *I imp.* (сдаю́, сдаёшь): ~ экза́мены take examinations

сдать p (сдам, сдашь, сдаст, сдадим, сдади́те, сдаду́т; *past* сдал, -о, -и, сдала́); ~ экза́мены pass examinations

сде́лать *l p* do; make

себя́ (*dat.* себе́, *instr.* собо́й) (one)-self

се́вер *m* North

се́верн|ый, -ая, -ое; -ые northern

сего́дня today

сего́дняшн|ий, -яя, -ее; -ие today's

сейча́с now

секу́нда *f* second

село́ *n* (*pl.* сёла) village

се́льск|ий, -ая, -ое; -ие rural; ~ое хозя́йство agriculture

семина́р *m* seminar

семья́ *f* (*pl.* се́мьи) family

серди́т|ый, -ая, -ое; -ые angry

серди́ться *ll imp.* (сержу́сь, се́рдишься) be angry

се́рдце *n* (*pl.* сердца́, серде́ц, сердца́м, *etc.*) heart

середи́на *f* middle

се́р|ый, -ая, -ое; -ые grey

серьёзн|ый, -ая, -ое; -ые serious

се́ссия *f* session; экзаменацио́нная ~ examination session

сестра́ *f* (*pl.* сёстры, сестёр, сёстрам, *etc.*) sister; медици́нская ~ nurse

сесть *l p* (ся́ду, ся́дешь; *past* сел, се́л|а, -о; -и) *see* сади́ться

сза́ди (*где?*) from behind; from the end

сигна́л *m* signal

сиде́ть *ll imp.* (сижу́, сиди́шь) sit

си́льн|ый, -ая, -ое; -ые strong; powerful; intense; hard; heavy

симфони́ческ|ий, -ая, -ое; -ие symphonic

си́н|ий, -яя, -ее; -ие dark-blue

систе́ма *f* system; не́рвная ~ nervous system

сказа́ть *l p* (скажу́, ска́жешь) say, tell

ска́терть *f* (*gen. pl.* скатерте́й) tablecloth

сквозь *prep.* (+ *acc.*) through

ско́лько how many, how much

скоре́е 1. (*comp. of* ско́ро) sooner; 2. rather

ско́ро soon

скоростн|о́й, -а́я, -о́е; -ы́е express, high-speed

ско́рость *f* (*gen. pl.* скоросте́й) speed

ско́р|ый, -ая, -ое; -ые fast, speedy; ~ по́езд express

скри́пка *f* (*gen. pl.* скри́пок) violin

скро́мн|ый, -ая, -ое; -ые modest

скрыва́ть *l imp.* hide, conceal

скуча́ть *l imp.* be bored; miss

ску́чно *adv.* boringly, tediously; *predic. impers.* мне ~ I am bored

сла́бость *f* weakness

сла́б|ый, -ая, -ое; -ые weak, faint, poor

сла́ва *f* glory; fame

сла́вн|ый, -ая, -ое; -ые glorious, famous

славя́нск|ий, -ая, -ое; -ие Slav

сла́дк|ий, -ая, -ое; -ие sweet

сле́ва (*где?*) on the left

следи́ть *ll imp.* (слежу́, следи́шь) watch, observe

сле́довательно *conj.* therefore; hence

сле́довать *l imp.* 1. (сле́дую, сле́дуешь) *за кем* follow, come next; 2. *impers.* (сле́дует; сле́довало) one ought (to)

сле́дующ|ий, -ая, -ее; -ие following; next

слеза́ *f* (*pl.* слёзы, слёз, слеза́м, *etc.*) tear

сли́шком too; more than enough

словарь *m* (*gen.* словаря́) dictionary; vocabulary

сло́во *n* (*pl.* слова́) word

сложи́ть *ll p* (сложу́, сло́жишь; *imp.* скла́дывать) 1. pack; 2. fold

сло́жн|ый, -ая, -ое; -ые complicated; complex

слома́ть *l p* break

слу́ча|й *m* (*gen.* слу́чая) case; в ~е *чего́-либо* in case of *something*; несча́стный ~ accident

случа́йно by chance, by accident; accidentally

случа́ться *l imp.* happen; come to pass

случи́ться // p happen; come to pass

слу́шатель m hearer; listener

слу́шать / imp. listen

слы́шать // imp. hear

слы́шно predic. impers. (it is) audible, one can hear

сме́л|ый, -ая, -ое; -ые bold; courageous

смеша́ть / p mix; mix up; confuse

сме́шивать / imp. mix; mix up; confuse

смешно́ adv. in a funny manner; predic. impers. it is ridiculous

смешн|о́й, -а́я, -о́е; -ы́е ridiculous; funny

смея́ться / imp. laugh

смотре́ть // imp. (смотрю́, смо́тришь) look (at)

смочь / p (смогу́, смо́жешь; past смог, смогл|а́, -о́; -и́) be able

снача́ла firstly; at first; from / at the beginning

снег m (prepos. на снегу́; pl. снега́) snow

сне́жн|ый, -ая, -ое; -ые snowy

снима́ть / imp. take off; remove

сно́ва again

снять / p (сниму́, сни́мешь; past снял, -и, сняла́) take off; remove

соба́ка f dog

собира́ть / imp. gather; collect; assemble

собира́ться / imp. 1. assemble, gather (together); 2. intend; be going to

собо́р m cathedral

собра́ние n meeting; assembly

собы́тие n event

соверша́ть / imp. make; accomplish; perform

сове́т m advice

сове́товать / imp. (сове́тую, сове́туешь) advise

сове́товаться / imp. (сове́туюсь, сове́туешься) с кем consult

сове́тск|ий, -ая, -ое; -ие Soviet

совеща́ние n conference

совреме́нн|ый, -ая, -ое; -ые modern; up-to-date; contemporary

совсе́м quite, entirely; ~ не not at all

согла́сен, согла́сн|а, -о; -ы (short form of согла́сный) as pred. agree

согласи́ться // p (соглашу́сь, согласи́шься) agree

соглаша́ться / imp. agree

сожале́ни|е n regret; к ~ю unfortunately

создава́ть / imp. (создаю́, создаёшь) create

созда́ть p (созда́м, созда́шь, созда́ст, создади́м, создади́те, создаду́т; past со́здал, -о, -и, созда́ла) create, make

сойти́ / p (сойду́, сойдёшь; past сошёл, сошл|а́, -о́; -и́) come down; descend; get off; go downstairs

со́лнечн|ый, -ая, -ое; -ые sunny; solar

со́лнце n sun

соль f salt

сомнева́ться / imp. doubt

сообща́ть / imp. о чём кому́ inform; tell

сообще́ни|е n 1. report, information; 2. сре́дства ~я means of communication

сообщи́ть // p о чём кому́ inform; tell

сооруже́ние n building; construction

соревнова́ние n competition

сосе́д m (pl. сосе́ди, сосе́дей, сосе́дям, etc.) neighbour

сосе́дн|ий, -яя, -ее; -ие neighbouring; next

сосно́в|ый, -ая, -ое; -ые pine; pinewood

соста́в m composition

состоя́ть // imp. из чего́ consist (of)

состоя́ться // p take place

со́тня f (gen. pl. со́тен) hundred

со́ус m sauce

спа́льня f (gen. pl. спа́лен) bedroom

спаси́бо thank you

спать // imp. (сплю, спишь; past спал, -о, -и, спала́) sleep

спеши́ть // imp. hurry
спина́ f (acc. спи́ну; pl. спи́ны) back
спи́сок m (gen. спи́ска) list
спи́чка f (gen. pl. спи́чек) match
сплошн|о́й, -а́я, -о́е; -ы́е continuous; solid
споко́йно adv. quietly; predic. impers. (it is) quiet
споко́йн|ый, -ая, -ое; -ые calm, quiet; composed
спо́рить // imp. argue
спорти́вн|ый, -ая, -ое; -ые sporting, sports
спортсме́н m sportsman
спосо́бн|ый, -ая, -ое; -ые able; clever
спра́ва (где?) on the right
спра́вочное бюро́ inquiry bureau
спра́шивать / imp. ask
спроси́ть // p (спрошу́, спро́сишь) ask
спуска́ться / imp. come down; go down
спусти́ться // p (спущу́сь, спу́стишься) come down; go down
спавня́ть: ~ счёт even the score
сра́зу at once
среди́ prep. (+ gen.) among
сре́дн|ий, -яя, -ее; -ие middle, average; ~ род neuter gender
сре́дство n means; remedy; ~ сообще́ния means of communication
сро́чн|ый, -ая, -ое; -ые urgent; express
ссо́ра f quarrel
ссо́риться // imp. quarrel
ста́вить // imp. (ста́влю, ста́вишь) put, place
стадио́н m stadium
стака́н m glass
станови́ться // imp. (становлю́сь, стано́вишься) become; grow
ста́нция f station
стара́ться / imp. try
стари́к m (gen. старика́) old man
стари́нн|ый, -ая, -ое; -ые old; ancient
ста́рше older
ста́рш|ий, -ая, -ее; -ие older, elder, eldest; senior

ста́р|ый, -ая, -ое; -ые old
стать / p (ста́ну, ста́нешь) 1. become, grow; 2. begin; 3. stop; 4. go and stand
статья́ f (gen. pl. стате́й) article
стекло́ n (pl. стёкла, стёкол, стёклам, etc.) glass
стемне́ть / p impers. (стемне́ет; стемне́ло) get dark
стена́ f (acc. сте́ну; pl. сте́ны) wall
стенн|о́й, -а́я, -о́е; -ы́е wall; ~ шкаф wall cupboard
стипе́ндия f allowance; grant, scholarship
стира́льн|ый, -ая, -ое; -ые: ~ маши́на washing-machine
стихи́ pl. (gen. pl. стихо́в; sing. стих) lines, poetry
сто́ить // imp. 1. cost; 2. be worth (+ inf.)
стол m (gen. стола́) table
столи́ца f capital
столи́чн|ый, -ая, -ое; -ые capital
столо́вая f dining-room; canteen
сто́лько so much/many, as much/many, etc.
сторона́ f (acc. сто́рону; pl. сто́роны, сторо́н, сторона́м, etc.) side
стоя́нка f (gen. pl. стоя́нок): ~ такси́ taxi-stand
стоя́ть // imp. (стою́, стои́шь) stand; stop; be; стои́т хоро́шая пого́да the weather is fine
страда́ть / imp. suffer
страна́ f (pl. стра́ны) country, land
страни́ца f page
стра́стн|ый, -ая, -ое; -ые passionate, ardent
стра́шн|ый, -ая, -ое; -ые terrible, frightful, dreadful
стреми́ться // imp. (стремлю́сь, стреми́шься) к чему́ speed; strive
строи́тельство n building, construction
стро́ить // imp. build, construct
стро́йн|ый, -ая, -ое; -ые slender
студе́нт m student
студе́нческ|ий, -ая, -ое; -ие student's, students'
стул m (pl. сту́лья) chair

сты́дно *predic. impers.* it is a shame; мне ~ I am ashamed

суббо́та *f* Saturday

суда́к *m* (*gen.* судака́) pike-perch

судья́ *m* (*pl.* су́дьи, суде́й, су́дьям, *etc.*) referee; judge umpire

су́мка *f* (*gen. pl.* су́мок) handbag, shopping bag

су́мочка *f* (*gen. pl.* су́мочек) handbag

суп *m* (*pl.* супы́) soup

суро́в|ый, -ая, -ое; -ые severe; stern

су́тки *only pl.* (*gen.* су́ток) twenty-four hours

сух|о́й, -а́я, -о́е; -и́е dry

суши́ть *II imp.* (сушу́, су́шишь) dry

сходи́ть *II imp.* (схожу́, схо́дишь) go down, go downstairs, get off; descend

счастли́в|ый, -ая, -ое; -ые happy; ~ого пути́! happy journey!

сча́стье *n* happiness; luck

счёт *m* score; bill; account

счита́ть *I imp.* 1. count; calculate; 2. consider

съезд *m* congress

съесть *p* (съем, съешь, съест, съеди́м, съеди́те, съедя́т; *past* съел, -а, -о, -и) eat up

сыгра́ть *I p* play

сын *m* (*pl.* сыновья́, сынове́й, сыновья́м, *etc.*) son

сыр *m* (*pl.* сыры́) cheese

сыр|о́й, -а́я, -о́е; -ы́е wet, damp

сюда́ (*куда́?*) here

Т, т

табле́тка *f* (*gen. pl.* табле́ток) tablet

табли́чка *f* (*gen. pl.* табли́чек) price, tag

та́йна *f* secret; mystery

так so; thus

та́кже too, also

та́к как *conj.* as

так|о́й, -а́я, -о́е; -и́е such

тала́нтлив|ый, -ая, -ое; -ые talented

там (*где?*) there

та́нец *m* (*gen.* та́нца) dance

танцева́ть *I imp.* (танцу́ю танцу́ешь) dance

таре́лка *f* (*gen. pl.* таре́лок) plate

театра́льн|ый, -ая, -ое; -ые theatre

телеви́дение *n* television

телеви́зор *m* T.V. set

телефо́н-автома́т *m* public telephone

телефо́нн|ый, -ая, -ое; -ые telephone; ~ая тру́бка receiver

темне́ть *I imp. impers.* (темне́ет; темне́ло) get dark

темно́ *predic. impers.* it is dark

тёмный, -ая, -ое; -ые dark

темп *m* rate; speed

тепе́рь now; at present

теплохо́д *m* motor ship

тёпл|ый, -ая, -ое; -ые warm

теря́ть *I imp.* lose

те́сно *adv.* narrowly; tight; closely; *predic. impers.*: здесь ~ it is crowded, tight

тетра́дь *f* copy-book

тётя *f* aunt

тих|ий, -ая, -ое; -ие quiet, low, silent; ~им го́лосом in a low voice

ти́хо quietly; говори́ть ~ speak in a low voice

ти́ше *comp. of* ти́хий & ти́хо (*see*)

тишина́ *f* quiet, silence

ткань *f* cloth; fabric

то *conj.* then; то... то... now... now; не то... не то... either... or

това́р *m* ware; article

това́рищ *m* comrade, friend; colleague

тогда́ then

то́же too; also

толка́ть *I imp.* push

толпа́ *f* (*pl.* то́лпы) crowd

то́лст|ый, -ая, -ое; -ые thick; stout

то́лько only; ~ что just now

том *m* (*pl.* тома́) volume

то́нк|ий, -ая, -ое; -ие thin; delicate

тонне́ль *m* tunnel

торт *m* cake, tart

тот, та, то; те that; those

то́чка *f* (*gen. pl.* то́чек) point

то́чно exactly, precisely

то́чн|ый, -ая, -ое; -ые exact, precise

трава́ f (pl. тра́вы) grass

трамва́й m (gen. трамва́я) tram

тре́бовать I imp. (тре́бую, тре́буешь) demand, require

тре́боваться I imp. (тре́буется; тре́бовалось) require; на э́то тре́буется мно́го вре́мени it requires much time

тре́нер m trainer; coach

тренирова́ться I imp. (трениру́юсь, трениру́ешься) train

трениро́вка f training; coaching

тро́е three (together)

тролле́йбус m trolley-bus

труба́ f (pl. тру́бы) trumpet

тру́бка f (gen. pl. тру́бок) 1. pipe; 2. receiver

труд m (gen. труда́) work, labour; с ~о́м with difficulty

труди́ться II imp. (тружу́сь, тру́дишься) work, labour

тру́дно predic. impers. (it is) difficult

тру́дн|ый, -ая, -ое; -ые difficult

туда́ (куда́?) there; ~ и обра́тно there and back

тури́ст m tourist

туристи́ческ|ий, -ая, -ое; -ие tourist

турни́р m tournament

ту́фли pl. (gen. pl. ту́фель; sing. ту́фля f) shoes

ту́ча f (black) cloud

тяжело́ adv. heavily; seriously; dangerously; predic. impers. ~ кому́ де́лать что it is hard for somebody to do something

тяну́ть I imp. 1. (тяну́, тя́нешь) pull; 2. impers. (тя́нет; тяну́ло) long for; его́ тя́нет сюда́ he longs to get here

тяну́ться I imp. (тяну́сь, тя́нешься) stretch; extend; reach out

У, у

у prep. (+ gen.) by, near; ~ меня́, ~ тебя́, ~ него́, etc. есть... I have, you have, he has...

убеди́ть II p (—, убеди́шь) convince; persuade

убеди́ться II p (—, убеди́шься) make sure; be convinced

убива́ть I imp. kill

убира́ть I imp. take away; clear, tidy

уби́т|ый, -ая, -ое; -ые part. killed

убо́рная f lavatory

убра́ть I p (уберу́, уберёшь; past убра́л, -и, убрала́) take away; clear, tidy

уважа́ем|ый, -ая, -ое; -ые part. & adj. respected; dear

уважа́ть I imp. respect

уве́рен, -а, -о; -ы (short form of уве́ренный) sure; confident; certain

уве́ренно with assurance

уви́деть II p (уви́жу, уви́дишь) see

увлека́ться I imp. чем go in for; be keen on

у́гол m (gen. угла́, prepos. в, на углу́; pl. углы́) corner

угости́ть II p (угощу́, угости́шь) treat

удава́ться I imp. impers. (удаётся; удава́лось) succeed; Всё ему́ удава́лось. He succeeded in everything.

удали́ть II p extract

уда́р m stroke, blow

уда́ться p impers. (уда́стся; удало́сь) succeed; ему́ удало́сь he succeeded

уда́чно successfully

уда́чн|ый, -ая, -ое; -ые successful

удо́бн|ый, -ая, -ое; -ые convenient, comfortable

удо́бства only pl. conveniences

удово́льствие n pleasure; с ~м with pleasure

уезжа́ть I imp. leave; depart

уе́хать I p (уе́ду, уе́дешь) leave; depart

уже́ already

у́жин m supper

у́жинать I imp. have supper

у́зк|ий, -ая, -ое; -ие narrow

узна́ть I p find out; learn

уйти́ *I p* (уйду́, уйдёшь; *past* ушёл, ушл|а́; -й) go away
ука́зывать *I imp.* show; point out
уко́л *m* injection
украи́нск|ий, -ая, -ое; -ие Ukrainian
укрепля́ть *I imp.* strengthen
у́ксус *m* vinegar
у́лица *f* street
улыба́ться *I imp.* smile
улы́бка *f* (*gen. pl.* улы́бок) smile
уме́ть *I imp.* be able; know how to...
у́мн|ый, -ая, -ое; -ые clever, wise
умыва́ться *I imp.* wash one's face
универма́г *m* department / general store(s)
университе́тск|ий, -ая, -ое; -ие university
упакова́ть *I p* (упаку́ю, упаку́ешь) pack
употребле́ние *n* use; usage
употребля́ть *I imp.* use
упражне́ние *n* exercise
уро́к *m* lesson
уса́дьба *f* (*gen. pl.* уса́деб) estate
усло́вие *n* condition
услы́шать *II p* hear
успева́ть *I imp.* 1. have time (for); arrive in time; 2. be successful
успе́ть *I p* have time (for); arrive in time
успе́х *m* success
успе́шно successfully
устава́ть *I imp.* (устаю́, устаёшь) be tired, get tired
уста́лость *f* tiredness; weariness
уста́ть *I p* (уста́ну, уста́нешь) get tired
у́стн|ый, -ая, -ое; -ые oral; verbal
устро́иться *II p* settle; find oneself accommodation
у́тка *f* (*gen. pl.* у́ток) duck
у́тренн|ий, -яя, -ее; -ие morning
у́тро *n* morning
у́тром in the morning
у́хо *n* (*pl.* у́ши, уше́й, уша́м, *etc.*) ear
уходи́ть *II imp.* (ухожу́, ухо́дишь) leave, go away
уча́ствовать *I imp.* (уча́ствую, уча́ствуешь) *в чём* take part in

уча́стие *n* participation
уче́бник *m* text-book; manual
учени́к *m* (*gen.* ученика́) pupil
учени́ца *f* pupil
учён|ый, -ая, -ое; -ые scientific
учёный *m* scientist
учи́тель *m* (*pl.* учителя́) teacher
учи́тельница *f* teacher
учи́ться *II imp.* (учу́сь, у́чишься) study, learn
учрежде́ние *n* institution
ую́тн|ый, -ая, -ое; -ые cosy, comfortable

Ф, ф

фа́брика *f* factory
факульте́т *m* faculty, department
фами́лия *f* (sur)name
фигу́ра *f* figure
фигу́рн|ый: ~ое ката́ние figure skating
фи́зика *f* physics
физи́ческ|ий, -ая, -ое; -ие physical, physics
филологи́ческ|ий, -ая, -ое; -ие philological; ~ **факульте́т** philology faculty
филосо́фск|ий, -ая, -ое; -ие philosophy
фи́нск|ий, -ая, -ое; -ие Finnish
фойе́ *n* (*not decl.*) foyer
фонд *m* fund; stock
фонта́н *m* fountain
фо́рма *f* form
фотографи́ровать *I imp.* (фотографи́рую, фотографи́руешь) take photographs
францу́женка *f* Frenchwoman
францу́з *m* Frenchman
францу́зск|ий, -ая, -ое; -ие French; ~ **язы́к** French
фрукто́в|ый, -ая, -ое; -ые fruit
фру́кты *pl.* (*sing.* фрукт *m*) fruit
футбо́л *m* football
футбо́льн|ый, -ая, -ое; -ые football

Х, х

хала́т *m* 1. dressing-gown; 2. doctor's white coat

хара́ктер *m* temper, character; nature

хвали́ть *II* *imp.* (хвалю́, хва́лишь) *за что* praise

хвата́ть *I* *imp.* 1. *что* seize, grasp; 2. *impers.* (хвата́ет; хва́тало) *чего* suffice; be sufficient; не ~ not be enough

хи́мик *m* chemist

хими́ческ|ий, -ая, -ое; -ие chemical

хи́мия *f* chemistry

хлеб *m* bread

хле́бн|ый, -ая, -ое; -ые bread; baker's

ходи́ть *II* *imp.* (хожу́, хо́дишь) go, walk

ходьба́ *f* walking

хозя́ин *m* (*pl.* хозя́ева, хозя́ев) host; master

хозя́йка *f* (*gen. pl.* хозя́ек) hostess; mistress

хозя́йство *n* economy; house-keeping

хоккей *m* (*gen.* хоккея) hockey

холл *m* hall

хо́лодность *f* coldness

холо́дн|ый, -ая, -ое; -ые cold

холост|о́й; -ы́е unmarried

хор *m* choir

хоро́ш|ий, -ая, -ее; -ие good

хорошо́ good, well, nice

хоте́ть *imp.* (хочу́, хо́чешь, хо́чет, хоти́м, хоти́те, хотя́т) want, wish

хоте́ться *imp. impers.* (хо́чется, хоте́лось): мне хо́чется, мне хоте́лось бы I should like to

хотя́ *conj.* though, although; ~ бы even if

храм *m* church

храни́ть *II* *imp.* keep

хро́ника *f* chronicle; news-reel

худо́жественн|ый, -ая, -ое; -ые artistic

худо́жник *m* artist; painter

ху́же (*comp. of* плохо́й & пло́хо) worse; больно́му ста́ло ~ the patient is worse

Ц, ц

царь *m* (*gen.* царя́) tsar

цена́ *f* (*acc.* це́ну; *pl.* це́ны) price

це́нн|ый, -ая, -ое; -ые valuable

цвет *m* (*pl.* цвета́) colour

цветн|о́й, -а́я, -о́е; -ы́е colour; ~ фильм colour film

цвето́к *m* (*gen.* цветка́; *pl.* цветы́) flower

целова́ть *I* *imp.* (целу́ю, целу́ешь) kiss

целова́ться *I* *imp.* (целу́юсь, целу́ешься) kiss

це́л|ый, -ая, -ое; -ые whole

цель *f* aim, purpose; с ~ю for the purpose

центр *m* centre

центра́льн|ый, -ая, -ое; -ые central

це́рковь *f* (*gen.* це́ркви) church

цирк *m* circus

цита́та *f* quotation

ци́фра *f* figure, cipher

Ч, ч

чай *m* (*gen.* ча́я ǁ ча́ю) tea

ча́йн|ый, -ая, -ое; -ые tea

час *m* (*gen.* ча́са ǁ 2, 3, 4 часа́; *pl.* часы́) hour

ча́сто often

ча́ст|ый, -ая, -ое; -ые frequent

часть *f* (*gen. pl.* часте́й) part

часы́ *only pl.* (*gen.* часо́в) watch; clock

ча́шка *f* (*gen. pl.* ча́шек) cup

ча́ще (*comp. of* ча́сто) more often

чей, чья, чьё; чьи whose

челове́к *m* (*pl.* лю́ди) man, person

чемода́н *m* suitcase

чемпио́н *m* champion

чемпиона́т *m* championship

че́рез *prep.* (+ *acc.*) through; in; via

чёрн|ый, -ая, -ое; -ые black; ~ хлеб brown bread

че́стн|ый, -ая, -ое; -ые honest

честь *f* honour

четве́рг *m* Thursday

че́тверо four (together)

че́тверть *f* (*gen. pl.* четверте́й) quarter

чётко clearly, distinctly

че́шск|ий, -ая, -ое; -ие Czech

число *n* (*pl.* чи́сла, чи́сел, чи́слам, *etc.*) number; date

чи́ст|ый, -ая, -ое; -ые clean; pure

чита́льн|ый, -ая, -ое; -ые: ~ зал reading-hall

чита́тель *m* reader

чита́ть *I imp.* read

член *m* member

чте́ние *n* reading

что 1. *pron.* what; 2. *conj.* that

что́бы *conj.* in order that

что́-нибудь anything

чу́вствовать *I imp.* (чу́вствую, чу́вствуешь) feel; ~ себя́ feel

чуде́сн|ый, -ая, -ое; -ые wonderful

Ш, ш

ша́пка *f* (*gen. pl.* ша́пок) cap

шарф *m* scarf

шахмати́ст *m* chess-player

ша́хматы *only pl.* chess; игра́ть в ~ play chess

шёлков|ый, -ая, -ое; -ые silk

шерсть *f* wool

шерстян|о́й, -а́я, -о́е; -ы́е woollen; ~а́я ткань woollen stuff

ше́я *f* neck

широ́к|ий, -ая, -ое; -ие wide; broad

шкаф *m* wardrobe; кни́жный ~ bookcase

шко́ла *f* school

шко́льник *m* schoolboy

шля́па *f* hat

шокола́д *m* chocolate

шоссе́ *n* (*not decl.*) highway

шофёр *m* driver

шу́мно noisily

шути́ть *II imp.* (шучу́, шу́тишь) joke

шу́тка *f* (*gen. pl.* шу́ток) joke

Щ, щ

щека́ *f* (*acc.* щёку; *pl.* щёки, щёк, щека́м, *etc.*) cheek

щётка *f* (*gen. pl.* щёток) brush

щи *only pl.* (*gen.* щей, *dat.* щам, *etc.*) cabbage soup

Э, э

экза́мен *m* examination

экску́рсия *f* excursion; tour

экскурсово́д *m* (excursion) guide

экспеди́ция *f* expedition

электри́чество *n* electricity

электри́чка *f* (*gen. pl.* электри́чек) electric train

электробри́тва *f* electric shaver

электроприбо́р *m* electric appliance

энерги́чн|ый, -ая, -ое; -ые energetic

эне́ргия *f* energy

эстра́дн|ый, -ая, -ое; -ые variety; ~ арти́ст variety actor

эта́ж *m* (*gen.* этажа́) storey, floor

Ю, ю

ю́бка *f* (*gen. pl.* ю́бок) skirt

ювели́рн|ый, -ая, -ое; -ые jewelry; ~ магази́н jeweller's

юг *m* South

ю́жн|ый, -ая, -ое; -ые southern

ю́мор *m* humour

ю́ность *f* youth

ю́ноша *m* youth, young man

юриди́ческ|ий, -ая, -ое; -ие juridical; ~ факульте́т faculty of law

Я, я

я́блоко *n* (*pl.* я́блоки) apple

явле́ние *n* phenomenon; occurrence

явля́ться *I imp.* 1. appear; 2. occur; be

я́года *f* berry

язы́к *m* (*gen.* языка́) 1. tongue; 2. language

яйцо́ *n* (*pl.* я́йца, яи́ц, я́йцам, *etc.*) egg

янта́рь *m* (*gen.* янтаря́) amber

я́рк|ий, -ая, -ое; -ие bright

я́сн|ый, -ая, -ое; -ые clear

я́щик *m* box, case; почто́вый ~ letter-box

KEY TO EXERCISES

1.

III. 1. вам, мне. 2. ему́, ему́. 3. ей, ей. 4. ва́шей сестре́, мое́й сестре́. 5. ва́шему бра́ту, моему́ бра́ту. 6. ва́шей до́чери, мое́й до́чери.
IV. 1. лет. 2. го́да. 3. лет. 4. го́да. 5. год. 6. го́да. 7. лет. 8. го́да.
V. 1. на заво́де. 2. на заво́д. 3. в Москве́. 4. в Москву́. 5. в институ́те. 6. в де́тской больни́це. 7. в бассе́йн. 8. в теа́тр, в кино́, на концо́рты. 9. в Оде́ссе. 10. в Оде́ссу. 11. в Ло́ндоне. 12. в шко́ле. 13. в шко́лу.
VI. 1. меня́. 2. вас. 3. бра́та. 4. на́шего. 5. ва́шего. 6. вас. 7. Москвы́. 8. Ленингра́да.
VII. 1. на кото́ром. 2. в кото́ром. 3. в кото́ром. 4. в кото́ром. 5. в кото́рой. 6. в кото́рой. 7. в кото́ром.
VIII. 1. и. 2. и поэ́тому. 3. потому́ что. 4. где. 5. кото́рый.
IX. 1. по суббо́там. 2. по среда́м. 3. по вечера́м. 4. по воскре́сеньям. 5. по утра́м. 6. по четверга́м.
X. поступлю́, посту́пишь; люблю́, лю́бишь; хожу́, хо́дишь; живу́, живёшь; пою́, поёшь.
XII. 1. Меня́ зову́т Ири́на. А как вас зову́т? 2. Джим око́нчил институ́т и тепе́рь рабо́тает на заво́де. А где рабо́таете вы? 3. Моя́ сестра́ ста́рше меня́ на́ три го́да. Моя́ мать моло́же отца́ на пять лет. 4. — Ско́лько лет э́тому челове́ку? — Я ду́маю, ему́ со́рок лет. 5. Они́ ча́сто хо́дят в го́сти к друзья́м. Вчера́ они́ бы́ли в гостя́х у роди́телей. 6. По суббо́там мы хо́дим в теа́тр, в кино́ и́ли на концо́рты. 7. Приходи́те к нам в го́сти. 8. Переда́йте приве́т ва́шим роди́телям.

2.

II. 1. есть, —. 2. есть, —. 3. есть, —. 4. есть, —. 5. есть, —. 6. есть, —.
III. 1. есть, есть, —. 2. есть, есть, —. 3. есть, —. 4. есть, —. 5. —. 6. —.
IV. 1. у меня́, у него́, у неё, у нас, у моего́ дру́га, у мое́й сестры́, у на́шего преподава́теля. 2. у э́того студе́нта, у моего́ сосе́да, у э́той де́вушки. 3. у моего́ мла́дшего бра́та, у одно́й на́шей студе́нтки, у на́шего профе́ссора.
VI. 1. ста́ршего бра́та. 2. меня́. 3. моего́ дру́га. 4. вас. 5. отца́.

XI. 1. Мои́ роди́тели живу́т в небольшо́м городке́ недалеко́ от Ло́ндона. Мой оте́ц рабо́тал дире́ктором шко́лы. Сейча́с он не рабо́тает. Он получа́ет пе́нсию. **2.** У меня́ есть сестра́. Её зову́т Анна. Анна моло́же меня́ на четы́ре го́да. Она́ рабо́тает в библиоте́ке. Анна изуча́ет ру́сский язы́к. Она́ хо́чет преподава́ть ру́сский язы́к в шко́ле. **3.** А э́то мой друг Джим. Неда́вно он жени́лся. У Джи́ма о́чень краси́вая жена́. Её зову́т Мэ́ри. У неё тёмные во́лосы и се́рые глаза́. **4.** — У вас есть де́ти? — Да, есть. — У вас ма́ленькие де́ти? — Нет, не о́чень: сы́ну де́сять лет, а до́чери — семь. — На кого́ похо́ж ваш сын? — Говоря́т, он похо́ж на меня́. — А на кого́ похо́жа ва́ша дочь? — А дочь — на жену́.

3.

II. 1. в теа́тре, в па́рке, в клу́бе, в музе́е, в университе́те, в шко́ле, в библиоте́ке, в рестора́не; на конце́рте, на ле́кции, на уро́ке. **2.** в теа́тр, в парк, в клуб, в музе́й, в университе́т, в шко́лу, в библиоте́ку, в рестора́н; на конце́рт, на ле́кцию, на уро́к. **3.** в дере́вне, в друго́м го́роде, в Ли́дсе, в Эдинбурге, в Ливерпу́ле, в Ки́еве, в Ленингра́де, в Сове́тском Сою́зе, в Англии, в По́льше, во Фра́нции; на ро́дине, на ю́ге. **4.** в дере́вню, в друго́й го́род, в Лидс, в Эдинбург, в Ливерпу́ль, в Ки́ев, в Ленингра́д, в Сове́тский Сою́з, в Англию, в По́льшу, во Фра́нцию; на ро́дину, на юг. **5.** на заво́де, на фа́брике, на вокза́ле, на ста́нции; в ба́нке, в институ́те, в университе́те, в библиоте́ке, в лаборато́рии, в шко́ле. **6.** на заво́д, на фа́брику, на вокза́л, на ста́нцию; в банк, в институ́т, в университе́т, в библиоте́ку, в лаборато́рию, в шко́лу.

III. 1. в большо́м ста́ром до́ме, на тре́тьем этаже́, в са́мом це́нтре го́рода, на у́лице Дру́жбы. **2.** в друго́м райо́не, на пло́щади Пу́шкина, в ма́леньком до́ме, на второ́м этаже́. **3.** на большо́м автомоби́льном заво́де, в лаборато́рии. **4.** в университе́те, на истори́ческом факульте́те, на второ́м ку́рсе. **5.** в большо́м ста́ром па́рке, в одно́й ма́ленькой дере́вне, на берегу́ реки́. **6.** в о́перном теа́тре, на симфони́ческом конце́рте.

IV. a) 1. стои́т. **2.** стои́т. **3.** стои́т. **4.** стои́т. **5.** стоя́т. **6.** стои́т. **b) 7.** лежа́т. **8.** лежи́т. **9.** лежа́т. **10.** лежи́т. **11.** лежа́т. **c) 12.** виси́т. **13.** вися́т, вися́т. **14.** вися́т. **15.** виси́т. **16.** виси́т.

V. стои́т, лежа́т, стои́т, стои́т, виси́т, стоя́т, лежа́т, стои́т.

VI. жи́ли, живу́т, получи́ли, перее́хали, состои́т, выхо́дят, купи́ли, пригласи́ли.

VII. 1. в большо́м но́вом пятиэта́жном. **2.** в большо́м ста́ром кни́жном. **3.** в на́шей ма́ленькой, тёплой и ую́тной. **4.** в своём ста́ром люби́мом удо́бном. **5.** в на́шей са́мой большо́й.

VIII. 1. кладу́, кладёшь; положу́, поло́жишь; **2.** ста́влю, ста́вишь; поста́влю, поста́вишь; **3.** ве́шаю, ве́шаешь; пове́шу, пове́сишь.

X. a) 1. стои́т, поста́вил. **2.** стои́т, поста́вили. **3.** стоя́л, поста́вили. **4.** поста́вьте. **5.** поста́вить. **b) 6.** положи́л, лежи́т. **7.** положи́ла, лежи́т. **8.** кладу́, лежа́т, положи́л. **9.** положи́ть. **10.** положи́те. **c) 11.** виси́т, виси́т. **12.** пове́сили. **13.** вися́т, ве́шает. **14.** виси́т. **15.** пове́сить. **16.** пове́сьте.

XII. 1. сту́льев, кре́сла. **2.** ко́мнаты. **3.** газе́т и журна́лов. **4.** кни́ги. **5.** столо́в, сту́ла. **6.** о́кна. **7.** этаже́й. **8.** дом. **9.** карти́н. **10.** книг. **11.** дете́й. **12.** госте́й. **13.** веще́й. **14.** челове́ка.

XV. 1. Мы живём в Оксфорде, в небольшо́м до́ме. В на́шем до́ме пять ко́мнат, ку́хня, ва́нная и убо́рная. Ку́хня, столо́вая и гости́ная нахо́дятся на пе́рвом этаже́, а спа́льни — на второ́м. 2. Мой брат живёт в но́вом пятиэта́жном до́ме. В но́вых дома́х есть (все удо́бства —) электри́чество, газ, горя́чая вода́, телефо́н. Каки́е удо́бства есть в ва́шем до́ме? 3. — Что стои́т у ва́с в ко́мнате? — У меня́ в ко́мнате стои́т стол, кни́жный шкаф, дива́н, два сту́ла и кре́сло. На стене́ вися́т фотогра́фии. На полу́ лежи́т большо́й се́рый ковёр. 4. Я ста́влю кни́ги в шкаф. Газе́ты и журна́лы я кладу́ на сто́л. Куда́ мо́жно положи́ть портфе́ль? Куда́ мо́жно пове́сить пальто́?

4.

II. 4.10; 12.25; 12.05; 2.15; 2.45; 1.40; 9.30; 12.50; 3.20; 4.55; 11.15; 12.30.

III. пять мину́т второ́го; два́дцать мину́т шесто́го; де́сять мину́т деся́того; два́дцать пять мину́т двена́дцатого; семна́дцать мину́т четвёртого; де́сять мину́т пе́рвого; полови́на пе́рвого; че́тверть (пятна́дцать мину́т) тре́тьего; без че́тверти (без пятна́дцати мину́т) три; полови́на пя́того; без двадцати́ пять; без че́тверти пять; без двадцати́ де́сять; без двадцати́ пяти́ де́сять; без десяти́ де́сять; без пяти́ де́вять; де́сять мину́т оди́ннадцатого; че́тверть (пятна́дцать мину́т) оди́ннадцатого; полови́на оди́ннадцатого; без че́тверти оди́ннадцать; без пяти́ оди́ннадцать.

IV. без че́тверти семь; че́тверть восьмо́го; в полови́не девя́того; в полови́не пе́рвого; в полови́не пя́того; че́тверть двена́дцатого.

VI. 1. с восьми́ часо́в утра́ до шести́ часо́в ве́чера. 2. с ча́су до двух. 3. с девяти́ часо́в утра́ до трёх часо́в дня. 4. с семи́ до девяти́. 5. с двух (часо́в дня) до восьми́ (часо́в ве́чера). 6. с пяти́ до шести́. 7. с двена́дцати часо́в дня до семи́ часо́в ве́чера. 8. с двух до четырёх. 9. с четырёх до шести́. 10. с шести́ часо́в утра́ до ча́су но́чи.

VII. 1. че́рез три часа́. 2. по́сле рабо́ты. 3. че́рез ме́сяц. 4. по́сле экза́менов. 5. по́сле ле́кции. 6. че́рез час. 7. че́рез три дня. 8. по́сле пра́здников. 9. по́сле обе́да. 10. че́рез год.

VIII. в семь часо́в, без че́тверти во́семь, де́сять мину́т девя́того, два́дцать мину́т девя́того, в полови́не девя́того, че́тверть двена́дцатого, без двадцати́ два, в два часа́, в полови́не пя́того, два часа́, в семь часо́в, в полови́не оди́ннадцатого.

XI. A. 1. начина́ем, конча́ем; начина́ются, конча́ются. 2. откры́лась, откры́л. 3. продолжа́ется, продолжа́ют. 4. останови́л, останови́лась. 5. открыва́ется, закрыва́ется, закрыва́ем.

B. 1. мо́ет, мо́ется. 2. бре́юсь, бре́ет. 3. оде́лась, оде́ла.

XIII. 1. чита́л, прочита́ли, прочита́л. 2. гото́вит, пригото́вил, пригото́вил. 3. расска́зывал. 4. просмотре́л. 5. встре́тили, встаю́, встава́л. 6. ложи́тесь, ложу́сь, лёг. 7. у́жинали, поу́жинали.

XV. A. 1. идёте, иду́. 2. идёте, иду́. 3. хожу́. 4. иду́т, иду́т. 5. ходи́ть.

B. 1. е́зжу. 2. е́здите. 3. е́хать. 4. е́дете, е́ду. 5. е́здит. 6. е́дем, е́дем.

XVI. 1. Обы́чно я встаю́ в семь часо́в утра́. Я де́лаю заря́дку и принима́ю душ. 2. Мы начина́ем рабо́тать (на́шу рабо́ту) в во́семь часо́в. Я выхожу́ из до́ма в полови́не восьмо́го. 3. Я рабо́таю семь часо́в в день, а Мари́на (рабо́тает) — шесть часо́в. 4. Мы обе́даем с ча́су до двух. 5. Петро́в выхо́дит из до́ма в полови́не девя́того и прихо́дит на заво́д за де́сять мину́т до нача́ла рабо́ты. 6. Вы е́здите на рабо́ту и́ли хо́дите пешко́м? 7. По суббо́там к нам в го́сти прихо́дят на́ши друзья́. 8. По вечера́м мы смо́трим телеви́зор. 9. Я приду́ к вам к семи́ часа́м. 10. — Чем занима́ется ваш брат? — Мой брат у́чится в университе́те. Он у́чится на истори́ческом факульте́те.

5.

II. 1. шла. 2. шёл. 3. е́здил. 4. шли. 5. ходи́л(а). 6. е́здили. 7. шла. 8. ходи́ли

III. 1. пойдём, пое́дем. 2. пое́ду. 3. пойдёт. 4. пойти́. 5. пойти́. 6. пое́хать.

IV. а) 1. иду́. 2. идёте, идём. 3. хо́дите. 4. идём. 5. хо́дите, хо́дим. 6. идёт, идёт, иду́т. 7. хо́дит.

b) 1. е́здит, е́здит. 2. е́дут. 3. е́здит. 4. е́дут, е́дут. 5. е́здите, е́здим.

V. 1. бы́ли на конце́рте. 2. не была́ на рабо́те. 3. был в столо́вой. 4. не́ был в Ленингра́де. 5. бы́ли в Большо́м теа́тре. 6. был в Ита́лии. 7. была́ в университе́те.

VI. 1. Куда́ вы е́здили ле́том? 2. Куда́ вы ходи́ли вчера́? 3. Вы ходи́ли у́тром в библиоте́ку? 4. Вы ходи́ли вчера́ на ве́чер? 5. Вы е́здили в Москву́? 6. Когда́ вы е́здили в Сове́тский Сою́з? 7. Вы е́здили ле́том на юг?

VII. 1. на, в. 2. в, на. 3. в, на. 4. на, на, в. 5. на, в.

IX. 1. останови́те. 2. сади́тесь. 3. спроси́те. 4. покажи́те. 5. скажи́те.

X. куда́, где, как, где, како́й, где, кака́я.

XI. 1. так как. 2. потому́ что. 3. е́сли (когда́). 4. е́сли. 5. е́сли (когда́). 6. е́сли (когда́).

XII. 1. вы́шел из за́ла. 2. вы́шли из до́ма. 3. вы́шел из магази́на. 4. вошли́ в теа́тр. 5. вошла́ в метро́. 6. ушёл с рабо́ты. 7. уе́хал из Москвы́. 8. прие́хала из дере́вни. 9. пришёл с рабо́ты.

XIII. 1. — Вы е́здите на рабо́ту и́ли хо́дите пешко́м? — Обы́чно я е́зжу на рабо́ту на авто́бусе. Домо́й я хожу́ пешко́м, потому́ что в э́то вре́мя в авто́бусе мно́го наро́ду. 2. — Скажи́те, пожа́луйста, отсю́да далеко́ до гости́ницы «Москва́»? — Нет, недалеко́, три остано́вки. — Как дое́хать до гости́ницы? — Вам на́до сесть на тре́тий авто́бус. — А где он остана́вливается? — Ви́дите, там напро́тив стоя́т лю́ди? Это и есть остано́вка тре́тьего. — Спаси́бо. 3. — Скажи́те, пожа́луйста, когда́ мне сходи́ть? Мне ну́жен Большо́й теа́тр. — Большо́й теа́тр — четвёртая остано́вка. Я вам скажу́, когда́ сходи́ть. 4. — Кака́я сле́дующая остано́вка? — Музе́й Че́хова. 5. — Вы не зна́ете, где остана́вливается второ́й тролле́йбус? — Прости́те, я не москви́ч. Спроси́те лу́чше у милиционе́ра. 6. — Где мне сойти́, что́бы попа́сть на Кра́сную пло́щадь? — Вам ну́жно сойти́ на остано́вке «Пло́щадь Револю́ции». 7. — Мне ну́жно сесть на шесто́й авто́бус. — Шесто́й здесь не хо́дит. Остано́вка шесто́го у метро́. 8. Ско́лько сто́ит биле́т? 9. Да́йте, пожа́луйста, два биле́та. 10. — Такси́ свобо́дно? — Свобо́дно. Сади́тесь. Вам куда́? — Мне в центр. 11. Где ближа́йшая остано́вка авто́буса и́ли тролле́йбуса?

II. 1. с мои́м ста́рым знако́мым. 2. с на́шими друзья́ми и знако́мыми. 3. с жено́й и детьми́. 4. с рабо́чими и инжене́ром на́шей лаборато́рии. 5. со ста́рым о́пытным преподава́телем. 6. со свои́ми роди́телями, со свое́й жено́й, со свои́ми друзья́ми. 7. с сове́тскими тури́стами.

III. 1. ру́сским языко́м и ру́сской литерату́рой. 2. литерату́рой, му́зыкой, теа́тром. 3. ру́сско-англи́йским словарём, уче́бником и други́ми кни́гами. 4. спо́ртом и та́нцами.

IV. 1. встреча́емся, встреча́ю. 2. ви́димся, ви́дел. 3. собра́л, собрали́сь. 4. останови́лся, останови́л. 5. купа́емся, купа́ет.

V. 1. взя́ли. 2. се́ли. 3. вы́шли.· 4. останови́лись. 5. искупа́лись. 6. пригото́вили. 7. отпра́вилась. 8. попроща́лись. 9. договори́лись.

VI. 1. на, в. 2. на, в. 3. на, на. 4. в. 5. на. 6. на, на. 7. на, на, в.

VIII. А. 1. приезжа́ли, прие́хали. 2. пришёл, приходи́л. 3. приходи́л, пришёл. 4. прихо́дит, придёт. 5. приду́, прихожу́. 6. прихо́дим, прийти́.

В. 1. ушли́, уходи́ли. 2. уходи́ла, ушла́. 3. уходи́ли, ушёл. 4. ухо́дит, ушли́.

IX. че́тверо мужчи́н, две же́нщины, тро́е друзе́й, тро́е това́рищей, че́тверо солда́т, дво́е ма́льчиков, три сестры́, тро́е бра́тьев, пя́теро ученико́в, пять учени́ц, че́тверо дете́й, (ше́стеро) рабо́чих.

X. 1. оди́ннадцать. 2. два́дцать оди́н. 3. четы́ре. 4. тро́е. 5. во́семь.

XI. 1. в шесть часо́в, часо́в в шесть. 2. в во́семь часо́в, часо́в в во́семь. 3. в пять часо́в, часо́в в пять. 4. в два часа́, часа́ в два. 5. пятна́дцать лет, лет пятна́дцать. 6. два́дцать два го́да, го́да два́дцать два. 7. восемна́дцать дней, дней восемна́дцать. 8. четы́ре ра́за, ра́за четы́ре. 9. пять мину́т, мину́т пять. 10. со́рок копе́ек, копе́ек со́рок.

XII. е́здили, вы́ехали, пое́хали, е́хали, вы́ехали, прое́хали, вы́шли, побежа́ли, пое́хали, прие́хали.

XIII. 1. по университе́ту. 2. по институ́ту. 3. по рабо́те. 4. по шко́ле.

XV. 1. — Что вы де́лаете по воскресе́ньям? — Мы с друзья́ми ча́сто прово́дим воскресе́нье за́ городом, в лесу́ и́ли на берегу́ реки́. Обы́чно мы е́здим за́ город на по́езде и́ли на маши́не. 2. — Ми́ша, хо́чешь пое́хать в воскресе́нье за́ город? — На маши́не? — Нет, мы хоти́м пое́хать на велосипе́дах. — Кто ещё пое́дет с на́ми? Ско́лько челове́к пое́дет? — Нас бу́дет пя́теро. — Где мы встре́тимся? — Обы́чно мы собира́емся о́коло ста́нции метро́ «Ки́евская». 3. От Москвы́ до ста́нции «Лесна́я» по́езд идёт мину́т три́дцать—три́дцать пять. От ста́нции до ле́са киломе́тра три-четы́ре. 4. От ста́нции до ле́са мы шли пешко́м. Вы лю́бите ходи́ть пешко́м? 5. Обы́чно мы возвраща́емся в Москву́ часо́в в шесть.

7.

II. 1. хле́ба, сы́ра, са́хару, ма́сла, мя́са, ры́бы, конфе́т, я́блок, виногра́да. 2. вина́, молока́, ма́сла, пи́ва. 3. со́ли, ча́я, ко́фе, са́хара, сигаре́т.

III. 1. в магазине «Молоко» или молочном отделе «Гастронома». 2. в овощном магазине и на рынке. 3. в мясном отделе магазина. 4. в рыбном отделе или в рыбном магазине. 5. в кондитерских магазинах. 6. в булочной.

IV. 1. молочный магазин (магазин «Молоко»). 2. булочная. 3. овощной магазин. 4. мясной магазин (магазин «Мясо»). 5. рыбный магазин.

V. зашёл (зашла), обошёл (обошла), выбрал (выбрала), пошёл (пошла), продают, выбрал(а) (купил, купила), пошёл (пошла), продают, купил (купила), заплатил (заплатила).

VI. 1. покупаем, покупал, купил. 2. заплатил, платить, заплатили, платил. 3. выбирал, выбрал. 4. приносят, принесут.

VII. А. 1. хожу, иду, пойду. 2. идёте, иду, хожу.

В. 3. приносит, принесли. 4. приносит, принесла. 5. принёс, приносит.

VIII. 1. пачку, коробку, банку. 2. банку, пачку, коробок. 3. пачку, бутылку, банку. 4. бутылки.

IX. 1. сорок пять копеек. 2. тридцать три копейки. 3. одну копейку. 4. один рубль двадцать две копейки. 5. девяносто четыре копейки. 6. три рубля пятьдесят шесть копеек. 7. шесть рублей двадцать копеек. 8. два рубля пятнадцать копеек.

X. 1. где. 2. куда (где). 3. что. 4. сколько. 5. где.

XII. А. Недалеко от нашего дома есть большой продовольственный магазин. Там можно купить всё — мясо, рыбу, масло, молоко, чай, кофе, сахар и другие продукты. Магазин работает с восьми часов утра до девяти часов вечера. Рядом с ним находится магазин «Фрукты-овощи», где мы покупаем картофель, капусту, лук, морковь, яблоки, апельсины, сливы.

В. 1. — Вы не хотите зайти в магазин? Может быть, вам надо что-нибудь купить? — Да, мне надо купить сигареты и спички. 2. — Дайте, пожалуйста, сигареты «Новость» и спички. — Пожалуйста. Девятнадцать копеек. 3. — Где можно купить грузинское вино? — В любом магазине «Гастроном» или в магазине «Вино». 4. — Сколько стоят эти конфеты? — Эти конфеты стоят три рубля шестьдесят копеек килограмм. 5. — Скажите, пожалуйста, сколько стоит цейлонский чай? — Тридцать восемь копеек пачка. 6. — Скажите, пожалуйста, хлеб свежий? — Да, только что привезли. — Дайте три булочки и полкило чёрного. — Пожалуйста. Двадцать восемь копеек. 7. Дайте, пожалуйста, триста грамм масла и бутылку молока. 8. — Какая колбаса есть сегодня? — У нас есть несколько сортов колбасы. 9. — Сколько стоит мясо? — Рубль пятьдесят килограмм. — Покажите, пожалуйста, этот кусок.

8.

II. 1. книг, тетрадей, ручек, карандашей. 2. пальто, платьев, костюмов, плащей, блузок. 3. сумку и чемодан. 4. рубашку и галстук.

III. 1. стоит ... рублей, рубля, рубль. 2. стоят ... рубля, рублей, рубль. 3. стоит ... рубль, рубля, рублей. 4. стоят ... рублей, рубля, рублей. 5. стоит ... копеек, копеек, копейки. 6. стоят ... копеек, копейку, копейки. 7. стоит ... копеек, копейку, копейки.

IV. 1. среднего роста. 2. школьного возраста. 3. ярких цветов. 4. больших знаний. 5. синего или голубого цвета.

V. 1. мои́х роди́телей. 2. моего́ ста́ршего бра́та. 3. мое́й мла́дшей сестры́. 4. на́ших сосе́дей. 5. на́шего преподава́теля. 6. одного́ изве́стного англи́йского писа́теля.

VI. 1 на́шему но́вому студе́нту. 2. одно́й знако́мой де́вушке. 3. моему́ мла́дшему сы́ну. 4. своему́ дру́гу. 5. свои́м гостя́м. 6. свои́м това́рищам по рабо́те.

VIII. 1. Да, мне нра́вятся таки́е фи́льмы. Нет, мне не нра́вятся таки́е фи́льмы. 2. Да, мне нра́вится ру́сская му́зыка. 3. Да, мне нра́вятся рома́ны э́того писа́теля. 4. Да, мне нра́вится така́я пого́да. 5. Да, мне нра́вится гуля́ть по у́лицам го́рода. 6. Да, мне нра́вится отдыха́ть в гора́х.

IX. А. 1. понра́вилась. 2. понра́вилась. 3. понра́вился. 4. понра́вилась. 5. не понра́вился.

В. 1. люблю́. 2. лю́бят. 3. люблю́. 4. лю́бят. 5. лю́бим. 6. лю́бите.

XI. 1. Я по́мню. 2. Брат ... хо́чет. 3. Я не ве́рю ... 4. Я не хоте́л ... 5. Я пло́хо рабо́тал. 6. Вы не хоти́те ... 7. Он жил ...

XII. 1. чита́л, прочита́ли, прочита́л. 2. купи́л, покупа́л, купи́л. 3. писа́л, написа́л. 4. понра́вился, нра́вятся. 5. да́рим, подари́ла. 6. ду́мал, поду́мал. 7. реши́л, реша́ли.

XVI. све́тлый костю́м, чёрные ту́фли, тяжёлый чемода́н, некраси́вая вещь, дешёвое пла́тье, гру́бая рабо́та, молодо́й челове́к, ле́тнее пальто́, жёсткая (гру́бая) ткань.

XVII. 1. Когда́ открыва́ются магази́ны? Я хочу́ зайти́ в универма́г. Мне на́до купи́ть не́сколько веще́й. 2. Скажи́те, на како́м этаже́ прода́ют костю́мы для ма́льчиков? 3. Скажи́те, пожа́луйста, где я могу́ купи́ть зи́мнюю ша́пку? 4. — Ско́лько сто́ит э́тот га́лстук? — Два рубля́ два́дцать копе́ек. 5. Мне нра́вится э́то пла́тье. Ско́лько оно́ сто́ит? 6. — Вам нра́вится э́та су́мка? — О́чень нра́вится. 7. Мне нра́вится э́то пальто́, но оно́ мне велико́. 8. Покажи́те, пожа́луйста, да́мские перча́тки. Како́й э́то разме́р? 9. — Мо́жно приме́рить бе́лые ту́фли? — Како́й разме́р? — Три́дцать пя́тый. — Пожа́луйста. 10. Эти боти́нки мне малы́. Да́йте, пожа́луйста, другу́ю па́ру. 11. Да́йте, пожа́луйста, три ме́тра ше́рсти.

9.

II. 1. с молоко́м. 2. с ма́слом и сы́ром. 3. с мя́сом. 4. с ри́сом и́ли карто́шкой. 5. с молоко́м. 6. с капу́стой.

III. 1. стои́т. 2. лежа́т. 3. поста́вил, положи́л. 4. поста́вьте. 5. положи́те.

IV. 1. на столе́, на стол. 2. на сту́л, на сту́ле. 3. на буфе́те, на буфе́т. 4. на окно́, на окне́. 5. в шкафу́, в шкаф

V. 1. Принеси́те ... 2. Переда́йте ... 3. Да́йте ...

VI. 1. одну́ котле́ту, холо́дную ры́бу, о́стрый сыр, ча́шку ко́фе. 2. мя́со с гарни́ром, котле́ту с капу́стой. 3. буты́лку воды́, таре́лку су́па, у́тку с ри́сом, ча́шку ко́фе. 4. воды́, молока́, пи́ва, лимона́да, со́ка.

VII. 1. в э́тот рестора́н, в э́том рестора́не. 2. в но́вой столо́вой, в но́вую столо́вую. 3. в э́том ма́леньком кафе́, в э́то ма́ленькое кафе́.

VIII. ем, ешь, ест, еди́м, еди́те, едя́т; пью, пьёшь; беру́, берёшь; возьму́, возьмёшь; закажу́, зака́жешь.

IX. 1. Мне нра́вится чай с молоко́м. 2. Мне нра́вится сухо́е вино́. 3. Мне нра́вятся я́блоки, апельси́ны, бана́ны, etc. 4. Мне нра́вятся ры́бные блю́да. 5. Мне нра́вится о́стрый сыр. 6. Мне нра́вится ру́сская ку́хня.

X. 1. за за́втраком. 2. за у́жином. 3. за обе́дом.

XIII. 1. — Вы не хоти́те пойти́ пообе́дать? — С удово́льствием. Я как ра́з собира́лся пойти́. — Куда́ мы пойдём? — Мо́жно пойти́ в кафе́ «Ко́смос». Там непло́хо гото́вят. И в э́то вре́мя там ма́ло наро́ду. 2. — Что мы возьмём на пе́рвое? Вы бу́дете зака́зывать суп? Что вы бу́дете пить — вино́, пи́во и́ли минера́льную во́ду? — Я хоте́л бы попро́бовать ру́сскую во́дку. 3. — Мне о́чень понра́вилось э́то вино́. Как оно́ называ́ется? — «Цинанда́ли». Это грузи́нское вино́. 4. — Я не зна́ю, что мне взять на второ́е. — Я бы посове́товал вам заказа́ть котле́ту по-ки́евски. Это о́чень вку́сно. 5. Принеси́те, пожа́луйста, сала́т и холо́дное мя́со. 6. Да́йте, пожа́луйста, счёт. 7. Переда́йте, пожа́луйста, ма́сло. Спаси́бо. 8. — Это ме́сто свобо́дно? — Да, сади́тесь, пожа́луйста. 9. Обы́чно я за́втракаю и у́жинаю до́ма, а обе́даю на рабо́те. У нас в институ́те хоро́шая столо́вая. Здесь вку́сно гото́вят и всегда́ большо́й вы́бор мясны́х и ры́бных блюд.

10.

II. 1. мо́жно. 2. Мне на́до. 3. мо́жно. 4. Мне на́до. 5. Им на́до. 6. мо́жно. 7. мо́жно.

III. 1. посла́л (отпра́вил), полу́чат. 2. посла́ть. 3. посла́ли. 4. бро́сить (опусти́ть). 5. получи́ли. 6. принёс. 7. бро́сьте (опусти́те). 8. писа́ть, получа́ть. 9. приноси́л.

IV. 1. из Ленингра́да, от моего́ дру́га. 2. из Москвы́, от свои́х сове́тских друзе́й. 3. из Ки́ева, от одного́ знако́мого студе́нта. 4. из родно́й дере́вни, от мои́х роди́телей. 5. из родны́х мест, от друзе́й, ро́дственников и знако́мых.

V. 1. от бра́та из Ки́ева. 2. сро́чную телегра́мму сестре́ в Оде́ссу. 3. ма́рку на конве́рт... письмо́ в конве́рт. 4. на по́чте. 5. из до́ма от роди́телей. 6. телегра́мму из Ленингра́да от моего́ мла́дшего бра́та.

VI. 1. со свои́м мла́дшим бра́том, с друзья́ми по институ́ту, со свои́ми роди́телями. 2. с Ни́ной и Ми́шей, со свои́ми това́рищами. 3. с одно́й знако́мой же́нщиной. 4. с одни́м интере́сным молоды́м челове́ком. 5. с инжене́ром и рабо́чими, с други́ми рабо́тниками.

VII. 1. встре́титься, встре́тил. 2. посове́товаться, посове́товал. 3. ви́дел, ви́делись, ви́дитесь. 4. обня́лись, обняла́.

X. 1. со свои́м сосе́дом, моего́ сосе́да. 2. с её мла́дшей до́черью, её мла́дшая дочь, свое́й мла́дшей до́чери. 3. свои́м преподава́телем, их преподава́телю. 4. оди́н мой знако́мый, у одного́ моего́ знако́мого. 5. от свое́й ста́ршей сестры́, её ста́ршая сестра́.

XII. 1. пи́шут, написа́л. 2. получа́ю, получи́л. 3. начина́ла, начала́. 4. отпра́вил, отправля́л. 5. писа́ли, посыла́ли, написа́л, посла́л. 6. запи́сывал, записа́л. 7. забы́л, забыва́ет.

XIV. 1. — Скажи́те, пожа́луйста, где нахо́дится ближа́йшая по́чта? — По́чта нахо́дится недалеко́ отсю́да, на у́лице Ки́рова. — Вы не зна́ете, как (когда́) рабо́тает по́чта? — Я ду́маю, с восьми́ часо́в утра́ до восьми́ ве́чера. 2. — Где мо́жно купи́ть конве́рты, ма́рки? — В сосе́днем окне́. — Да́йте, пожа́луйста, конве́рт с ма́ркой, две откры́тки и два бланка для телегра́ммы. 3. — Ско́лько сто́ит конве́рт для авиаписьма́? — Семь копе́ек. — Ско́лько дней идёт письмо́ из Москвы́ в Ки́ев? — Оди́н день. 4. — Мне на́до посла́ть не́сколько поздрави́тельных телегра́мм. Где принима́ют телегра́ммы? — В сосе́днем за́ле. — Ско́лько вре́мени идёт телегра́мма из Москвы́ в Ленингра́д? — Два часа́. 5. Ка́ждое у́тро почтальо́н прино́сит нам газе́ты и пи́сьма. Сего́дня у́тром он принёс мне не́сколько пи́сем. Одно́ письмо́ бы́ло из Ки́ева от моего́ ста́рого дру́га. Мне на́до отве́тить на э́то письмо́. Я не люблю́ писа́ть пи́сьма. Обы́чно я посыла́ю откры́тки.

11.

II. 1. мне ну́жно. 2. нам на́до. 3. вам ну́жно. 4. мне на́до. 5. мне на́до.

III. 1. мой, моего́, своего́. 2. своём, свои́м, его́. 3. свой, его́, его́. 4. своего́, его́, свое́й. 5. мой, свой, его́, своё.

IV. приезжа́л, остана́вливался, обраща́лся, дава́л, зака́зывал, поднима́лся, пока́зывала; прие́хал, останови́лся, обрати́лся, дал, заказа́л, подня́лся, показа́ла.

V. 1. рису́ет. 2. игра́ет, не танцу́ет. 3. организу́ет. 4. ночу́ют. 5. критику́ют. 6. бесе́дует. 7. волну́юсь. 8. интересу́ется.

VI. 1. проговори́ли. 2. поговори́ли, покури́ли. 3. проспа́л. 4. поспа́л. 5. прогуля́ла. 6. погуля́й. 7. пролежа́л. 8. просиде́ли. 9. посиде́ли.

VII. прие́хала, вы́ехали, прие́хали, е́здила, вы́ехала (уе́хала), прие́хала, ходи́ли, пошли́ (пойду́т), приду́т.

VIII. 1. Наш дом постро́ен пять лет наза́д. 2. В журна́ле напеча́таны мои́ стихи́. 3. Магази́н уже́ закры́т. 4. Телегра́мма уже́ по́слана? 5. Э́то письмо́ полу́чено на про́шлой неде́ле. 6. Го́сти приглашены́ к семи́ часа́м. 7. На ве́чере нам был пока́зан сове́тский фильм. 8. Э́та кни́га ку́плена в кио́ске. 9. Но́мер в гости́нице ещё не зака́зан.

X. 1. и, но. 2. и, но, а. 3. но, а. 4. и, но, а. 5. а, и, но.

XI. 1. Е́сли у вас бу́дет вре́мя, ... 2. ..., е́сли ра́но ко́нчу рабо́ту. 3. Е́сли хоти́те посмотре́ть э́тот фильм, ... 4. ..., е́сли у меня́ бу́дут де́ньги. 5. Е́сли в воскресе́нье бу́дет тепло́, ... 6. Е́сли уви́дите где́-нибудь э́тот уче́бник, ... 7. Е́сли ва́ши часы́ спеша́т, ...

XV. 1. На́шу гру́ппу размести́ли в гости́нице «Украи́на». В хо́лле нас встре́тил администра́тор. Мы о́тдали ему́ свои́ паспорта́ и запо́лнили бла́нки для приезжа́ющих. Он сказа́л нам номера́ на́ших ко́мнат. 2. Мой но́мер на девя́том этаже́. Я подня́лся на ли́фте на девя́тый эта́ж. Дежу́рная дала́ мне ключ от моего́ но́мера и сказа́ла: «Когда́ бу́дете уходи́ть, оставля́йте ключ у меня́». Она́ проводи́ла меня́ и показа́ла мне мою́ ко́мнату. 3. О́кна мое́й ко́мнаты выхо́дят на Москву́-реку́. Из окна́ я ви́жу у́лицы, дома́ и мост че́рез Москву́-реку́. Моя́ ко́мната больша́я, све́тлая и тёплая. 4. Нам сказа́ли, что за́втракать, обе́дать и у́жинать мы бу́дем в рестора́не, кото́рый нахо́дится на пе́рвом этаже́ гости́ницы. 5. — Скажи́те, пожа́луйста, у вас есть свобо́дные номера́? — Есть. Вам ну́жен но́мер на двои́х? — Да. Я с жено́й. — Запо́лните, пожа́луйста, бланк. Ваш но́мер на тре́тьем этаже́. Мо́жете подня́ться на ли́фте. Дежу́рная даст вам ключ от ва́шего но́мера. — Спаси́бо.

12

II. 1,7. с мои́м ста́рым дру́гом Никола́ем и его́ жено́й; с мои́ми роди́телями и мое́й мла́дшей сестро́й; с Петро́выми. 2,8. своего́ ста́рого дру́га Никола́я и его́ жену́; свои́х роди́телей и свою́ мла́дшую сестру́; Петро́вых. 3. у своего́ ста́рого дру́га Никола́я и его́ жены́; у свои́х роди́телей и свое́й мла́дшей сестры́; у Петро́вых. 4. о моём ста́ром дру́ге Никола́е и его́ жене́; о мои́х роди́телях и мое́й мла́дшей сестре́; о Петро́вых. 5,6. моему́ ста́рому дру́гу Никола́ю и его́ жене́; мои́м роди́телям и мое́й мла́дшей сестре́; Петро́вым. 9. Мой ста́рый друг Никола́й и его́ жена́; мои́ роди́тели и моя́ мла́дшая сестра́; Петро́вы.

III. 1. Позови́те. 2. Позвони́те. 3. Переда́йте. 4. Подожди́те. 5. Приходи́те.

IV. шёл, вошёл, подошла́, ушла́, зашла́, пошли́, придёт, придёт.

V. 1. вам. 2. мне. 3. им. 4. Ма́ше. 5. мне.

VI. 1. позвони́те. 2. набра́ли. 3. позвони́те. 4. положи́л. 5. набра́ть. 6. клади́те.

VII. 1. дава́йте, пусть. 2. дава́йте, пусть. 3. дава́йте, пусть.

VIII. 1. пое́дем. 2. напи́шем. 3. напи́шет. 4. возьмём. 5. возьмёт. 6. попро́сим. 7. попро́сит.

IX. 1. Ни́на сказа́ла мне, что́бы я купи́л(а) биле́ты в кино́. 2. ..., что́бы она́ пришла́ сего́дня в шесть часо́в ве́чера. 3. ..., что́бы прислали ей свои́ фотогра́фии. 4. ..., что́бы она́ позвони́ла ему́ ве́чером. 5. ..., что́бы он подожда́л меня́ здесь. 6. ..., что́бы я присла́л ему́ журна́л «Ра́дио». 7. ..., что́бы мы повтори́ли восьмо́й уро́к. 8. ..., что́бы я обяза́тельно прочита́л э́ту кни́гу.

X. 1. что́бы, что. 2. что́бы, что. 3. что, что́бы. 4. что, что́бы. 5. что́бы. 6. что, что́бы.

XII. 1. ли. 2. ли, е́сли. 3. е́сли, ли. 4. е́сли, ли, е́сли.

XV. 1. Когда́ я пришёл домо́й, жена́ сказа́ла, что мне звони́л мой ста́рый друг Серге́й. Он сказа́л, что позвони́т ещё раз. 2. — Вчера́ я хоте́л позвони́ть вам, но я не знал ва́шего телефо́на. — Запиши́те его́: Д 3-80-85. Это дома́шний телефо́н. 3. — Вы не мо́жете позвони́ть мне за́втра у́тром, часо́в в де́вять? — Могу́. По како́му телефо́ну? — К 9-22-11. 4. — Когда́ я могу́ позвони́ть вам? — В любо́е вре́мя по́сле пяти́ ве́чера. 5. — Вчера́ я звони́л вам, но никто́ не подходи́л к телефо́ну (не отвеча́л). 6. — Е́сли кто́-нибудь позвони́т мне, скажи́те, что я бу́ду до́ма по́сле семи́ ве́чера. 7. — Это Ва́ля? — Нет, Ва́ли нет до́ма. — Вы не мо́жете сказа́ть, когда́ она́ бу́дет? — Подожди́те мину́тку, сейча́с узна́ю... Вы слу́шаете? Ва́ля бу́дет до́ма по́сле 12. 8. — Позови́те, пожа́луйста, О́льгу Ива́новну. — Это я. — Здра́вствуйте, говори́т ваш студе́нт Петро́в. Извини́те, что я беспоко́ю вас. Я ко́нчил свою́ рабо́ту и хоте́л бы показа́ть её вам. — За́втра я бу́ду в университе́те у́тром. Приходи́те и приноси́те свою́ рабо́ту. — Спаси́бо. До свида́нья. 9. Я сказа́л О́льге Ива́новне, что я ко́нчил свою́ рабо́ту. О́льга Ива́новна сказа́ла, что́бы я принёс свою́ рабо́ту.

13.

II. 1. жа́ловалась. 2. принима́ть. 3. боле́ю. 4. боли́т. 5. жа́луетесь. 6. вы́писал. 7. ле́чит. 8. жа́луется. 9. принима́ть. 10. боля́т. 11. бо́лен.

III. 1. У него́ грипп. 2. Давно́ у неё грипп? 3. У моего́ бра́та бы́ло воспале́ние лёгких. 4. ..., та́к как у меня́ была́ анги́на.

IV. 1. вам на́до. 2. вам на́до. 3. ей на́до (ну́жно). 4. ему́ нельзя́. 5. мне мо́жно. 6. ему́ нельзя́. 7. ему́ нельзя́. 8. ему́ на́до (ну́жно). 9. ей нельзя́.

V. 1. боле́ет (боле́л). 2. боле́ет (боле́л). 3. боли́т (боле́ла). 4. боля́т (боле́ли). 5. боле́л. 6. боли́т. 7. боле́ете (боле́ли). 8. боли́т.

VI. 1. Если у ва́с боли́т голова́, ... 2. Если (когда́) вы больны́, ... 3. Я пошёл к врачу́, та́к как (потому́ что) ... 4. Вам нельзя́ выходи́ть на у́лицу, та́к как ... 5. Никола́й не пришёл на рабо́ту, та́к как ... 6. Мое́й сестре́ нельзя́ е́хать на ю́г, потому́ что ... 7. Если вы почу́вствуете себя́ ху́же, ... 8. Когда́ (та́к как) он почу́вствовал себя́ ху́же, ...

VII. 1. в поликли́нику к зубно́му врачу́. 2. в больни́цу к свое́й больно́й подру́ге. 3. в дере́вню к свои́м роди́телям. 4. в кабине́т к медици́нской сестре́. 5. в медици́нский институ́т к изве́стному профе́ссору.

VIII. 1. ..., что у неё боли́т голова́. 2. ..., когда́ придёт врач. 3. ..., что врач придёт за́втра. 4. ..., что она́ должна́ лечь в больни́цу. 5. ..., как я себя́ чу́вствую. 6. ..., что че́рез неде́лю я смогу́ вы́йти на рабо́ту. 7. ..., что он до́лжен принима́ть э́то лека́рство два ра́за в день.

XI. 1. — Как вы себя́ чу́вствуете? — Спаси́бо, хорошо́. — Говоря́т, вы бы́ли больны́? — Да, я боле́л. — Вы лежа́ли в больни́це? — Нет, я лежа́л до́ма. 2. — У ва́с больно́й вид. Вы должны́ идти́ к врачу́. — Вчера́ я был у врача́. — Что он сказа́л? — Он сказа́л, что мне на́до лежа́ть в посте́ли и принима́ть лека́рство. — Почему́ же вы не лежи́те в посте́ли? — Я иду́ из апте́ки. (Я был в апте́ке.) 3. — У моего́ отца́ ча́сто боли́т голова́. Врач вы́писал ему́ лека́рство от головно́й бо́ли. Оте́ц говори́т, что лека́рство помога́ет ему́. 4. — Я давно́ не ви́дел Никола́я. Что с ним? — Он не рабо́тает сейча́с. Говоря́т, он простуди́лся и лежи́т до́ма. 5. — Ва́ша сестра́ была́ больна́? — Да, ей сде́лали опера́цию, и она́ ме́сяц лежа́ла в больни́це. — Как она́ чу́вствует себя́ сейча́с? — Спаси́бо, лу́чше. Она́ уже́ до́ма. Врач сказа́л, что че́рез неде́лю она́ смо́жет вы́йти на рабо́ту. 6. — Что у ва́с боли́т? — У меня́ си́льный на́сморк и боли́т голова́. — Кака́я у ва́с температу́ра? — У́тром была́ 37,7. 7. Врач изме́рил температу́ру и осмотре́л больно́го. 8. Врач вы́писал мне лека́рство. Он сказа́л, что на́до принима́ть его́ по одно́й табле́тке пе́ред обе́дом. 9. У Влади́мира боли́т зуб, но он бои́тся идти́ к врачу́. 10. — Мари́я Ива́новна жа́луется на плохо́й аппети́т. — Да? Я не заме́тил э́того.

14.

II. 1. хоро́шей спортсме́нкой. 2. чемпио́нкой го́рода по гимна́стике. 3. спо́ртом. 4. лы́жами и пла́ванием. 5. футбо́лом и велосипе́дом. 6. велосипе́дом и ша́хматами.

III. 1. по бо́ксу. 2. по .те́ннису. 3. по волейбо́лу. 4. по гимна́стике. 5. по насто́льному те́ннису. 6. по ша́хматам. 7. по гимна́стике, пла́ванию и фигу́рному ката́нию.

IV. игра́ли, игра́ли, проигра́ли, вы́играл, игра́ет, вы́играли, проигра́ли, сыгра́ли.

V. 1. a) пла́вать, пла́ваете, пла́ваю; б) плыву́т, плывёт, плывёт; в) плыть, пла́вать. 2. a) хо́дите, ходи́л, ходи́ть; б) хо́дите, хожу́, идёте (пойдёте), иду́ (пойду́), идёмте (пойдёмте); в) идёте, идём, идёте, хожу́. 3. a) бежи́те, бегу́; б) бежи́т, бежи́т, бежи́т, бежи́т, бе́гает.

VI. 1. на пиани́но, в волейбо́л, в футбо́л, в хокке́й, на роя́ле, в пинг-по́нг, на скри́пке, в ша́хматы, на гита́ре, в те́ннис, на трубе́. 2. на лы́жах, на конька́х, на ло́дке, на велосипе́де.

VII. 1. кото́рая. 2. в кото́рой. 3. в кото́рой. 4. кото́рую. 5. с кото́рой. 6. о кото́рой.

VIII. 1. ..., каки́м спо́ртом я занима́лся ра́ньше. ..., когда́ я на́чал игра́ть в футбо́л. ..., в како́й кома́нде я игра́л ра́ньше. 2. ..., что я занима́лся бо́ксом. ..., что я на́чал игра́ть в футбо́л семь лет наза́д. ..., что я игра́л в футбо́л и в хокке́й в кома́нде «Зени́т». 3. ..., лю́бит ли он спорт. ..., занима́ется ли он спо́ртом. ..., ката́ется ли он на лы́жах. 4. ..., что́бы он занима́лся спо́ртом. ..., что́бы он бро́сил кури́ть. ..., что́бы он де́лал у́треннюю гимна́стику.

XI. 1. Мой брат занима́ется спо́ртом с де́тства. Он ката́ется на лы́жах и на конька́х. Бо́льше всего́ он лю́бит пла́вание. Кру́глый год он хо́дит в бассе́йн. Я то́же люблю́ пла́вать. Иногда́ я хожу́ в бассе́йн вме́сте с ним. 2. Ни́на хорошо́ игра́ет в те́ннис. В про́шлом году́ она́ заняла́ пе́рвое ме́сто в соревнова́ниях и ста́ла чемпио́нкой страны́ по те́ннису. 3. — Вы занима́етесь спо́ртом? — Нет, сейча́с я не занима́юсь спо́ртом. Ра́ньше, когда́ я был молоды́м, я игра́л в футбо́л и волейбо́л. 4. — Вы занима́етесь гимна́стикой? — Да. Я о́чень люблю́ гимна́стику. По-мо́ему, э́то са́мый краси́вый вид спо́рта. 5. — Ва́ши де́ти де́лают у́треннюю заря́дку? — Да, де́лают. Ка́ждое у́тро. — А вы? — Нет, я давно́ бро́сил. 6. — Вы ча́сто хо́дите на като́к? — Нет, не ча́сто, раз в неде́лю, иногда́ два ра́за в неде́лю. 7. Вчера́ я был на стадио́не. Игра́ли «Дина́мо» и «Арсена́л». Матч был о́чень интере́сный. Он зако́нчился со счётом 1:0. Вы́играла англи́йская кома́нда. 8. Я ви́жу, вы боле́ете за кома́нду «Дина́мо». Я то́же боле́ю за э́ту кома́нду. 9. — Вы лю́бите игра́ть в футбо́л? — Нет, не люблю́. Но по телеви́зору смотрю́ футбо́льные ма́тчи с удово́льствием.

15.

II. 1. поёт. 2. критику́ют. 3. идёт. 4. аплоди́руют. 5. продаю́т. 6. беру́.

III. 1. в теа́тр на бале́т «Зо́лушка». 2. в консервато́рии на конце́рте. 3. в парте́ре, в пя́том ряду́. 4. в Большо́й теа́тр на о́перу «Бори́с Году́нов». 5. на воскресе́нье на ве́чер.

IV. 1. исполня́ется, исполня́ет, исполня́ет. 2. ко́нчил, ко́нчился. 3. встре́тились, встре́тил. 4. верну́ли, верну́лись.

V. 1. У меня́ нет но́вого уче́бника. 2. ... ста́ршего бра́та. 3. сего́дняшней газе́ты. 4. а́нгло-ру́сского словаря́. 5. книг э́того писа́теля. 6. дете́й. 7. о́перного теа́тра. 8. хоро́ших певцо́в. 9. свобо́дных номеро́в.

VI. А. 1. слу́шали. 2. слы́шали. 3. слу́шаю. 4. слу́шать. 5. слы́шит. 6. слы́шал.

Б. 1. ви́дели, ви́дел. 2. посмотре́л. 3. ви́дит. 4. уви́дел, смотре́л, ви́дел. 5. смотре́ть. 6. ви́дели (смотре́ли).

VII. 1. ..., хотя́ я люблю́ э́того а́втора. 2. ..., хотя́ он неда́вно пришёл на сце́ну. 3. Хотя́ конце́рт ко́нчился по́здно, ... 4. ..., хотя́ (я) ви́дел её ра́ньше. 5. ..., хотя́ (я) чита́л его́ неда́вно. 6. ..., хотя́ он изуча́ет ру́сский язы́к уже́ не́сколько лет. 7. Хотя́ мой това́рищ изуча́ет ру́сский язы́к всего́ не́сколько ме́сяцев, ...

IX. 1. Когда́ я был в Москве́, я посмотре́л бале́т «Лебеди́ное о́зеро» в Большо́м теа́тре. 2. Бо́льше всего́ я люблю́ бале́т. Я ви́дел все бале́ты Большо́го теа́тра. 3. Мы хоте́ли посмотре́ть э́ту пье́су, но не смогли́ доста́ть биле́ты. 4. — Что идёт сего́дня в Худо́жественном теа́тре? — «Три сестры́» Че́хова. — Я ви́дел э́ту пье́су в про́шлом году́. 5. — Когда́ бу́дет премье́ра пье́сы Толсто́го «Живо́й труп»? — 20 ма́рта. — Говоря́т, тру́дно доста́ть биле́ты на э́тот спекта́кль. — Да, э́то пра́вда. 6. — Аня, ты свобо́дна в суббо́ту? Я хочу́ пригласи́ть тебя́ в Большо́й теа́тр на бале́т «Спя́щая краса́вица». 7. — У вас есть биле́ты на «Ча́йку»? — Есть на седьмо́е января́ на вече́рний спекта́кль. — Да́йте, пожа́луйста, два биле́та. 8. — У вас нет ли́шних биле́тов? — Есть. Оди́н. — Мне ну́жно два. 9. — Где на́ши места́? — В парте́ре, в шесто́м ряду́. — А где сидя́т Ли́да и Ви́ктор? — В ло́же № 3. 10. — Когда́ начина́ются спекта́кли в моско́вских теа́трах? — У́тренние в 11 часо́в, вече́рние в 6.30.

16.

II. 1. к на́шим роди́телям в Приба́лтику. 2. в пионе́рском ла́гере на берегу́ Чёрного мо́ря. 3. со свои́ми колле́гами, со свои́ми друзья́ми. 4. всем свои́м друзья́м и знако́мым. 5. в ма́леньком куро́ртном городке́ Но́вом Афо́не. 6. на Во́лгу и́ли на Украи́ну.

III. 1. на ме́сяц, ме́сяц. 2. на всё ле́то, всё ле́то. 3. два ме́сяца, на́ два ме́сяца. 4. на́ три дня, три дня. 5. на неде́лю, неде́лю. 6. три го́да, на́ три го́да.

IV. 1. купа́ться. 2. провели́. 3. собира́емся. 4. ката́ться. 5. загоре́л. 6. прово́дите.

V. 1. Па́вел спроси́л меня́, где мы бу́дем отдыха́ть ле́том. 2. ..., что мы собира́емся пое́хать в Крым. 3. ..., что они́ то́же пое́дут на юг. 4. Я спроси́л, в како́м ме́сте они́ бу́дут отдыха́ть. 5. Он отве́тил, что они́ хотя́т пое́хать в Со́чи. 6. Я сказа́л, что мы бу́дем жить недалеко́ от них.

VI. 1. реша́ли, реши́ли. 2. отдыха́ли, отдохну́ли. 3. получи́л, получа́ли. 4. искупа́лись, купа́лись. 5. собра́л и сложи́л, собира́л и скла́дывал. 6. провожа́ли, проводи́ли. 7. поднима́лись, подня́лись.

VII. 1. прие́хали с Украи́ны. 2. пришёл домо́й. 3. подъе́хала к на́шему до́му. 4. вы́шел из до́ма. 5. прие́хали из санато́рия. 6. отошёл от окна́. 7. уе́хали от нас. 8. вошёл в ваго́н.

VIII. 1. Я посмотре́л на часы́ и ... 2. Когда́ (по́сле того́ как) тури́сты подняли́сь на го́ру, они́ ... 3. Когда́ я уезжа́л в о́тпуск, ... 4. Когда́ я отдыха́л на ю́ге, ... 5. Так как она́ не зна́ла ру́сского языка́, ... 6. Когда́ я слу́шаю переда́чи на ру́сском языке́, ... 7. По́сле того́ как я изучи́л ру́сский язы́к, ... 8. По́сле того́ как мы попроща́лись с друзья́ми, ... 9. Когда́ я выхожу́ из университе́та, ... 10. Я позвони́л на вокза́л и узна́л, когда́ ...

IX. 1. купа́ясь, искупа́вшись. 2. обе́дая, пообе́дав. 3. отдохну́в, отдыха́я. 4. возврати́вшись, возвраща́ясь. 5. си́дя, посиде́в. 6. прочита́в, чита́я.

XI. 1. — Где вы отдыха́ли ле́том? — Мы е́здили в Крым. — Хорошо́ отдохну́ли? — Очень. 2. В про́шлом году́ мы провели́ о́тпуск на ю́ге, в Ялте. 3. — В э́том году́ ле́том мы хоти́м пое́хать в Приба́лтику. Мы никогда́ не́ были там. Говоря́т, там прекра́сные пля́жи и не та́к жа́рко, как на ю́ге. — Если пого́да бу́дет хоро́шая, там мо́жно хорошо́ отдохну́ть. 4. А мы обы́чно прово́дим ле́то в гора́х. Мы лю́бим ходи́ть пешко́м. 5. — Вы пое́дете в санато́рий? — Да, неда́вно мне де́лали опера́цию, и тепе́рь врачи́ посыла́ют меня́ в санато́рий. 6. Куда́ пое́дут ле́том ва́ши де́ти? — Ста́рший сын — он студе́нт — пое́дет в альпла́герь. Он ка́ждый год е́здит на Кавка́з. Мла́дший сын пое́дет в пионе́рский ла́герь. — А он не бу́дет скуча́ть в ла́гере? — Нет, он о́чень живо́й ма́льчик, и у него́ всегда́ мно́го друзе́й. 7. — Мы ещё не реши́ли, где бу́дем отдыха́ть в э́том году́. — А когда́ у ва́с о́тпуск? — В а́вгусте. — В а́вгусте хорошо́ пое́хать на ю́г, наприме́р в Молда́вию. 8. В э́том году́ мы никуда́ не пое́дем и бу́дем жить на да́че, недалеко́ от Москвы́. В а́вгусте мы пое́дем на́ две неде́ли в Болга́рию, а остально́е вре́мя то́же бу́дем в Москве́.

17.

II. е́ду, е́дешь, е́дет, е́дем, е́дете, е́дут; е́зжу, е́здишь, е́здит, е́здим, е́здите, е́здят; иду́, идёшь, идёт, идём, идёте, иду́т; лечу́, лети́шь, лети́т, лети́м, лети́те, летя́т.

III. 1. е́здил, е́хал. 2. лета́ли, лете́ли. 3. ходи́л, шёл. 4. е́здил, е́хал.

IV. 1. Вчера́ мы ходи́ли в теа́тр. 2. ... е́здили на Кавка́з. 3. ... лета́л в Ленингра́д. 4. е́здил в Ве́нгрию. 5. ... хо́дим на стадио́н. 6. — Куда́ вы ходи́ли? — Мы ходи́ли в библиоте́ку. 7. ... не е́здил в Сиби́рь.

V. е́здит, е́здили, е́хали, лете́ли, е́хали, выходи́ли, вы́шли, пошли́ (побежа́ли), пое́хали, е́здили.

VI. вы́шли, пое́хали, подошли́, отошёл, отходи́л, вы́шли, вошли́, идёт, вы́шли, пройти́, идти́, пошли́, шли, прошли́, вошли́.

VII. 1. Мы никуда́ не пойдём сего́дня ве́чером. 2. не пойду́ ни к кому́. 3. никогда́ не ви́дел. 4. никогда́ не́ был. 5. никому́ не пишу́ пи́сем. 6. никому́ не расска́зывал. 7. никто́ не ждёт. 8. Ни у кого́ нет тако́го уче́бника. 9. Ни у кого́ из на́с нет маши́ны. 10. ни с ке́м не говорю́.

VIII. 1. нигде́. 2. никуда́. 3. ни с ке́м. 4. ничего́ (никогда́). 5. ниче́м. 6. никого́ и ничего́. 7. никто́. 8. никогда́. 9. никому́ (никогда́).

X. 1. Я спроси́л дежу́рного, когда́ прихо́дит по́езд из Ки́ева. Он отве́тил, что по́езд из Ки́ева прихо́дит в де́вять часо́в утра́. 2. Ни́на спроси́ла милиционе́ра, как пройти́ на Ленингра́дский вокза́л. Милиционе́р отве́тил, что пешко́м идти́ далеко́ и на́до сесть на седьмо́й трамва́й. 3. Я спроси́л сосе́да по купе́, когда́ отхо́дит наш по́езд. 4. Сосе́д по купе́ спроси́л меня́, не хочу́ ли я пойти́ в ваго́н-рестора́н поу́жинать. 5. В письме́ мой друг спра́шивал меня́, когда́ я прие́ду к ним. Я отве́тил ему́, что прие́ду к ним в конце́ ме́сяца. 6. На платфо́рме проводни́ца попроси́ла нас показа́ть на́ши биле́ты (что́бы мы показа́ли на́ши биле́ты). 7. На вокза́ле незнако́мый челове́к попроси́л нас помо́чь ему́ найти́ спра́вочное бюро́.

XII. 1. За́втра я е́ду в Ленингра́д. По́езд отхо́дит в 9.15. 2. — Ско́лько часо́в идёт по́езд от Москвы́ до Ленингра́да? — Во́семь часо́в. 3. Да́йте, пожа́луйста, два биле́та до Ми́нска на 27 число́. 4. — Когда́ вы е́дете в Ки́ев? — Послеза́втра. — Вы пое́дете по́ездом и́ли полети́те самолётом? — Полечу́ самолётом. — Ско́лько часо́в лети́т самолёт до Ки́ева? — То́чно не зна́ю, ду́маю, час-полтора́. 5. За́втра мои́ роди́тели уезжа́ют в Крым. Мы пойдём на вокза́л провожа́ть их. 6. Когда́ по́езд подошёл к ста́нции, на платфо́рме я уви́дел своего́ бра́та. Он пришёл встреча́ть меня́. 7. — Това́рищ проводни́к, где на́ши места́? — Ва́ши места́ в пя́том купе́. 8. — Ско́лько мину́т стои́т по́езд на э́той ста́нции? — Пять мину́т. 9. Теплохо́д бу́дет стоя́ть в Со́чи три часа́. Вы мо́жете сойти́ на бе́рег и пойти́ посмотре́ть го́род. 10. — Как вы себя́ чу́вствуете в самолёте? — Норма́льно. 11. Самолёт приземли́лся. Откры́лась дверь, по ле́стнице ста́ли спуска́ться пассажи́ры. Вот и мой това́рищ.

18.

II. 1. одного́ из свои́х знако́мых. 2. одного́ из на́ших студе́нтов. 3. об одно́м из свои́х това́рищей. 4. оди́н из англи́йских студе́нтов, обуча́ющихся ... 5. одна́ из са́мых больши́х и бога́тых университе́тских библиоте́к. 6. оди́н из преподава́телей. 7. одну́ из но́вых книг.

III. 1. постро́ено. 2. бу́дет откры́та но́вая библиоте́ка. 3. Экза́мены успе́шно сданы́ все́ми студе́нтами. 4. всё пригото́влено. 5. бы́ло объя́влено. 6. по́слано.

IV. 1. на́шем. 2. свой, своего́. 3. свою́, его́. 4. свои́м, его́, своего́, на́ши. 5. своего́, свою́. 6. свою́, его́.

V. прие́хала, пое́хали, е́хали, подъе́хал, вы́шли, вошли́, подошла́.

VI. 1. до поступле́ния. 2. до встре́чи с ва́ми. 3. по́сле оконча́ния шко́лы. 4. по́сле оконча́ния 5. до знако́мства. 6. до нача́ла экза́менов. 7. по́сле у́жина.

VII. 1. что. 2. что. 3. что́бы. 4. что. 5. что. 6. что. 7. что́бы. 8. что. 9. что́бы.

VIII. 1. Преподава́тель сказа́л нам, что за́втра мы начнём изуча́ть но́вую те́му. Оди́н студе́нт спроси́л, каку́ю те́му мы начнём изуча́ть. 2. Студе́нтка попроси́ла преподава́теля объясни́ть э́то пра́вило ещё раз. 3. Преподава́тель спроси́л, когда́ у нас бы́ло после́днее заня́тие по ру́сскому языку́. Мы отве́тили, что в про́шлую пя́тницу. 4. Профе́ссор сказа́л нам, что́бы мы обяза́тельно прочита́ли э́ту кни́гу. 5. Мой сосе́д спроси́л меня́, по́нял ли я после́днюю ле́кцию. 6. Оди́н студе́нт спроси́л меня́, всё ли я по́нял в после́дней ле́кции. 7. В общежи́тии я спроси́л, нет ли мне письма́. Дежу́рный отве́тил, что мне есть письмо́. 8. В письме́ мой друг пи́шет, что ему́ о́чень хо́чется прие́хать в Москву́.

IX. а) два́дцать седьмо́е апре́ля ты́сяча семьсо́т пятьдеся́т пя́того го́да; четы́рнадцатое ию́ля ты́сяча семьсо́т во́семьдесят девя́того го́да; седьмо́е ноября́ ты́сяча девятьсо́т семна́дцатого го́да; пе́рвое января́ ты́сяча девятьсо́т тридца́того го́да; восемна́дцатое ма́рта ты́сяча девятьсо́т со́рок второ́го го́да; двена́дцатое апре́ля ты́сяча девятьсо́т шестьдеся́т пе́рвого го́да.

б) деся́тое февраля́ ты́сяча восемьсо́т тридца́того го́да; пятна́дцатое апре́ля ты́сяча девятьсо́т два́дцать четвёртого го́да; три́дцать пе́рвое ию́ля ты́сяча девятьсо́т пятьдеся́т пе́рвого го́да; второ́е сентября́ ты́сяча восемьсо́т девяно́сто тре́тьего го́да; два́дцать тре́тье декабря́ ты́сяча семьсо́т пятьдеся́т пя́того го́да; шесто́е ию́ня ты́сяча девятьсо́т шестьдеся́т тре́тьего го́да.

XI. 1. В на́шем университе́те шесть факульте́тов. Я учу́сь на истори́ческом факульте́те. Я изуча́ю исто́рию Росси́и. По́сле оконча́ния университе́та я бу́ду преподава́ть исто́рию. **2.** Мой брат у́чится в университе́те на второ́м ку́рсе. Он изуча́ет ру́сский язы́к и ру́сскую литерату́ру. Он хо́чет быть преподава́телем. **3.** — Вы у́читесь и́ли рабо́таете? — Учу́сь. — Где? — В университе́те. **4.** В Моско́вском университе́те у́чатся студе́нты из 65 стран. **5.** В университе́те у́чатся пять лет. **6.** — Каки́е предме́ты изуча́ют студе́нты на пе́рвом ку́рсе филологи́ческого факульте́та? — Исто́рию, древнеру́сскую литерату́ру, исто́рию ру́сского языка́. **7.** Этот студе́нт мно́го занима́ется. **8.** — Где вы лю́бите занима́ться — до́ма и́ли в библиоте́ке? — Я люблю́ занима́ться в библиоте́ке. **9.** На́ши студе́нты лю́бят спорт. Одни́ игра́ют в футбо́л и́ли волейбо́л, други́е занима́ются гимна́стикой, тре́тьи пла́вают. **10.** В клу́бе университе́та рабо́тают кружки́ самоде́ятельности. Я занима́юсь в драмати́ческом кружке́. **11.** — Я давно́ вас не ви́дел. — Мы сдаём экза́мены. — Как ва́ши дела́? — Спаси́бо, хорошо́. — Ско́лько экза́менов вы сда́ли? — Три. — Ско́лько ещё оста́лось? — Оди́н. — Что вы бу́дете де́лать по́сле экза́менов? — Пое́ду домо́й к роди́телям.

INDEX

of the Exercises on Grammar and Vocabulary

Use of Cases

Use of Verbs